자료구조와 알고리즘
with 파이썬

자료구조와 알고리즘
with 파이썬

초판 1쇄 발행 2023년 11월 20일
초판 2쇄 발행 2024년 5월 20일

지은이 | 최영규
펴낸이 | 김승기
펴낸곳 | ㈜생능출판사 / **주소** 경기도 파주시 광인사길 143
브랜드 | 생능북스
출판사 등록일 | 2005년 1월 21일 / **신고번호** 제406-2005-000002호
대표전화 | (031) 955-0761 / **팩스** (031) 955-0768
홈페이지 | www.booksr.co.kr

책임편집 | 최동진 / **편집** 신성민, 이종무
영업 | 최복락, 김민수, 심수경, 차종필, 송성환, 최태웅, 김민정
마케팅 | 백수정, 명하나

ISBN 979-11-92932-33-0 13000
값 24,000원

최고의 강의를 책으로 만나다

자료구조와 알고리즘
with 파이썬

100만 독자가
성장하는 그날까지!

GOAT

Greatest Of All Time 시리즈 | 최영규 지음

생능북스

좋은 프로그램은 자료를 컴퓨터에서 잘 표현하고, 효율적인 절차에 따라 처리해야 하는데, 이를 다루는 학문이 바로 자료구조와 알고리즘입니다. 자료구조와 알고리즘은 매우 중요하고 기초적인 과목이지만 개념의 이해와 함께 코딩을 통한 구현 능력도 함께 요구되기 때문에 어려운 과목이기도 합니다. 이 책은 자료구조와 알고리즘을 더 쉽고 재미있게 공부하고 다양한 문제 해결에 활용할 수 있도록 하는 데 초점을 맞추었습니다. 이를 위해 역점을 두었던 사항들은 다음과 같습니다.

• 파이썬 언어를 이용해 설명하였습니다. 파이썬은 코드를 매우 간결하게 작성할 수 있으므로 C와 같은 다른 프로그래밍 언어에 비해 훨씬 이해가 쉽습니다. 특히 컴파일 과정이 필요 없이 코드를 바로 실행하여 동작을 확인할 수 있습니다.

• 쉬운 이해를 위해 그림을 충분히 사용하였고, 코드는 완전한 형태로 제공하여 바로 실행하고 결과를 확인할 수 있도록 하였습니다. 또한, 퀴즈를 통해 중요한 개념에 대한 이해를 바로 확인할 수 있도록 구성하였습니다.

• 파이썬에 익숙하지 않더라도 충분히 학습할 수 있는 책이 되도록 노력하였습니다. 특별한 파이썬 문법들은 '헬로 파이썬' 박스를 통해 충분히 설명하려고 노력했습니다.

이 책은 총 3개 Part로 나누어 구성하였습니다.

- Part 1은 프로그래머가 꼭 알아야 하는 자료구조를 다룹니다. 그림을 통해 자료구조의 동작 원리를 이해하고 다양한 예제를 통해 생활 속의 다양한 자료를 컴퓨터에서 효율적으로 표현하고 처리하는 방법을 공부합니다.

- Part 2는 유명한 알고리즘들에 대한 지식을 넓히는 단계입니다. 컴퓨터 분야에서 정렬과 탐색, 그래프는 매우 중요한 문제인데, 이들에 대한 효율적인 알고리즘들을 살펴보고, 동작 원리를 그림과 예제 코드를 통해 공부합니다.

- Part 3는 알고리즘 설계 전략을 다룹니다. 일반적인 문제 해결 과정을 살펴본 다음, 억지 기법, 분할 정복, 동적 계획법 등 중요한 알고리즘의 설계 전략들을 다룹니다. 자신의 문제 해결 능력을 기르는 마지막 단계입니다.

이 책을 통해 여러분이 자료구조와 알고리즘에 대한 흥미를 느끼고, 주어진 문제를 효율적으로 해결하기 위한 프로그래밍 능력까지 갖출 수 있게 되기를 기대합니다.

최 영 규

시작하기 ▶▶▶▶▶ Chapter **01** 스택 ▶▶▶▶▶ Chapter **02** 큐

PART 1
자료구조

Chapter **08** 그래프 ◀◀◀◀◀ Chapter **07** 탐색 ◀◀◀◀◀

PART 3
알고리즘
설계 전략

▶▶▶▶▶ Chapter **09** 억지 기법과 탐욕적 전략 ▶▶▶▶▶ Chapter **10** 분할 정복

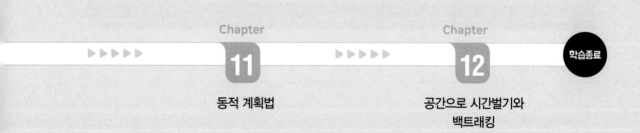

아래 학습진도표는 독자의 수준에 따라 달라질 수 있습니다. 또한 뒤로 갈수록 앞의 내용에 비해 어려운 내용을 다루고 있으므로 시간을 더 투자해야 할 수도 있습니다.

▶ 집중 학습

아래의 학습진도표는 하루 3~4시간, 12일 정도 학습한다고 가정한 일정입니다.

일정	학습내용	진행
1일 차	1장 스택	
2일 차	2장 큐	☐
3일 차	3장 리스트	
4일 차	4장 트리	☐
5일 차	5장 알고리즘 개요	
6일 차	6장 정렬	☐
7일 차	7장 탐색	
8일 차	8장 그래프	☐
9일 차	9장 억지 기법과 탐욕적 전략	
10일 차	10장 분할 정복	☐
11일 차	11장 동적 계획법	
12일 차	12장 공간으로 시간벌기와 백트래킹	☐

▶ 일반 학습

아래의 학습진도표는 하루 1~2시간, 24일 정도 학습한다고 가정한 일정입니다.

일정	학습내용	진행
1일 차	1장 스택	
2일 차		☐
3일 차	2장 큐	
4일 차		☐
5일 차	3장 리스트	
6일 차		☐

일정	학습내용	진행
7일 차	4장 트리	☐
8일 차		
9일 차	5장 알고리즘 개요	☐
10일 차		
11일 차	6장 정렬	☐
12일 차		
13일 차	7장 탐색	☐
14일 차		
15일 차	8장 그래프	☐
16일 차		
17일 차	9장 억지 기법과 탐욕적 전략	☐
18일 차		
19일 차	10장 분할 정복	☐
20일 차		
21일 차	11장 동적 계획법	☐
22일 차		
23일 차	12장 공간으로 시간벌기와 백트래킹	☐
24일 차		

▶ 예제파일 및 연습문제 정답 PDF 다운로드

생능출판사 홈페이지(https://booksr.co.kr/)에서 '자료구조 알고리즘'으로 검색 → 여러 도서 중 이 책의 도서명을 찾아 클릭 → [보조자료]에서 다운로드

차례

PART 1

자료구조

1장 스택 | 2장 큐 | 3장 리스트 | 4장 트리

코딩을 조금이라도 해 보면 프로그래밍이 자료(data)를 주로 다루는 것임을 알 수 있습니다. 사실 컴퓨터 프로그램은 자료를 입력받아 처리하고 결과를 되돌려 주는 것이 전부입니다. 따라서 우리가 컴퓨터로 어떤 일을 하려면 처리할 자료를 컴퓨터가 잘 다룰 수 있는 형태로 표현해주어야 하는데, 자료구조(data structure)는 이것을 다루는 학문입니다. 이러한 자료구조는 알고리즘을 공부하기 위한 기초 지식이기도 하지만, 그 자체로도 매우 중요합니다.

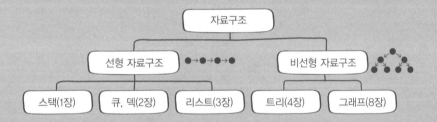

자료구조는 형태에 따라 선형(linear)과 비선형(non-linear)으로 구분됩니다. 선형 자료구조는 자료들을 일렬로 나열하여 저장합니다. 이때 자료들 사이에는 반드시 순서가 있는데, 스택과 큐, 덱, 리스트 등이 대표적인 선형 자료구조입니다. 비선형 자료구조는 한 줄로 세우기 어려운 복잡한 관계의 자료들을 표현할 수 있는데, 예를 들어, 트리는 조직도와 같은 계층 구조를 표현하기에 적합하고, 그래프는 지도와 같이 복잡한 연결 관계를 갖는 자료를 잘 나타낼 수 있습니다.

Part 1에서는 기본적인 자료구조의 구조와 동작을 살펴보면서 생활 속의 다양한 자료들을 컴퓨터에서 효율적으로 표현하고 처리하는 방법을 알아보겠습니다.

Chapter

01

스택

학습목표

가장 간단한 자료구조인 스택(stack)부터 시작해 보겠습니다. 영어
사전에서 'stack'을 찾아보면 '(깔끔하게 정돈된) 무더기나 더미'라고
나옵니다. 우리 주위에서 스택의 예는 주방의 접시 더미나 책상에 쌓
여 있는 책, 창고에 쌓여 있는 상자 더미 등을 들 수 있습니다. 이들의
공통점은 넣고 빼는 동작이 어느 한쪽에서만 이루어진다는 것입니다.
즉, 넣을 때는 항상 더미의 맨 위에 올리고, 꺼낼 때도 맨 위에서만 꺼
냅니다. 다른 위치에서의 삽입과 삭제는 허용하지 않습니다.

  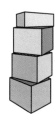

입출력에 제한이 많지만, 스택은 다양한 분야에서 매우 중요하게 사
용됩니다. 이 장에서는 가장 간단한 선형 자료구조인 스택을 공부하
겠습니다. 먼저 스택의 구조와 동작을 이해하고, 파이썬으로 직접 구
현도 해보겠습니다. 스택을 이용해 실제 문제도 해결해봐야겠죠?
자~ 준비되셨나요? 출발합니다.

01-1 스택이란?

스택(stack)은 마지막에 들어간 자료가 가장 먼저 나오는 자료구조인데, 주방의 접시 더미를 생각하면 쉽게 이해할 수 있습니다. 음식점에서 설거지를 담당하는 아르바이트생과 음식을 만드는 요리사가 있다고 생각해봅시다. 아르바이트생은 씻은 접시를 항상 접시 더미의 맨 위에 올려놓을 것입니다. 요리사는 접시가 필요하면 더미의 맨 위에 있는 접시를 꺼내 음식을 담아 손님들에게 제공합니다. 물론 접시 더미의 중간에 접시를 넣거나 꺼내서 사용할 수도 있겠지만 이것은 매우 조심스럽고 번거로운 작업이 될 것입니다.

스택은 이처럼 자료의 입출력이 후입선출(LIFO: Last-In First-Out)의 형태로 제한되는 자료구조입니다. 예를 들어, 접시 A, B, C를 순서대로 닦아 쌓아놓았다면 꺼낼 때는 입력의 역순인 C, B, A의 순서로만 나옵니다. 스택은 그림 1.1과 같이 물건을 넣는 좁고 긴 통으로 생각할 수 있는데, 다른 통로들은 모두 막고 한쪽만을 열어둔 구조입니다. 이때 열린 곳을 보통 스택 상단(stack top)이라 부릅니다. 스택에 저장되는 것을 항목 또는 요소(element)라 부르는데, 결국 스택은 요소의 삽입과 삭제가 상단에서만 가능한 자료구조입니다.

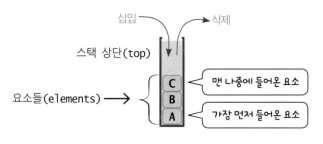

그림 1.1 | 스택의 구조

스택의 활용 예: 웹 브라우저의 [이전 페이지로 이동]

스택은 입력의 역순으로 자료를 꺼내야 할 때 사용됩니다. 예를 들어, 한글이나 파워 포인트와 같은 편집기에서 방금 처리한 작업을 취소하는 [되돌리기(undo)] 기능이나, 웹 브라우저의 [이전 페이지로 이동] 기능을 위해서도 스택이 필요합니다.

그림 1.2 | 스택의 활용 예

그림 1.3과 같은 웹서핑의 예를 통해 [이전 페이지로 이동] 기능을 스택을 이용해 어떻게 구현할 수 있는지 좀 더 구체적으로 살펴보겠습니다.

웹 브라우저를 켜면 시작 페이지로 '뉴스' 페이지가 나온다고 가정합시다. 이 페이지를 보다가 '스포츠'로 이동하고, 다시 '축구'로 이동해 관련 기사를 보다가 [이전 페이지로 이동] 기능으로 다시 '스포츠'로 되돌아온 다음에, 다시 다른 페이지로 이동하는 상황입니다.

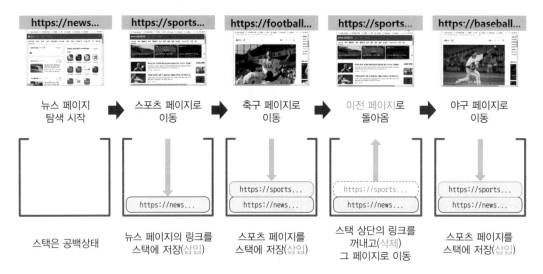

뉴스 페이지 탐색 시작 ➡ 스포츠 페이지로 이동 ➡ 축구 페이지로 이동 ➡ 이전 페이지로 돌아옴 ➡ 야구 페이지로 이동

스택은 공백상태 / 뉴스 페이지의 링크를 스택에 저장(삽입) / 스포츠 페이지를 스택에 저장(삽입) / 스택 상단의 링크를 꺼내고(삭제) 그 페이지로 이동 / 스포츠 페이지를 스택에 저장(삽입)

그림 1.3 | [이전 페이지로 이동] 기능을 위한 스택 사용 과정

어느 페이지를 보다가 다른 페이지로 이동하기는 쉽습니다. 해당 웹페이지에서 어떤 단어나 아이콘을 클릭하면 그 안에 링크(URL)가 숨어 있어 자동으로 그 페이지로 이동하기 때문입니다. 그런데 '이전 페이지'로 가기 위해서는 뭔가 처리가 필요합니다. 왔던 길을 되돌아갈 수 있으려면 지금까지 탐색해 들어온 과정(링크)이 어딘가에 저장되어 있어야 하기 때문입니다. 물론 이를 위해 스택을 사용합니다.

스택은 자료를 저장하는 공간이라 생각할 수 있는데, 맨 처음(웹 브라우저를 처음 시작할 때)에는 비어있다고 생각합시다. 첫 페이지에서 '스포츠' 페이지로 이동하면 지금까지 보고 있던 페이지의 링크가 스택에 저장(삽입)됩니다. '스포츠'에서 '축구'로 이동할 때도 마찬가지로 '스포츠' 페이지의 링크가 스택에 삽입됩니다. 이 상태에서 '이전 페이지'로 돌아가고 싶으면 스택에 저장된 링크를 하나 꺼내야(삭제) 합니다. 스택에서는 맨 위에 있던 '스포츠' 링크가 나오고 브라우저는 다시 이 페이지를 보여줍니다. 이렇게 스택을 사용하면 이전에 방문했던 웹페이지로 쉽게 되돌아올 수 있습니다.

추상 자료형

프로그래밍을 조금이라도 공부했다면 모든 변수나 상숫값이 정해진 자료형(data type)을 갖는다고 배웠을 것입니다. 대부분 프로그래밍 언어에서는 별다른 처리가 필요 없이 바로 사용할 수 있는 여러 가지 기본 자료형을 제공합니다. 예를 들어, 파이썬에서는 정수(int), 실수(float), 문자열(str) 등을 제공하는데 35는 정수형, 35.0은 실수형, "35"는 문자열입니다. 비슷해 보이지만 코드에서 이들을 반드시 구분해야 합니다.

그런데 문제 해결을 위한 프로그램을 작성할 때 프로그래밍 언어가 제공하는 기본 자료형만으로는 불편하거나 비효율적일 수 있습니다. 예를 들어, [이전 페이지로 이동] 기능을 쉽게 구현할 수 있도록 스택을 기본 자료형으로 제공하면 좋겠지만, 대부분 프로그래밍 언어는 그렇지 않습니다. 그 대신 사용자가 새로운 자료형을 정의해 사용할 수 있도록 지원합니다.

새로운 자료형을 정의하려면 그 자료형의 자세하고 복잡한 내용 대신에 필수적이고 중요한 특징만 골라서 단순화시키는 작업이 필요한데, 이를 추상화(abstraction)라고 합니다. 또한, 추상화를 통해 정의한 자료형을 추상 자료형(ADT: Abstract Data Type)이라고 합니다. '추상'이란 단어가 좀 거창해 보지만 별것 아닙니다. 예를 들어, 스택의 추상 자료형은 스택이 어떤 자료를 다루고, 어떤 연산이 필요한지를 정의해 보는 것 정도로 이해하면 됩니다.

그렇다면 스택은 어떤 자료를 다룰 수 있을까요? 스택에는 숫자와 문자열을 포함한 어떤 자료든지 저장할 수 있습니다. 이것은 큐나 트리와 같은 다른 자료구조들도 마찬가지입니다. 따라서 이 책에서는 추상 자료형의 연산에 대해서만 다루겠습니다.

헬로 파이썬 **파이썬의 자료형 확인 함수 type( )**

파이썬에서는 변수에 어떤 자료형의 데이터도 저장할 수 있습니다. 따라서 현재 변수에 저장된 값의 자료형이 무엇인지 알고 싶을 때가 있는데, 이때 내장함수인 type()을 사용합니다. 다음은 변수와 몇 가지 상수의 자료형을 출력하는 코드와 실행 결과입니다.

```
a = 10
print(type(a))        # int
b = 10.0
print(type(b))        # float
print(type(123))      # int
print(type(123.0))    # float
print(type("123"))    # str
print(type(True))     # bool
print(type(10==20))   # bool
print(type(1+2j))     # complex
```

실행 결과
```
<class 'int'>
<class 'float'>
<class 'int'>
<class 'float'>
<class 'str'>
<class 'bool'>
<class 'bool'>
<class 'complex'>
```

스택의 연산

그렇다면 '스택'이라는 새로운 사료형은 어떤 연산을 지원해야 할까요? 예를 들어, 그림 1.3의 [이전 페이지로 이동]에서는 새로운 링크를 스택에 넣는 기능과 스택 상단에 있는 링크를 꺼내는 기능이 필요합니다. 즉, 삽입과 삭제가 스택의 가장 핵심적인 연산인데, 이들은 스택의 상태를 변화시킵니다. 추가적인 연산들로는 스택의 상태(비어 있는지 또는 꽉 찼는지)를 검사하거나 스택 상단 요소를 살짝 들여다 보는 기능 등이 있습니다.

🖥 스택의 연산

- push(e) :　 새로운 요소 e를 스택의 맨 위에 추가
- pop( ) :　　 스택의 맨 위에 있는 요소를 꺼내서 반환
- isEmpty( ) : 스택이 비어 있으면 True를, 아니면 False를 반환
- isFull( ) :　 스택이 가득 차 있으면 True를, 아니면 False를 반환
- peek( ) :　　 스택의 맨 위에 있는 항목을 삭제하지 않고 반환
- size( ) :　　 스택에 들어 있는 전체 요소의 수를 반환

잠깐만 연산의 입출력과 함수의 매개변수와 반환형

연산 중에는 입력이 필요한 것도 있고 그렇지 않은 것도 있습니다. 예를 들어, push(e)는 새로운 요소 e를 스택에 넣어야 하므로 e를 전달해야 하지만, pop()은 스택 상단의 요소를 꺼내기만 하면 되므로 연산을 위해 전달할 입력이 없습니다.

마찬가지로, 결과의 반환이 필요한 것도 있고 그렇지 않은 것도 있습니다. 예를 들어, push(e)는 스택의 상태를 변화시키지만(상단에 e를 삽입) 결과를 반드시 반환할 필요는 없습니다. 이에 비해, pop()은 스택 상단에서 요소를 꺼내고 반드시 되돌려주어야 합니다.

이러한 연산의 입력과 출력은 흔히 함수의 매개변수와 반환형으로 나타내는데, 위의 표에서는 반환형을 생략하였습니다.

스택에서는 삽입과 삭제를 push와 pop이라 부릅니다. 그림 1.4는 비어 있는 스택에 일련의 연산을 처리하는 과정을 보여줍니다.

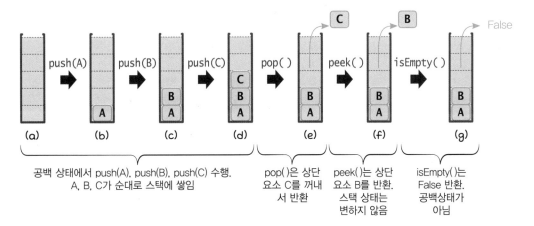

공백 상태에서 push(A), push(B), push(C) 수행.
A, B, C가 순대로 스택에 쌓임

pop( )은 상단
요소 C를 꺼내
서 반환

peek( )는 상단
요소 B를 반환.
스택 상태는
변하지 않음

isEmpty( )는
False 반환.
공백상태가
아님

그림 1.4 | 스택의 일련의 연산

peek는 pop과 비슷하게 상단 요소를 반환하지만, 연산 후에도 스택의 상태는 변하지 않습니다. 만약 스택이 peek 연산을 지원하지 않는다면 pop으로 꺼내서 확인한 후 push로 다시 넣으면 원래의 상태가 유지됩니다.

isEmpty와 isFull은 각각 스택의 공백(비어 있는) 상태와 포화(가득 차 있는) 상태를 검사하는데, 결과는 참(True) 또는 거짓(False)입니다. 스택에 연산을 적용하다 보면 두 가지 오류 상황을 만날 수 있습니다. 한 가지는 그림 1.5(a)와 같이 포화 상태인 스택에 새로운 요소를 삽입하는 경우입니다. 입력이 더는 불가능하므로 오류가 발생하는데, 이것을 스택 오버플로(overflow)라고 합니다. 마찬가지로 그림 1.5(b)와 같이 공백 상태의 스택에서 pop( )이나 peek( )을 호출하면 삭제나 참조가 불가능하므로 언더플로(underflow) 오류가 발생합니다. 따라서 스택을 안정적으로 사용하기 위해서는 이들 상태의 검사가 필요합니다.

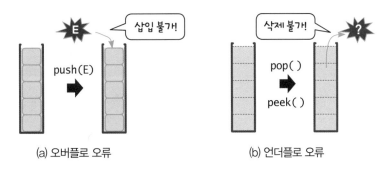

(a) 오버플로 오류

(b) 언더플로 오류

그림 1.5 | 스택의 두 가지 오류 상황

1. 10, 20, 30, 40, 50을 순시대로 스택에 넣었다가 3개의 요소를 삭제하였습니다. 스택에 남아 있는 것은 무엇일까요?

2. 그림 1.4(g)에서 몇 번의 push 연산을 처리하면 스택 오버플로가 발생할까요?

3. 그림 1.4(g)에서 몇 번의 pop 연산을 처리하면 스택 언더플로가 발생할까요?

4. 그림 1.4(g)에서 몇 번의 peek 연산을 처리하면 스택 언더플로가 발생할까요?

01-2 배열 구조로 스택 구현하기

자료구조의 구현 방법들

이제 추상적으로 정의한 자료구조 스택을 파이썬으로 직접 구현해 보겠습니다. 어떤 자료구조를 구현하는 방법은 크게 배열 구조와 연결된 구조로 나눌 수 있습니다. 이들은 그림 1.6과 같이 각각의 자료들을 메모리에 어떤 방식으로 저장하는가에 따라 구분됩니다.

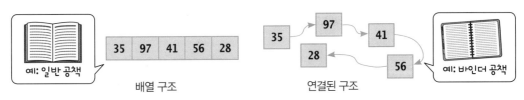

그림 1.6 | 배열 구조와 연결된 구조

- 배열 구조는 자료들을 배열에 모아 저장하는 방법을 말하는데, 모든 요소는 인접한 메모리 공간에 저장됩니다. 이것은 크기가 고정된 일반 공책과 비슷한데, 각 페이지를 쉽게 찾아 편리하게 사용할 수는 있지만, 공책이 가득 차면 더는 저장할 수 없습니다.
- 연결된 구조는 인접한 메모리 공간이 아니라 흩어져 있는 요소들을 연결하여 하나로 관리하는 방법입니다. 이는 바인더 공책처럼 페이지의 위치를 바꾸거나 새로운 페이지를 쉽게 추가하고 삭제할 수 있어 배열 구조보다 유연하게 사용할 수 있지만, 그만큼 관리하기 복잡합니다.

이 장에서는 배열 구조를 이용해 스택을 구현하겠습니다. 연결된 구조는 3장에서 자세히 공부합니다.

헬로 파이썬 **파이썬의 배열**

> 배열은 따로따로 흩어진 변수를 하나로 묶어 편리하게 사용할 수 있습니다. 특히 for나 while 등의 반복문을 사용할 수 있어 효율적인 코드를 작성할 수 있습니다. 파이썬에서는 배열을 위해 리스트(list)와 튜플(tuple)을 이용할 수 있는데, 자료구조를 구현할 목적으로는 배열의 원소들을 변경할 수 있어야 하므로 리스트를 사용하겠습니다.

배열 구조의 스택을 위한 데이터

배열을 이용한 스택의 구조는 그림 1.7과 같은데, 요소를 서장하기 위해 하나의 배열을 사용합니다. 또한 추가적인 변수를 이용하면 스택을 더 편리하게 관리할 수 있습니다.

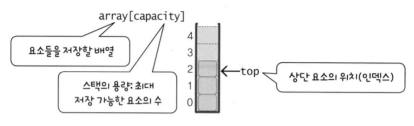

그림 1.7 | 배열을 이용한 스택의 구조

- array[] : 스택 요소들을 저장할 배열
- capacity : 스택의 최대 용량. 저장할 수 있는 요소의 최대 개수(상수)
- top : 상단 요소의 위치(변수, 인덱스)

배열(array)은 요소들을 저장할 공간이고, 용량(capacity)은 이 공간의 크기로 한번 만들어지고 나면 고정되는 상수입니다. 상단을 위한 top은 인덱스를 저장하는 변수로, 가장 최근에 삽입된 요소의 위치를 가리키도록 하겠습니다.

스택 데이터를 파이썬으로 나타내 봅시다. 다음은 용량(capacity)이 10인 스택을 위한 데이터를 초기화하는 코드입니다. 배열을 할당하고 모든 요소를 None으로 초기화합니다. 맨 처음에는 스택이 비어 있으므로 top은 −1로 초기화합니다.

●●● **코드 1.1a: 스택을 위한 데이터** 완성파일 ch01/StackFunc.py

```
01:  capacity = 10              # 스택 용량: 예) 용량을 10으로 지정
02:  array = [None]*capacity    # 요소 배열: [None, ..., None] (길이가 capacity)
03:  top = -1                   # 상단의 인덱스: 공백 상태(-1)로 초기화함
```

스택을 위한 데이터가 준비되면 이제 연산들을 구현해야 합니다. 이들 연산은 앞에서 준비한 스택 데이터 array, capacity, top 등을 다루는 파이썬 함수가 될 것입니다.

파이썬에서는 * 연산자를 이용해 같은 값을 나열하는 리스트를 손쉽게 만들 수 있습니다. 예를 들어, [None]*capacity는 길이가 capacity이고 모든 요소가 None인 새로운 리스트 [None, None, …, None]를 만드는 문장입니다.

스택의 연산

공백 상태와 포화 상태를 검사하는 isEmpty( )와 isFull( ) 연산

스택이 비어 있는지 또는 가득 차 있는지는 top을 이용해 확인할 수 있습니다. 그림 1.8을 보면 스택이 공백일 때 top은 −1이고, 포화 상태이면 top이 capacity−1이 되는 것을 알 수 있습니다. 물론 검사 결과는 참(True)이나 거짓(False)이 될 것입니다. 함수로 구현된 이들 연산은 다음과 같습니다.

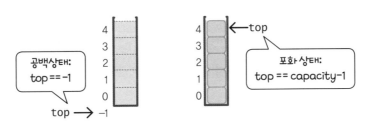

그림 1.8 | 공백 상태와 포화 상태

●●● **코드 1.1b: 스택의 공백 상태와 포화 상태 검사**   완성파일 ch01/StackFunc.py

```
05:  def isEmpty( ) :
06:      if top == -1 : return True          # 공백이면 True 반환
07:      else : return False                 # 아니면 False 반환
08:
09:  def isFull( ) : return top == capacity-1  # 비교 연산 결과를 바로 반환
```

isEmpty( )에서는 조건을 검사해 각각 True나 False를 반환했습니다. 하지만, 좀 더 간결한 방법도 있습니다. 비교 연산(top == −1)의 결과가 True나 False이기 때문에 이 연산 자체, 즉 top == −1을 바로 반환하는 것입니다. isFull( )은 이와 같은 방법으로 간결하게 기술하였습니다. 좀 어려워 보이나요? 어렵다면 이해가 쉽고 확실한 방법을 사용해도 됩니다.

새로운 요소 e를 삽입하는 push(e) 연산

삽입을 위해서는 먼저 top을 하나 증가시켜야 합니다. 다음에 그 위치에 삽입할 요소 e를 복사하면 삽입이 완료됩니다.

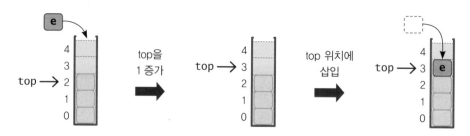

그림 1.9 | push( ) 연산과 스택 데이터의 변화

그런데 이러한 삽입이 가능하려면 전제 조건이 있습니다. 포화 상태가 아니어야 한다는 것입니다. 만약 스택이 포화 상태라면 오버플로 오류 상태가 되어 삽입은 불가능합니다. 따라서 push() 연산에서는 스택이 포화 상태가 아닌지를 먼저 검사해야 합니다. 만약 포화 상태라면 어떻게 할까요? 정답은 없습니다. 상황에 따라 다르기 때문입니다. 다음 코드에서는 단순히 오류 메시지를 출력하고 프로그램을 종료하였습니다.

●●● 코드 1.1c: 스택의 삽입 연산　　　　　　　　　　　완성파일 ch01/StackFunc.py

```
11:  def push( e ) :
12:      # global top
13:      if not isFull() :            # 포화 상태가 아닌 경우
14:          top += 1                 # top 증가(global top 선언 필요)
15:          array[top] = e           # top 위치에 e 복사
16:      else :                       # 포화 상태: overflow
17:          print("stack overflow")
18:          exit()
```

상단 요소를 삭제하는 pop() 연산

삭제 연산이 가능하려면 스택에 최소한 하나 이상의 요소가 남아 있어야 합니다. 따라서 pop() 연산에서는 먼저 공백 상태를 검사해야 합니다. 공백이 아니면 그림 1.10과 같이 top을 하나 감소시키고, 이전 위치(top+1)의 요소를 반환하면 됩니다.

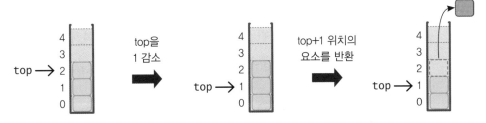

그림 1.10 | pop() 연산과 스택 데이터의 변화

만약 스택이 공백이라면 언더플로 오류가 발생하는데, 다음 코드에서는 단순히 오류 메시지를 출력하고 프로그램을 종료하였습니다.

●●● **코드 1.1d: 스택의 삭제 연산**   완성파일 ch01/StackFunc.py

```
21:  def pop( ) :
22:      # global  top
23:      if not isEmpty():          # 공백 상태가 아닌 경우
24:          top -= 1               # top 감소(global top 선언 필요)
25:          return array[top+1]    # 이전(top+1) 위치의 요소 반환
26:      else:                      # 공백 상태: underflow
27:          print("stack underflow")
28:          exit()
```

> **잠깐만** ● **오류 상황에 대한 처리**
>
> 오류 상황은 어떻게 처리해야 할까요? 가장 좋은 방법은 오류 상황이 발생하지 않도록 미리 처리하는 것입니다. 예를 들어, 대부분 웹 브라우저에서는 '시작 페이지'에서는 '이전 페이지' 버튼을 비활성화시킵니다. '이전 페이지'가 없으므로 이 버튼을 누를 수 없도록 처리해 스택 언더플로 상황이 발생하지 않도록 하는 것입니다.
>
> 그래도 오류가 발생하면 어떻게 할까요? 만약 오류가 발생한 위치에서 어떻게 처리해야 하는지를 알 수 있다면 바로 처리하면 됩니다. 그러나 대부분 그렇지 못합니다. 즉, 스택의 push()나 pop()에서는 발생한 오류를 어떻게 처리할지 알 수 없고, 이들을 사용하는 응용 프로그램에 결정할 수 있는 것이 일반적입니다. 이를 위해 파이썬을 비롯한 많은 프로그래밍 언어에서 예외 처리(exception handling) 기법을 제공합니다. 본문에서는 예외 처리를 다루지 않고, 오류 상황 처리 코드를 생략하겠습니다.

상단 요소를 들여다보는 peek() 연산

pcck()도 공백이 아니이야 가능한데, 단순히 top 위치의 요소를 반환하면 됩니다. 스택 언더플로 예외를 처리하는 코드는 생략했습니다.

●●● 코드 1.1e: 스택의 peek() 연산   완성파일 ch01/StackFunc.py

```
30: def peek( ) :
31:    if not isEmpty():          # 공백 상태가 아닌 경우
32:        return array[top]
33:    else: pass                 # underflow 예외는 처리하지 않았음
```

현재 스택 요소의 수를 반환하는 size() 연산

현재 스택의 요소 수는 top+1입니다. 다음과 같이 한 줄 함수로 구현할 수 있습니다.

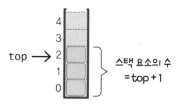

그림 1.11 | 스택 요소의 수 계산

●●● 코드 1.1f: 스택의 size() 연산   완성파일 ch01/StackFunc.py

```
35: def size( ) : return top+1 # 현재 요소의 수는 top+1
```

전역 변수와 함수 구현 방법의 문제

이러한 스택의 구현에는 두 가지 문제가 있습니다. 하나는 push()와 pop()에서 오류가 발생(14행과 24행)하는 것인데, top을 전역 변수로 인식하지 못해 생기는 문제입니다. 이것은 top을 전역변수로 선언하는 global top 문장을 각 함수에 추가하여 간단히 해결할 수 있습니다.

실제로 심각한 문제는 따로 있습니다. 무엇일까요? 이 코드는 여러 개의 스택이 동시에 필요한 문제에 사용할 수 없다는 것입니다. 전역 변수로 선언된 배열이 하나이므로 이 코드는 하나의 스택이 필요한 경우에만 사용할 수 있습니다.

스택을 클래스로 구현

자료구조는 함수를 기반으로 하는 절차적 프로그래밍보다는 클래스를 기반으로 하는 객체 지향 프로그래밍 기법을 이용해 구현하는 것이 훨씬 좋습니다. 이것은 자료구조의 추상 자료형이 클래스의 개념과 정확히 일치하기 때문입니다.

앞에서 구현한 스택을 클래스로 바꾸어 보겠습니다. 클래스라고 너무 걱정할 필요는 없습니다. 파이썬에서는 정수나 리스트, 튜플 등 모든 것들이 클래스로 제공되고 있으며, 여러분은 이미 어렵지 않게 사용하고 있습니다. 또한, 스택 연산의 세부 동작은 이미 앞에서 모두 구현하였고 단지 코드의 형태만 바꾸면 됩니다.

> **잠깐만** **클래스, 멤버변수, 멤버함수, 객체**
>
> 객체 지향 프로그래밍의 핵심은 클래스입니다. 클래스(class)는 데이터와 함수를 묶는 하나의 틀인데, 이때 클래스에 포함된 데이터를 멤버변수라 하고, 함수를 멤버함수 또는 메서드(method)라고 부릅니다. 예를 들어, 스택을 클래스로 만드는 경우 스택을 위한 데이터가 멤버변수가 되고 스택의 연산이 멤버함수가 됩니다. 그렇다면 객체(object)는 무엇일까요? 객체는 클래스의 사례(인스턴스, instance)입니다. 단순하게 생각하면 클래스가 자료형에 해당하고, 객체는 그 자료형의 변수에 해당합니다.

클래스의 선언과 멤버변수 초기화

스택을 클래스로 구현하려면 먼저 클래스의 이름을 정해야겠죠? 배열 구조의 스택이므로 이름을 'ArrayStack'으로 하겠습니다. 이름이 정해지면 스택 클래스를 선언하고 전역 변수들은 모두 클래스의 멤버변수로 옮겨야 합니다. 파이썬에서 클래스의 멤버변수들은 생성자(constructor)라는 특별한 이름으로 불리는 __init__() 함수에서 선언하고 초기화합니다.

●●● **코드 1.2a: 스택 클래스의 정의와 생성자 함수** 완성파일 ch01/StackClass.py

```
01:  class ArrayStack :              ← 클래스 이름              스택의 생성자
02:       def __init__( self, capacity ):
03:           self.capacity = capacity         # 스택 용량
04:           self.array = [None]*self.capacity # 요소 배열
05:           self.top = -1                     # 상단의 인덱스
```

01: class ← 클래스 이름
02: ↑
03: 클래스를
04: 만드는
05: 예약어

생성자는 클래스의 객체가 만들어질 때마다 자동으로 호출되는 함수입니다. 예를 들어, 다음 문장은 용량이 각각 20과 100인 ArrayStack 객체 s1과 s2를 생성하는데, 각 문장이 실행될 때마다 생성자가 호출되어 스택의 데이터를 초기화합니다.

```
s1 = ArrayStack(20)          # 용량이 20인 ArrayStack 객체 s1 생성
s2 = ArrayStack(100)         # 용량이 100인 ArrayStack 객체 s2 생성
```

C++이나 Java와는 다르게 파이썬에서는 생성자를 포함한 클래스의 모든 멤버함수의 첫 번째 매개변수로 스택 객체 자신을 나타내는 'self'를 넣기로 약속되어 있습니다. 클래스의 모든 메서드에서 다른 메서드나 멤버 변수를 사용할 때 반드시 'self.'을 추가해야 하는 것에 주의하세요.

헬로 파이썬 **파이썬 클래스 멤버함수의 첫 번째 매개변수 self**

사실 이름이 self가 아니어도 문제는 없지만, 보통 self를 사용하는데 멤버함수에서 '객체 자신'을 나타냅니다. 이것은 C++에서의 this 포인터와 같은 의미인데, this는 C++에서 키워드(keyword)이지만 self는 파이썬의 키워드가 아닙니다.

클래스의 연산

앞에서 함수로 구현했던 스택의 연산은 다음과 같이 클래스의 멤버함수로 추가합니다. 이때 들여쓰기에 주의해야 합니다. 파이썬에서는 들여쓰기가 매우 중요합니다.

●●● 코드 1.2b: 스택 클래스의 연산   완성파일 ch01/StackClass.py

```
07:        def isEmpty( self ) : return self.top == -1
08:        def isFull( self ) : return self.top == self.capacity-1
09:
10:        def push( self, item ):
11:            if not self.isFull() :
12:                self.top += 1
13:                self.array[self.top] = item
14:            else: pass                # overflow 예외는 처리하지 않았음
15:
16:        def pop( self ):
17:            if not self.isEmpty():
18:                self.top -= 1
19:                return self.array[self.top+1]
20:            else: pass                # underflow 예외는 처리하지 않았음
21:
22:        def peek( self ):
23:            if not self.isEmpty():
24:                return self.array[self.top]
25:            else: pass                # underflow 예외는 처리하지 않았음
26:
27:        def size( ) : return top+1
```

오버플로나 언더플로 예외의 처리는 모두 pass를 이용해 생략했습니다(14, 20, 25행). 자, 이제 자료구조 스택의 추상 자료형을 클래스로 구현했습니다. 좀 어려운가요? 이 코드를 이해하고 클래스를 몇 번만 만들어보면 익숙해지실 것입니다. 이제 클래스가 완성되었으니 사용해봐야겠죠?

스택 클래스의 사용

스택을 이용해 말을 거꾸로 뒤집는 프로그램을 만들어봅시다. 문자열을 입력받고, 입력된 문자들을 순서대로 스택에 모두 넣은 다음 하나씩 꺼내서 출력하기만 하면 됩니다.

Chapter 01 | 스택   **33**

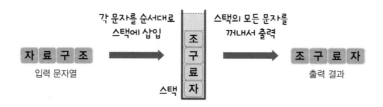

그림 1.12 | 스택을 이용해 문자열을 뒤집어 출력하는 과정

●●● **코드 1.3: 문자열 역순 출력 프로그램**　　　　　완성파일 ch01/StackClass.py

```
01:  s = ArrayStack(100)          새로운 스택 객체 생성. ArrayStack의 매개변수
02:                               capacity에 100이 전달되어 용량이 100인 스택 객체를 만듦
03:  msg = input("문자열 입력: ")    문자열을 입력받아 msg에 저장하고, msg의 각 문자 c를
04:  for c in msg :               순서대로 스택에 삽입
05:      s.push(c)
06:
07:  print("문자열 출력: ", end='')
08:  while not s.isEmpty():        스택이 공백이 아니면 상단의 문자를 꺼내서 화면에 출력.
09:      print(s.pop(), end='')    이 과정을 공백 상태가 될 때까지 반복
10:  print()
```

프로그램의 실행 예는 다음과 같습니다.

🖳 실행 결과

문자열 입력: 안녕하세요. 반갑습니다.
문자열 출력: .다니습갑반 .요세하녕안

💬 Quiz

1. top이 6이면 스택에 저장된 요소는 몇 개일까요?
2. 코드 1.3의 1행을 다음과 같이 수정하고 "안녕하세요. 반갑습니다."를 입력하면 어떤 결과가 나오게
   될지 예상해보세요.
   ```
   s = ArrayStack(10)                # 스택 객체를 생성
   ```

01-3 스택의 응용: 괄호 검사

프로그램 코드나 HTML 문서 등에서는 여러 가지 종류의 괄호들이 사용됩니다. 예를 들어, C언어에서는 대괄호 [ ], 중괄호 { }, 소괄호 ( )가 사용되는데, 프로그램이 정상적으로 컴파일되려면 괄호들이 반드시 쌍이 되도록 사용되어야 합니다. 다음은 배열에서 최댓값을 찾아 반환하는 C언어의 소스코드인데, 문법을 잘 모르더라도 다양한 괄호가 쌍을 이루어 잘 사용된 것을 알 수 있습니다.

```c
int find_max(int score[], int n)
{
    int i, tmp=score[0];
    for( i=1 ; i<n ; i++ ) {
        if( score[i] > tmp ) {
            tmp = score[i];
        }
    }
    return tmp;
}
```

그림 1.13 | 배열에서 최댓값을 찾는 C언어 소스코드와 괄호 검사 문제

괄호 검사 문제란 소스코드나 주어진 문자열에서 괄호들이 올바르게 사용되었는지를 검사하는 문제입니다. 그렇다면 올바른 괄호 사용을 위한 조건들에는 어떤 것이 있을까요?

- 조건 1 : 왼쪽 괄호의 개수와 오른쪽 괄호의 개수가 같아야 합니다.
- 조건 2 : 같은 종류인 경우 왼쪽 괄호가 오른쪽보다 먼저 나와야 합니다.
- 조건 3 : 다른 종류의 괄호 쌍이 서로 교차하면 안 됩니다.

몇 가지 문자열에 대해 이 조건들을 적용해봅시다. 괄호 검사에서는 입력 문자열에서 괄호가 아닌 문자들은 모두 무시하고 괄호문자들만 처리하면 됩니다.

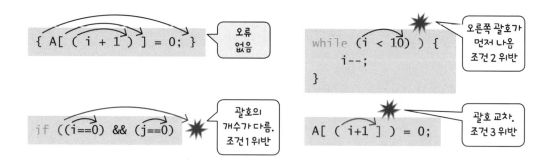

괄호 검사 알고리즘

앞의 문자열들을 자세히 살펴보면 가장 가까운 괄호들끼리는 서로 쌍을 이루어야 하고, 쌍을 이룬 괄호들은 더 이상 고려할 필요가 없다는 것을 알 수 있습니다. 이러한 괄호 검사를 위해 스택이 사용되는데, 검사 과정은 다음과 같습니다.

- 빈 스택을 준비합니다.
- 입력된 문자를 하나씩 읽어 왼쪽 괄호를 만나면 스택에 삽입합니다.
- 오른쪽 괄호를 만나면 가장 최근에 삽입된 괄호를 스택에서 꺼냅니다. 이때 스택이 비었다면 오른쪽 괄호가 먼저 나온 상황이므로 조건 2에 위배됩니다.
- 꺼낸 괄호가 오른쪽 괄호와 짝이 맞지 않으면 조건 3에 위배됩니다.
- 입력 문자열을 끝까지 처리했는데 스택에 괄호가 남아 있으면 괄호의 개수가 같지 않으므로 조건 1에 위배됩니다. 모든 문자를 처리하고 스택이 공백 상태이면 검사 성공입니다.

다음은 몇 가지 코드에 대한 괄호 검사 예를 보여줍니다.

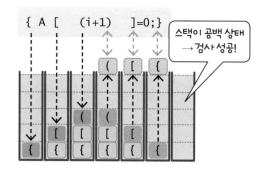 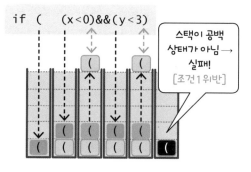

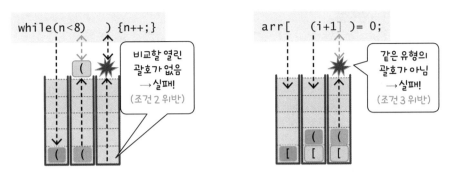

그림 1.14 | 스택을 이용한 괄호 검사 예

괄호 검사 프로그램

괄호 검사 알고리즘을 함수 checkBrackets()로 구현한 코드는 다음과 같습니다. 매개변수로 입력 문자열(소스코드)을 전달받는데, 문자열에서 괄호가 올바르게 사용되었으면 True를 아니면 False를 반환합니다.

●●● **코드 1.4: 괄호 검사 프로그램**   완성파일 ch01/CheckBrackets.py

```
01:  def checkBrackets(statement):
02:      stack = ArrayStack(100)              # 공백 상태의 스택을 준비
03:      for ch in statement:                 # 문자열의 각 문자에 대해
04:          if ch in ('{', '[', '('):        ← 열리는 괄호이면
05:              stack.push(ch)                  스택에 삽입
06:          elif ch in ('}', ']', ')'):      ← 닫히는 괄호인데, 스택이 공백이면
07:              if stack.isEmpty() :            오른쪽 괄호가 먼저 나온 경우.
08:                  return False                조건 2 위반.
09:              else :
10:                  left = stack.pop()        # 문자를 pop해서 비교
11:                  if (ch == "}" and left != "{") or \    ← 쌍이 맞지 않음.
12:                     (ch == "]" and left != "[") or \       조건 3 위반
13:                     (ch == ")" and left != "(") :
14:                      return False
15:
16:      return stack.isEmpty()               ← 만약, 스택이 공백이면 True를 반환하고,
17:                                              공백이 아니면 조건 1을 위반한 경우이므로
                                                False를 반환
```

파이썬의 in 연산자

- 4행 : 파이썬에서는 in 연산자를 제공하는데, 이를 이용해 ch가 열리는 괄호 중 하나인지를 검사할 수 있습니다. 이 코드는 다음과 같이 더 길거나 짧게 표현할 수도 있습니다.

```
if ch=='{' or ch=='[' or ch=='(':
if ch in '{[(':
```

- 6행 : 4행과 마찬가지로 in 연산자를 이용해 닫히는 괄호 중 하나인지를 검사합니다.

앞의 4가지 문자열을 검사한 결과는 다음과 같습니다.

💻 실행 결과

```
{ A[(i+1)]=0;}  --->  True
if ((x<0) && (y<3)  --->  False
while (n<8)) {n++;}  --->  False
arr[(i+1])=0;  --->  False
```

💬 Quiz

1. 괄호 검사 프로그램에서 스택에는 무엇이 저장되어야 할까요?
2. 괄호 검사 프로그램을 이용해 어떤 소스코드의 모든 부분을 처리했는데, 만약 스택이 공백 상태가 아니라면 소스코드에서는 무엇이 잘못되었을까요?

01-4 파이썬에서 스택 사용하기

파이썬으로 코딩하다가 스택이 필요하면 어떻게 할까요? 스택 클래스를 직접 만들어 사용할 수도 있지만, 더 빠른 해결책도 있습니다. 파이썬에서 제공하는 것들을 이용하는 방법입니다. 두 가지를 살펴보겠습니다.

파이썬 리스트를 스택으로 사용하기

가장 간단한 선택은 파이썬 리스트를 스택처럼 사용하는 것입니다. 즉, 리스트의 앞쪽이나 뒤쪽을 스택의 상단으로 생각하고, 그쪽으로만 자료를 넣거나 빼는 것입니다. 이때 리스트의 뒤쪽을 스택의 상단으로 사용하는 것이 더 효율적입니다. 즉, push()는 리스트의 맨 뒤에 요소를 추가하고, pop()은 리스트의 마지막 요소를 꺼내도록 하는 것입니다. 파이썬 리스트의 연산 중에서 스택을 위해 필요한 연산만을 다음과 같이 사용하면 됩니다.

연산	ArrayStack	파이썬 list	사용 예
삽입	push()	메서드 append() 사용	L.append(e)
삭제	pop()	메서드 pop() 사용	L.pop()
요소의 수	size()	내장 함수 len()을 사용	len(L)
공백 상태 검사	isEmpty()	요소의 수가 0인지 검사	len(L)==0
포화 상태 검사	isFull()	list는 용량이 무한대라 포화상태는 의미가 없음. 항상 False	False
상단 들여다보기	peek()	맨 마지막 요소 참조	L[len(L)−1] 또는 L[−1]

- push() : 파이썬 리스트의 append()에 정확히 대응됩니다.
- pop() : 파이썬 리스트의 pop()과 이름까지도 일치합니다.
- size() : 요소의 수는 리스트의 길이를 반환하면 됩니다. 파이썬에서는 내장함수 len()을 이용해 리스트의 길이를 구할 수 있습니다.
- isEmpty() : 리스트의 길이가 0인지, 즉 len(s)==0을 확인하면 됩니다.
- isFull() : 파이썬 리스트는 용량이 무한대이므로 스택의 포화 상태는 의미가 없습니다. 따라서 항상 False입니다.

- peek() : 스택의 상단은 리스트의 맨 마지막 요소이므로 s[len(s) 1]입니다. 파이썬 리스트에서는 음수 인덱스를 지원하므로 s[−1]로 리스트 s의 마지막 요소를 참조할 수 있습니다.

다음은 문자열 역순 출력 프로그램(코드 1.3)을 파이썬 리스트로 구현한 것으로 실행 결과는 동일합니다.

●●● **코드 1.5: 문자열 역순 출력(파이썬 리스트 이용)**　　　　완성파일 ch01/StacksInPython.py

```
01: s = list()                          # 리스트를 객체로 생성해 스택으로 사용
02:
03: msg = input("문자열 입력: ")
04: for c in msg :
05:     s.append(c)                      # c를 스택에 삽입
06:
07: print("문자열 출력: ", end='')
08: while len(s) > 0:                    # 스택이 공백 상태가 아니라면
09:     print(s.pop(), end='')          # 하나의 요소를 꺼내서 출력
10: print()
```

queue 모듈의 LifoQueue 사용하기

파이썬에서는 queue 모듈(module)에서 큐(Queue)나 스택(LifoQueue), 우선순위 큐(PriorityQueue) 등을 클래스로 제공해 줍니다. 따라서 이 모듈의 LifoQueue를 이용하면 스택을 따로 구현하지 않고도 문제를 해결할 수 있습니다. 클래스의 이름이 Stack이 아니라 LifoQueue인 것에 유의하세요. 파이썬에서는 어떤 모듈을 사용하기 위해 다음과 같이 그 모듈을 코드에 포함(import)해 주어야 합니다.

```
import queue                            # 파이썬의 큐 모듈 포함
```

모듈을 포함하고 나면 이제 스택 객체를 만들 수 있는데, 용량이 20인 스택 객체를 생성하는 문장은 다음과 같습니다.

```
s = queue.LifoQueue(maxsize=20)         # 스택 객체 생성(최대크기 20)
```

maxsize가 0이면 스택의 용량이 무한대라는 의미입니다. LifoQueue 멤버함수의 이름

은 다음 표와 같이 ArrayStack과는 좀 다르고, 특히 peek() 연산은 제공되지 않는다는
것에 유의해야 합니다.

연산	ArrayStack	queue.LifoQueue
삽입/삭제	push( ), pop( )	put( ), get( )
공백/포화 상태 검사	isEmpty( ), isFull( )	empty( ), full( )
상단 들여다보기	peek( )	제공하지 않음

다음은 코드 1.5를 LifoQueue로 구현한 코드인데, 실행 결과는 동일합니다.

●●● **코드 1.6: 문자열 역순 출력(LifoQueue 이용)**   완성파일 ch01/StacksInPython.py

```
01: s = queue.LifoQueue(maxsize=100)        # 스택 객체 생성(용량=100)
02:
03: msg = input("문자열 입력: ")
04: for c in msg :
05:     s.put(c)                            # c를 스택에 삽입
06:
07: print("문자열 출력: ", end='')
08: while not s.empty():                     # 스택이 공백 상태가 아니라면
09:     print(s.get(), end='')              # 하나의 요소를 꺼내서 출력
10: print()
```

헬로 파이썬 **파이썬의 모듈**

파이썬에서 모듈(module)이란 함수나 객체 또는 클래스를 모아 놓은 파일을 말합니다. 모듈은 다른
파이썬 프로그램에서 불러와 사용할 수 있게끔 만든 파이썬 파일이라고 할 수 있습니다. 파이썬에서는
많은 모듈이 제공되는데, 이들은 다양한 분야에 걸쳐서 전문가들이 작성한 것으로, 많은 테스트를 거쳤기
때문에 안정되고 효율적인 코드입니다.

Quiz

1. 만약 파이썬의 리스트를 스택으로 사용할 때, 리스트의 맨 앞쪽을 스택 상단으로 사용한다면 삽입과
   삭제 연산은 어떻게 바뀌어야 할까요? 또한 이 연산의 효율성은 어떨지 설명해봅시다.

01-5 시스템 스택과 순환 호출

스택은 운영체제에서도 매우 중요한 역할을 합니다. 운영체제가 관리하는 메모리에는 스택 영역이 있는데 함수의 호출과 반환을 위해 사용됩니다. 예를 들어, 어떤 함수가 호출되면 그 함수가 끝나고 돌아갈 복귀 주소를 스택에 저장하고 호출된 함수를 위한 매개변수와 지역변수들을 스택에서 할당합니다. 이런 준비가 끝나면 프로그램은 호출된 함수의 시작 위치로 이동하여 수행을 시작하고, 함수의 수행이 끝나면 시스템 스택에서 복귀 주소를 추출하여 다시 호출된 함수로 되돌아갑니다.

그림 1.15와 같이 main()에서 func()를 호출하고, func()에서 다시 sub()를 호출하는 상황을 생각해 봅시다. sub()가 끝나면 func()로 돌아가야 하고, 이 함수가 끝나면 다시 main()으로 되돌아가야 합니다. 이러한 함수의 호출과 반환을 위해 시스템 스택이 사용되는데, 호출된 함수가 끝나면 가장 최근에 저장된 프로그램 정보를 꺼내 이전 함수의 상태로 손쉽게 복귀할 수 있습니다.

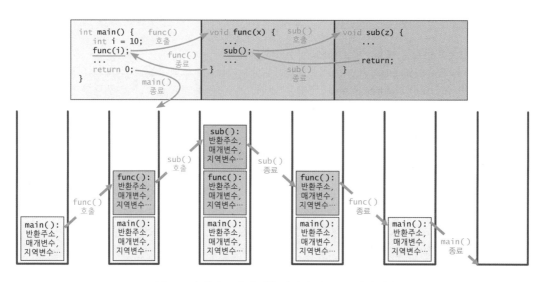

그림 1.15 | 함수 호출과 반환 과정의 시스템 스택의 변화

이러한 시스템 스택을 적극적으로 사용하는 프로그래밍 기법이 있습니다. 바로 순환입니다. 컴퓨터가 사람과 달리 단순한 일을 지루해하지 않고 되풀이하는 것을 잘 알고 있을 것입니다. 그런데 같은 일을 되풀이하기 위해 for나 while과 같은 반복문을 이용할 수도 있지만 순환(또는 재귀) 호출로도 가능합니다. 순환이 무엇인지 살펴보겠습니다.

순환이란?

순환(recursion)이란 어떤 함수가 자기 자신을 다시 호출하여 문제를 해결하는 프로그래밍 기법입니다. 자신을 다시 호출한다는 것이 약간 이상하게 생각될 수 있지만 걱정할 필요는 없습니다. 어떤 함수가 자신을 다시 호출하는 것은 다른 함수를 호출하는 것과 동일하기 때문입니다. 이러한 순환은 문제 해결을 위한 독특한 구조  를 제공하고, 많은 효율적인 알고리즘들에서 사용되는 매우 중요한 개념입니다.

순환은 문제 자체가 순환적이거나(예 팩토리얼 계산, 하노이 탑 등) 순환적으로 정의되는 자료구조(예 이진 트리)를 다루는 프로그램에 적합합니다. 어렵다고요? 예를 들어 보겠습니다. 1부터 자연수 n까지의 곱을 구하는 팩토리얼(Factorial) 문제를 생각해 봅시다.

n의 팩토리얼 $n!$은 다음과 같이 정의할 수 있습니다.

$$n! = 1 \times 2 \times 3 \times \cdots \times (n-1) \times n$$

이것은 곱셈을 반복해서 결과를 구합니다. 그런데 다른 방법도 있습니다. 그것은 n!이 (n-1)!에 n을 곱하면 된다는 것을 이용하는 것입니다. 일단 $(n-1)!$을 어떻게 구할지는 걱정하지 맙시다. 어떻게든 구할 수 있다고 생각하면 $n!$은 다음과 같이 정의할 수도 있습니다.

$$n! = \begin{cases} 1 & n=1 \\ n \times (n-1)! & n>1 \end{cases}$$

이러한 정의를 순환적(recursive)이라고 합니다. 그렇다면 $(n-1)!$은 어떻게 구할까요? 마찬가지로 $(n-2)!$를 구한 다음 $(n-1)$을 곱해주면 되겠죠. $(n-3)!$, $(n-4)!$도 마찬가지입니다. 이 과정을 되풀이하다 보면 $1!$을 구해야 하는데, 우리는 이미 $1!$이 1이란 것을 알고 있습니다.

팩토리얼의 두 가지 구현

이제 각 정의를 이용해 $n!$을 구하는 함수를 구현해 봅시다. 반복적인 정의에 의한 $n!$은 for 문을 이용해 1부터 n까지를 반복해서 곱하면 됩니다.

●●● 코드 1.7: 반복 구조의 팩토리얼 함수 　　　　　　　완성파일 ch01/Factorial.py

```
01:   def factorial_iter(n) :
02:       result = 1
03:       for k in range(2, n+1) :        # k: 2, …, n
04:           result = result * k         # result에 k를 곱함
05:       return result
```

순환적인 정의를 이용한 $n!$은 어떻게 구현할까요? 물론 순환 호출(재귀 호출)을 이용하는데, 자기 자신을 다시 호출하는 것입니다. 구현은 생각보다 쉽습니다. 다음과 같이 순환적인 정의를 그대로 코드로 옮기기만 하면 됩니다.

●●● 코드 1.8: 순환 구조의 팩토리얼 함수 　　　　　　　완성파일 ch01/Factorial.py

```
01:   def factorial(n) :
02:       if n == 1 :              ←     순환 호출을 멈추는 부분.
03:           return 1                   n이 1이면 답을 알고 있음.
04:       else :                   ←     자신을 순환적으로 호출하는 부분.
05:           return n * factorial(n-1)   문제의 크기는 작아져야 함.
```

이러한 순환 함수는 자신을 순환적으로 호출하는 부분과 순환 호출을 멈추는 부분으로 구성됩니다.

- 순환적으로 호출하는 부분(5행)에서는 호출할수록 문제의 크기가 반드시 작아져야 합니다.
- 순환 호출을 멈추는 부분이 반드시 있어야 합니다. 만약 코드 1.8에서 2~3행이 없다면 어떻게 될까요? factorial(3)을 구하기 위해 factorial(2)을 호출하고, 다시 factorial(1), factorial(0), factorial(−1), factorial(−2)을 계속 호출합니다. 이 과정은 시스템의 스택 영역을 모두 사용할 때까지 이어지다가 결국 오류를 내면서 프로그램이 종료됩니다.

순환적인 팩토리얼 함수 동작의 이해

순환적인 팩토리얼 함수를 이용해 3!을 구하는 과정을 생각해보겠습니다. 다음은 factorial(3)이 호출되어 결과를 반환할 때까지의 함수 호출과 반환, 그리고 시스템 스택의 변화를 보여줍니다.

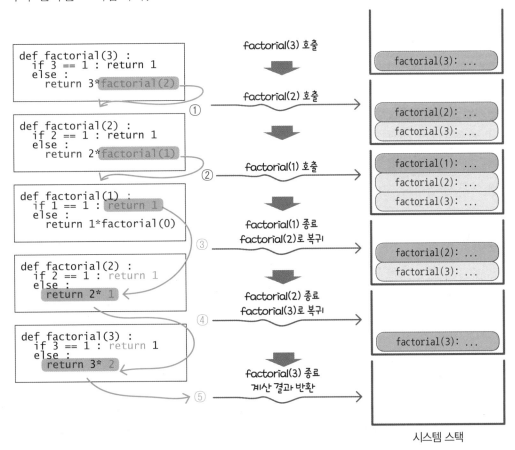

그림 1.16 | factorial(3)이 호출되었을 때 시스템 스택의 변화

서로 다른 함수를 호출하는 그림 1.15와 비교해 보세요. 시스템 스택에 저장되는 것이 동일한 함수에 대한 것이라는 점을 제외하면 차이가 없습니다. 물론 함수는 같지만, 수행 환경(복귀 주소나 변수의 값 등)은 각각 다를 것입니다.

팩토리얼의 사례와 같이 순환 함수는 대부분 반복 구조로도 구현할 수 있습니다. 그렇다면 어떤 방법이 더 효율적일까요? 비교를 위해 두 함수에서 $n!$을 구하기 위해 곱셈(*)이 몇 번 처리되는지를 살펴보겠습니다.

- 반복 구조(코드 1.7)에서는 3행의 for 루프가 n-1번 반복되기 때문에 4행의 곱셈이 n-1번 처리됩니다.
- 순환 구조(코드 1.8)에서는 n이 1인 경우는 곱셈을 사용하지 않고 바로 결과를 반환합니다. 따라서 5행의 곱셈은 n-1번 처리됩니다.

결국 두 방법에서 곱셈 연산의 횟수는 차이가 없습니다. 그렇지만 순환은 함수 호출에 의한 부담이 있고, 시스템 스택을 많이 사용하기 때문에 대부분은 반복보다 느립니다. 예를 들어, 반복 함수는 n이 매우 크더라도 추가적인 메모리가 필요 없이 반복해서 계산하지만, 순환 함수는 그림 1.16과 같이 시스템 스택을 많이 이용해야 결과를 계산할 수 있습니다.

그렇지만 순환은 트리와 같은 특정한 문제에 대해 반복보다 훨씬 명확하고 간결한 코딩이 가능합니다. 또한, 이진 탐색이나 퀵 정렬 등과 같이 매우 효율적이고 유명한 알고리즘에서 흔히 사용되므로 잘 이해하는 것이 좋습니다. 이들에 대해서는 앞으로 하나씩 다루게 됩니다.

하노이의 탑

복잡해 보이는 문제를 순환을 이용해 쉽게 해결할 수 있다는 것을 하노이의 탑(Tower of Hanoi) 퍼즐을 통해 살펴보겠습니다. 꽤 익숙한 이 퍼즐 문제는 다음과 같습니다.

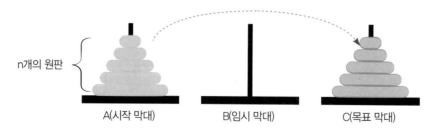

그림 1.17 | 하노이의 탑 문제

막대 A에 쌓여 있는 n개의 원판을 모두 C로 옮기는 문제입니다. 단, 다음과 같은 조건을 만족해야 합니다.
• 한 번에 하나의 원판만 옮길 수 있습니다.
• 맨 위에 있는 원판만 옮길 수 있습니다.
• 크기가 작은 원판 위에 큰 원판을 쌓을 수는 없습니다.
• 중간 막대 B를 임시 막대로 사용할 수 있지만 앞의 조건은 지켜야 합니다.

그림 1.18은 원판의 수가 3인 하노이 탑 문제의 해답을 보여줍니다. A에 있는 세 개의 원판을 모두 C로 옮기기 위해 7번의 이동이 필요한 것을 알 수 있습니다. 원판이 3개뿐인데도 생각보다 이동이 많고 복잡한데 n개를 옮기려면 굉장히 어려울 것 같습니다. 그렇지만 순환을 사용하면 의외로 매우 간단하게 해결할 수 있습니다.

순환 알고리즘에서는 호출할수록 문제의 크기가 작아져야 합니다. 그렇다면 하노이의 탑에서는 문제의 크기가 무엇일까요? 이동해야 하는 원판의 수가 많으면 더 많은 시간이 걸리므로, 원판의 수가 문제의 크기입니다. 그림 1.19를 곰곰이 보면서 순환적인 방법을 어떻게 적용할 수 있을지 생각해봅시다. n개의 원판을 A에서 C로 옮기기 위해 그림 1.19와 같은 아이디어를 떠올릴 수 있다면 당신은 천재입니다.

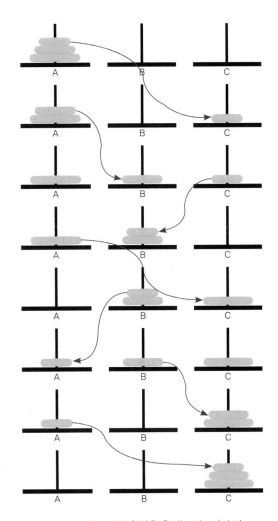

그림 1.18 | 3개의 원판을 옮기는 하노이의 탑

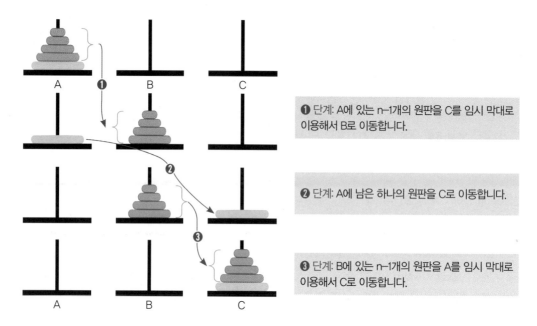

❶ 단계: A에 있는 n−1개의 원판을 C를 임시 막대로 이용해서 B로 이동합니다.

❷ 단계: A에 남은 하나의 원판을 C로 이동합니다.

❸ 단계: B에 있는 n−1개의 원판을 A를 임시 막대로 이용해서 C로 이동합니다.

그림 1.19 | n개의 원판을 옮기는 하노이 탑 문제에 대한 순환 아이디어

이 아이디어에서 단계 ❷는 1개의 원판만 바로 옮기면 됩니다. 문제는 n−1개의 원판을 옮기는 ❶과 ❸을 해결하는 것입니다.

- ❶은 n−1개의 원판을 옮기는 문제인데, 원래 문제보다 크기가 하나 줄었습니다. A에서 n−1개의 원판을 B로 옮기기 위해 비어 있는 C를 임시 막대로 사용하는 것은 문제가 없습니다. 또한, 움직이지 않는 A의 맨 아래 원판은 가장 큰 원판이므로 그 위에 있는 n−1개의 원판 중에서 어떤 것을 올려도 문제가 없습니다. 따라서 ❶은 순환으로 해결할 수 있습니다.
- ❸도 n−1개의 원판을 옮기는 문제입니다. 비어 있는 A를 임시 막대로 사용할 수 있고, C에는 가장 큰 원판이 있으므로 그 위에 나머지 어떤 원판을 올리더라도 문제없습니다. 마찬가지로 순환을 사용할 수 있습니다.
- 순환 호출은 언제 멈출까요? 문제의 크기가 1인 경우입니다. 그냥 그 원판을 목표 막대로 옮기기만 하면 되니까요.

이제 순환으로 이 문제를 해결해 보겠습니다. ❶과 ❸을 위한 순환 호출에서 시작, 임시, 목표 막대만 잘 결정하면 됩니다. 순환을 사용하면 다음과 같이 코드가 놀랄 정도로 간결해집니다.

●●● **코드 1.9: 하노이의 탑**

```
           원판의 수    시작 막대   임시 막대    목표 막대
01:  def hanoi_tower(n, fr, tmp, to) :
02:      if (n == 1) :                              ← 순환 호출을 멈추는 부분
03:          print("원판 1: %s --> %s" % (fr, to))      원판이 하나라면 바로 이동
04:      else :
05:          hanoi_tower(n - 1, fr, to, tmp)     # 단계 ❶
06:          print("원판 %d: %s --> %s" % (n,fr,to))# 단계 ❷  ← 순환 호출
07:          hanoi_tower(n - 1, tmp, fr, to)     # 단계 ❸      부분
```

- 5행 : ❶단계입니다. fr 막대에 있는 n−1개의 원판을 to 막대를 이용해 tmp로 옮기면 됩니다.
- 6행 : ❷단계입니다. fr에 있는 하나의 원판을 바로 to로 옮깁니다.
- 7행 : ❸단계입니다. 마지막으로 tmp에 있는 n−1개의 원판을 fr을 이용해 to로 옮깁니다.

원판을 이동한다는 것은 그냥 화면에 어디서 어디로 이동한다고 출력해주면 됩니다. 4개의 원판을 옮기는 하노이 탑 문제 hanoi_tower(4, 'A', 'B', 'C')에 대한 실행 결과는 다음과 같습니다. 복잡하게 보였던 문제가 순환을 이용하여 의외로 매우 쉽게 해결되었습니다.

🖥 **실행 결과**

```
원판 1: A --> B
원판 2: A --> C
원판 1: B --> C
원판 3: A --> B
원판 1: C --> A
원판 2: C --> B
원판 1: A --> B        ◁ 원판의 이동(예) 1번 원판을 A에서 B로 이동합니다.)
원판 4: A --> C
원판 1: B --> C
원판 2: B --> A
원판 1: C --> A
원판 3: B --> C
원판 1: A --> B
원판 2: A --> C
원판 1: B --> C
```

1. 다음 순환 함수의 문제점을 설명해보세요.

```
def recur(n) :
    if n == 1 : return 1
    else : return n * recur(n)
```

2. 순환 호출을 했을 때 활성 레코드들이 저장되는 위치는 어디일까요?

  ① 변수   ② 배열   ③ 순환 호출 함수 내부   ④ 스택

3. 순환 알고리즘에 대한 설명 중 잘못된 것은?

  ① 문제 자체가 순환적으로 정의된 경우에 적합합니다.

  ② 반복을 이용하는 것보다 효율적입니다.

  ③ 간접적으로 시스템 스택이 사용됩니다.

  ④ 순환 호출할 때마다 문제의 크기가 작아집니다.

연습 문제

01 스택에 A, B, C, D를 순서대로 입력해서 B→C→D→A와 같은 출력을 얻으려면 push( )와 pop()의 호출 순서가 어떻게 되어야 할까요?

02 스택 클래스(코드 1.2)에 스택을 공백 상태로 초기화하는 clear() 연산을 추가해보세요.
Hint 스택 상단을 가리키는 top을 수정하면 됩니다.

03 스택 클래스(코드 1.2)에 모든 요소를 가장 먼저 들어온 요소부터 순서대로 화면에 출력하는 display( ) 연산을 추가해보세요.

04 checkBrackets( )로 다음 문자열의 괄호 사용을 검사하려고 합니다. 알고리즘을 추적하여 각 단계에서 스택의 내용이 변경되는 것을 그려서 설명해보세요.
(1) for (i=1; i<10 ; i++) a[i] = a [(i+1)];
(2) a { b [(c + d) - e] * f }

05 다음 코드의 연산 결과 스택에 남아 있는 내용을 순서대로 적어보세요.

```python
values = Stack()
for i in range( 20 ) :
    if i % 3 == 0 :
        values.push( i )
    elif i % 4 == 0 :
        values.pop()
```

06 코드 1.3과 같은 문자열을 뒤집어 출력하는 프로그램을 순환 호출을 이용해 구현해보세요. 순환 호출은 시스템 스택을 이용하므로 코드 1.3과 같이 추가적인 스택을 사용할 필요는 없지만, 순환 호출 함수를 하나 만들어야 합니다. 다음 코드를 완성해서 텍스트인 '자료구조'가 뒤집혀서 '조구료자'로 출력되도록 해 봅시다.

```python
def printReverse(msg, len) :
    … # 구현할 부분입니다.

instr = "자료구조"
printReverse(instr, len(instr))
```

※ 연습문제 정답은 생능출판사 홈페이지(https://booksr.co.kr/)에서 제공하고 있습니다.

Chapter

02

큐

큐도 스택과 같이 자료들을 일렬로 나열하여 저장하는 선형 자료구조입니다. 그렇지만 입출력 방법이 스택과 다릅니다. 큐는 입구와 출구가 따로 나누어져 있고 입구로 먼저 들어간 자료가 먼저 출구로 나옵니다.

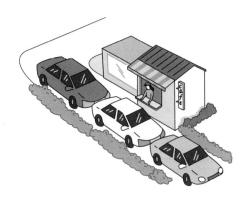

그런데 뭔가 좀 이상하지 않나요? 먼저 들어간 자료를 먼저 처리한다면 그냥 그때그때 처리하면 되지 왜 복잡하게 큐라는 것을 사용할까요? 이것은 자료가 한꺼번에 몰려드는 경우를 생각해보면 쉽게 이해할 수 있습니다. 예를 들어, 어떤 음식점에 손님이 별로 없으면 손님이 오는 대로 테이블을 배정할 수 있습니다. 그런데 한꺼번에 손님들이 몰려오면 어떻게 할까요? 모든 테이블이 손님들로 꽉 차면 나머지 손님들을 돌려보낼 수도 있지만, 더 좋은 방법이 있습니다. 줄을 세우는 것이지요.

큐는 이처럼 갑자기 데이터가 몰려드는 경우 이를 잠시 보관할 장소로 사용됩니다. 이 장에서는 먼저 큐를 공부해 보고, 큐보다 입출력이 약간 더 자유로운 덱이란 자료구조도 함께 살펴보겠습니다.

02-1 큐란?

큐(queue)는 가장 먼저 들어간 자료가 가장 먼저 나오는 자료구조입니다. 큐는 매표소의 대기줄을 떠올리면 쉽게 이해할 수 있습니다. 매표소에서는 먼저 온 사람이 먼저 표를 사게 되고, 방금 도착한 사람은 줄을 서 있는 사람들의 맨 뒤에서 자신의 순서를 기다려야 합니다.

큐는 이처럼 먼저 들어온 데이터가 먼저 나가는 선입선출(FIFO: First-In First-Out)의 특성을 갖는 자료구조입니다. 큐는 스택과 비슷해 보이지만 삽입과 삭제 연산이 같은 쪽이 아니라 서로 다른 쪽에서 일어난다는 근본적인 차이가 있습니다. 즉, A, B, C를 순서대로 넣으면(삽입) 꺼낼(삭제) 때도 같은 순서인 A, B, C로 나오게 됩니다. 이때 삽입이 일어나는 곳을 후단(rear)이라 하고 삭제가 일어나는 곳을 전단(front)이라 부릅니다. 큐의 구조는 다음과 같습니다.

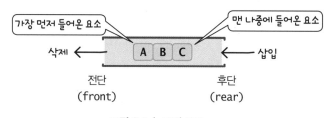

그림 2.1 | 큐의 구조

일상생활에서 많은 일들이 발생한 순서대로 처리되어야 하는 것처럼 컴퓨터에서도 큐가 필요한 곳은 매우 광범위합니다. 예를 들어, 컴퓨터와 주변 기기 사이에는 항상 큐가 있는데, 컴퓨터의 빠른 CPU와 속도가 상대적으로 느린 주변장치(예 프린터)들 사이의 시간이나 속도 차이를 극복하기 위한 임시 기억 장치(버퍼(buffer))로 사용됩니다. 또한, 컴퓨터로 현실 세계를 시뮬레이션하는 분야에서도 큐가 폭넓게 사용됩니다. 이러한 큐는 다양한 알고리즘에서도 흔히 사용되는 매우 중요한 도구입니다.

큐의 연산

스택과 마찬가지로 큐에도 숫자나 문자열을 포함한 어떤 자료든 저장할 수 있습니다. 연산도 스택과 유사합니다. 큐에서도 역시 삽입과 삭제가 가장 핵심적인 연산이고, 큐의 상태를 살피는 연산들을 다음과 같이 추가할 수 있습니다.

🖥 큐의 연산

- enqueue(e) : 새로운 요소 e를 큐의 맨 뒤에 추가
- dequeue( ) : 큐의 맨 앞에 있는 요소를 꺼내서 반환
- isEmpty( ) : 큐가 비어 있으면 True를, 아니면 False를 반환
- isFull( ) : 큐가 가득 차 있으면 True를, 아니면 False를 반환
- peek( ) : 큐의 맨 앞에 있는 요소를 삭제하지 않고 반환
- size( ) : 큐에 들어 있는 전체 요소의 수를 반환

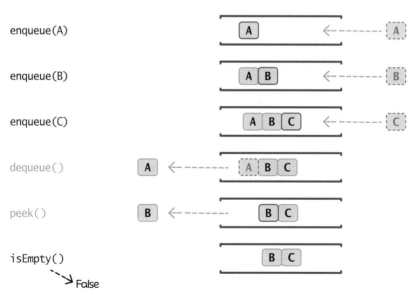

그림 2.2 | 큐의 일련의 연산

큐에서는 삽입과 삭제를 가가 enqueue와 dequeue라고 부릅니다. 그림 2.2는 큐의 일련의 연산을 보여주는데, 빈 큐에 A, B, C를 순서대로 삽입(enqucuc)한 다음 dequeue를 수행하면 맨 먼저 들어간 A가 삭제됩니다. enqueue와 dequeue가 큐의 상태를 변화시키는 연산임에 유의하세요. peek는 dequeue와 비슷하지만, 전단 요소를 참조만 하고 삭제하지는 않습니다.

큐에서도 두 가지 오류 상황을 만날 수 있는데, 그림 2.3(a)와 같이 포화 상태인 큐에 enqueue() 연산을 실행하는 경우의 오버플로(overflow) 오류와 (b)와 같이 공백인 큐에서 dequeue()나 peek() 연산을 실행하는 경우 발생하는 언더플로(underflow) 오류입니다. 큐를 안정적으로 사용하기 위해서는 이들 상태의 검사가 필수적입니다.

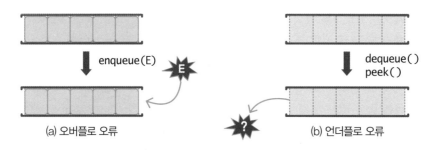

그림 2.3 | 큐의 두 가지 오류 상황

⚫⚫⚫ Quiz

1. 10, 20, 30, 40, 50을 순서대로 큐에 넣었다가 3개의 항목을 삭제하였습니다. 큐에 남아 있는 것은 무엇일까요?
2. 큐에 A, B, C, D, E를 모두 입력하여 C→D→E→B→A와 같은 출력을 얻으려면 입력 순서가 어떻게 되어야 할까요?
3. 그림 2.2의 맨마지막 상태에서 몇 번의 enqueue() 연산을 처리하면 오버플로가 발생할까요? 큐의 용량은 5라고 가정합니다.
4. 그림 2.2의 맨마지막 상태에서 몇 번의 dequeue() 연산을 처리하면 언더플로가 발생할까요? 큐의 용량은 5라고 가정합니다.

02-2 배열로 구현하는 큐

큐도 배열 구조와 연결된 구조로 구현할 수 있는데, 여기서는 배열 구조를 이용하겠습니다. 고정된 용량의 큐를 클래스로 구현합니다.

배열 구조의 큐를 위한 데이터

배열을 이용한 큐의 구조는 그림 2.4와 같습니다. 요소를 저장할 배열과 추가적인 변수들을 이용해 큐를 관리할 수 있습니다.

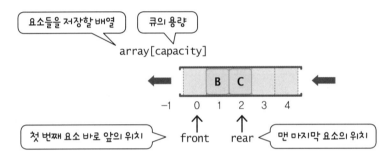

그림 2.4 | 배열을 이용한 큐의 구조

- array[] : 큐 요소들을 저장할 배열
- capacity : 큐에 저장할 수 있는 요소의 최대 개수
- rear : 맨 마지막(후단) 요소의 위치(인덱스)
- front : 첫 번째(전단) 요소 바로 이전의 위치(인덱스)

배열(array)과 용량(capacity)은 스택에서와 동일합니다. 스택에서 상단(top)만을 사용한 것에 비해 큐는 두 개의 변수가 필요한데, 삽입과 삭제가 다른 쪽에서 이루어져야 하기 때문입니다. 먼저 후단을 나타내는 rear는 큐의 마지막 요소를 가리키면 됩니다. 전단을 나타내는 front에 유의하세요. front는 큐의 첫 번째 요소가 아니라 그 요소 바로 앞의 위치를 가리키도록 하겠습니다. 그림 2.4를 예로 들어 봅시다. rear는 맨 마지막 요소인 C의 인덱스 2가 됩니다. front는 맨 앞의 요소인 B의 인덱스 1이 아니라 0을 갖도록 하는 것입니다.

이제 삽입·삭제 연산과 front, rear의 관계를 살펴보겠습니다. 삽입 연산은 rear를 먼저 하나 증가시킨 후 그 자리에 새로운 요소를 넣으면 됩니다. 삭제 연산은 front를 하나 증가시킨 후 그 자리의 요소를 반환하면 됩니다. 맨 처음에는 큐가 공백이어야 하므로 front와 rear를 모두 -1로 초기화합니다.

> **잠깐만** front를 다르게 정의해도 될까요?
>
> 문제는 없습니다. 예를 들어, front를 전단 요소 바로 앞의 인덱스가 아니라 전단 요소 자체의 인덱스로 정의할 수도 있습니다. 이 경우 삭제 연산은 front를 먼저 증가시킨 후 (front-1)번째 요소를 반환해야 할 것입니다. 변수들의 의미를 다르게 정의하면 이에 따라 연산도 수정해야 합니다.

선형 큐의 문제점과 원형 큐의 원리

용량이 5인 공백 상태의 큐에 그림과 같이 5개의 요소 A~E를 삽입(enqueue)하고 두 번의 삭제(dequeue)를 순서대로 수행했다고 생각해 봅시다. 그림 2.5와 같이, 이 상태에서 F를 삽입(enqueue(F))하려면 문제가 생깁니다. 큐의 앞부분에 공간이 있는데도 rear를 더 증가시킬 수 없으므로 새로운 요소 F를 후단에 삽입할 수 없는 것입니다. 그렇다면 어떻게 해야 할까요? 어쩔 수 없이 그림과 같이 큐의 요소들을 모두 최대한 앞으로 옮겨 후단에 공간을 확보한 다음 삽입해야 합니다. 이렇게 동작하는 큐를 선형 큐(linear queue)라고 하는데, 동작을 이해하기는 쉽지만 요소들의 이동이 필요하므로 효율적이지는 않습니다.

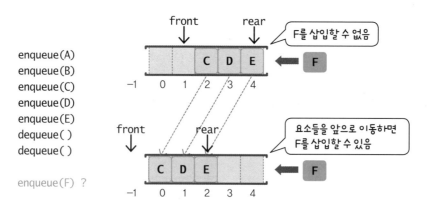

그림 2.5 | 선형 큐의 문제점(많은 이동이 필요함)

이러한 선형 큐의 문제를 깔끔하게 해결할 수 있는 아이디어가 있습니다. 배열을 선형이 아니라 원형으로 생각하는 것입니다. 이러한 큐를 원형 큐(circular queue)라고 하는데, 실제로 배열이 원형이 되는 것이 아니라 인덱스 front와 rear를 원형으로 회전시키는 개념입니다. 예를 들어, 그림 2.6의 왼쪽과 같은 상황에서 enqueue(F)가 호출되면 오른쪽과 같이 rear를 시계 방향으로 한 칸 회전시키고 그 위치에 F를 저장하는 것입니다.

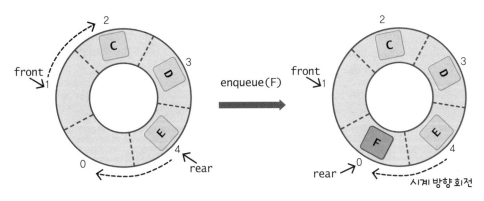

그림 2.6 | 원형 큐는 인덱스를 시계 방향으로 회전시킴

시계 방향의 회전은 어떻게 할까요? front나 rear가 계속 증가하다가 용량(capacity)과 같아지면 이들을 다시 0으로 만들어주면 됩니다. 이것은 if와 같은 조건문으로 처리할 수도 있지만, 다음과 같이 나머지 연산(%)을 이용하면 더 간결하게 처리됩니다.

- 전단 회전 : front ← (front+1) % capacity
- 후단 회전 : rear ← (rear+1) % capacity

예를 들어, 삽입과 관련된 rear는 0, 1, 2, 3, 4의 순으로 증가하다가 (4+1)%5가 되어 다시 0으로 되돌아갑니다. 삭제와 관련된 front도 같은 방법으로 시계 방향으로 회전합니다.

원형 큐의 클래스 구현

이제 원형 큐를 클래스로 구현해 보겠습니다. 클래스의 이름은 ArrayQueue로 하겠습니다.

클래스의 선언과 멤버변수 초기화

배열 구조를 이용한 원형 큐 클래스를 신언하고, 생성자에서 멤버변수를 선언하고 초기화하는 코드는 다음과 같습니다.

●●● 코드 2.1a: 원형 큐: 클래스 정의와 생성자
완성파일 ch02/ArrayQueue.py

```
01:  class ArrayQueue :                              ← 원형큐의 생성자
02:      def __init__( self, capacity = 10 ) :    # 생성자 정의
03:          self.capacity = capacity              # 용량(고정)
04:          self.array = [None] * capacity        # 요소들을 저장할 배열
05:          self.front = 0                        # 전단 인덱스
06:          self.rear = 0                         # 후단 인덱스
```

1장의 스택 클래스와 비교해보세요. 이제 파이썬의 클래스와 생성자에 조금씩 익숙해지고 있나요? 맨 처음에는 큐가 공백이 되어야 하므로 front와 rear는 0으로 초기화했는데, 이것은 공백 상태 검사 연산에서 자세히 살펴보겠습니다.

> **헬로 파이썬** **매개변수의 기본 값 지정**
>
> capacity = 10은 함수의 매개변수 capacity에 기본값으로 10을 지정하는 것입니다. 이 함수를 호출할 때 해당 인수가 주어지면 그 값을 사용하고 주어지지 않으면 기본값인 10을 사용하게 됩니다.

공백 상태와 포화 상태를 검사하는 isEmpty( )와 isFull( ) 연산

원형큐의 공백 상태와 포화 상태를 정의하겠습니다. 공백 상태는 front == rear인 경우입니다. 이들이 0이 되어야 할 필요는 없습니다. 단지 front와 rear가 같은 곳을 가리키기만 하면 큐는 공백 상태입니다.

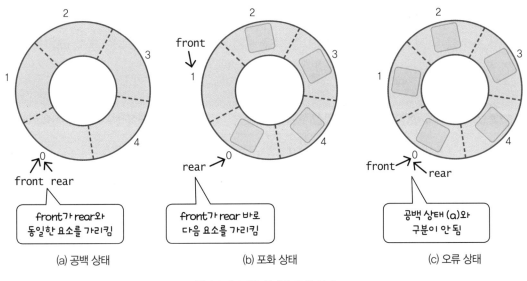

(a) 공백 상태   (b) 포화 상태   (c) 오류 상태

그림 2.7 | 공백 상태와 포화 상태

포화 상태는 어떨까요? 그림 2.7의 (c)와 같은 상태를 생각하기 쉽지만, 문제가 있습니다. (c)는 front==rear인 상태로 공백 상태인 (a)와 구분이 되지 않습니다. 따라서 원형 큐에서는 보통 하나의 자리를 비워두는 전략을 사용합니다. 즉, (b)와 같이 front 가 rear의 바로 다음에 있으면 포화 상태라고 정의합니다. 시계 방향의 회전까지 고려하면 front == (rear +1)% capacity가 포화 상태입니다. 이제 이들 검사 연산을 다음과 같이 클래스의 멤버함수로 구현할 수 있습니다.

●●● **코드 2.1b: 원형 큐: 공백 상태와 포화 상태 검사**   완성파일 ch02/ArrayQueue.py

```
08:     def isEmpty( self ) :                    # 공백 상태
09:         return self.front == self.rear
10:
11:     def isFull( self ) :                     # 포화 상태
12:         return self.front == (self.rear+1)%self.capacity
```

이 연산도 True나 False를 결과로 반환합니다. 코드의 9행과 12행에서는 비교 연산 (self.front == self.rear)의 결과 자체를 반환하는 방법으로 간결하게 기술하였습니다. if-else를 이용하면 코드는 길어지지만 좀 더 이해는 쉽겠죠?

새로운 요소 e를 삽입하는 enqueue(e) 연산

후단 rear를 먼저 시계 방향으로 한 칸 회전시키고, 그 위치에 새로운 요소 e를 복사하면 됩니다. 물론 삽입은 포화 상태가 아니어야 가능합니다.

●●● **코드 2.1c: 원형 큐: 삽입 연산**　　　　　　　　　　완성파일 ch02/ArrayQueue.py

```
14:     def enqueue( self, item ):                  # 삽입 연산
15:         if not self.isFull():                   # 포화 상태가 아닌 경우
16:             self.rear = (self.rear + 1) % self.capacity
17:             self.array[self.rear] = item
18:         else : pass                             # 오버플로 오류: 처리 안 함
```

코드에서 언더플로 예외 처리는 생략했습니다. 예외 상황에 대한 처리는 응용에 따라 달라질 수 있기 때문입니다.

맨 앞의 요소를 삭제하는 dequeue( ) 연산

삭제는 큐에 요소가 남아 있어야 가능합니다. 큐가 공백이 아니면 먼저 front를 시계 방향으로 한 칸 회전시키고(22행) 그 위치의 요소를 반환하면(23행) 됩니다.

●●● **코드 2.1d: 원형 큐: 삭제 연산**　　　　　　　　　　완성파일 ch02/ArrayQueue.py

```
20:     def dequeue( self ):
21:         if not self.isEmpty():
22:             self.front = (self.front + 1) % self.capacity
23:             return self.array[self.front]
24:         else : pass                             # 언더플로 오류: 처리 안 함
```

맨 앞의 요소를 들여다보는 peek( ) 연산

peek( )도 공백이 아니어야 가능한데, front를 시계 방향으로 한 칸 회전시킨 위치의 요소를 반환하면 됩니다. 이때 front 자체를 변경하지 않아야 하는 것에 유의하세요. 언더플로 예외의 처리는 생략했습니다.

●●● 코드 2.1e: 원형 큐: 상단 들여다보기 연산   완성파일 ch02/ArrayQueue.py

```
26:        def peek( self ):
27:            if not self.isEmpty():
28:                return self.array[(self.front + 1) % self.capacity]
29:            else : pass                        # 언더플로 오류: 처리 안 함
```

전체 요소의 수를 구하는 size() 연산

선형 큐라면 요소의 수는 rear−front로 쉽게 계산할 수 있습니다. 그러나 원형 큐에서는 그림의 예와 같이 이 값이 음수가 될 수도 있습니다. 만약 rear−front가 음수라면 추가로 용량을 더해 양수로 만들어야 합니다. 따라서 원형 큐의 전체 요소의 수는 (rear−front+capacity)%capacity가 됩니다. 그림의 경우 전체 요소의 수는 (0−2+5)%5 = 3입니다.

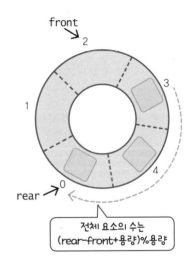

전체 요소의 수는
(rear−front+용량)%용량

●●● 코드 2.1f: 원형 큐: 전체 요소의 수   완성파일 ch02/ArrayQueue.py

```
31:        def size( self ) :
32:            return (self.rear - self.front + self.capacity) % self.capacity
```

큐의 내용을 출력하는 display() 연산

원형 큐에 저장된 모든 요소를 큐에 들어온 순서대로 화면에 보기 좋게 출력하는 연산을 추가로 구현해 보겠습니다. 맨 앞 요소는 그림과 같이 front의 다음 위치(front+1)에 있으며, 출력할 요소의 수는 size() 개입니다. 물론 인덱스는 시계 방향으로 회전되어야 하므로 코드의 37행과 같이 나머지 연산 %를 적용해야 합니다.

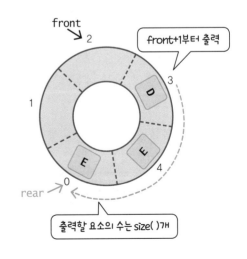

front+1부터 출력

출력할 요소의 수는 size( )개

코드 2.1g: 원형 큐: 전체 요소를 화면으로 출력 완성파일 ch02/ArrayQueue.py

```
34:     def display(self, msg):          ← 큐의 이름이나 메시지를 출력하기 위한 매개변수
35:         print(msg, end='= [')
36:         for i in range(self.front+1, self.front+1+self.size()):
37:             print(self.array[i%self.capacity], end=' ')
38:         print("]")                    ← front+1부터 size( )개의 요소를 순서대로 출력
```

큐의 활용

원형 큐의 동작을 확인하기 위해 간단한 프로그램을 만들어 보겠습니다. 무작위로 발생한 정수(0~99)를 큐가 꽉 찰 때까지 삽입한 후, 다시 모든 숫자를 꺼내 출력하는 것입니다. 출력문을 추가하여 숫자들이 삽입된 순서와 동일하게 삭제되는지를 확인해 보겠습니다.

코드 2.2: 원형 큐: 테스트 프로그램 완성파일 ch02/ArrayQueue.py

```
01:  import random                            # 난수 발생을 위해 random 모듈 포함
02:      q = ArrayQueue(8)                     # 큐 객체를 생성(capacity=8)
03:
04:      q.display("초기 상태")
05:      while not q.isFull() :
06:          q.enqueue(random.randint(0,100))  ← 큐가 포화 상태가 될 때까지 0에서 99
07:      q.display("포화 상태")                    사이의 정수를 무작위로 발생하여 큐에
08:                                               삽입. 용량이 8이므로 7개까지 삽입됨.
09:      print("삭제 순서: ", end='')
10:      while not q.isEmpty() :
11:          print(q.dequeue(), end=' ')      ← 큐가 공백 상태가 될 때까지 요소를 꺼내서
12:      print()                                 화면에 출력
```

프로그램의 실행 예는 다음과 같은데 모든 숫자가 입력된 순서로 출력됩니다.

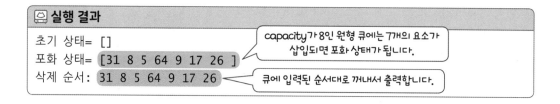

🖥 **실행 결과**

```
초기 상태= []
포화 상태= [31 8 5 64 9 17 26 ]          ← capacity가 8인 원형 큐에는 7개의 요소가
                                           삽입되면 포화 상태가 됩니다.
삭제 순서: 31 8 5 64 9 17 26             ← 큐에 입력된 순서대로 꺼내서 출력합니다.
```

원형 큐를 링 버퍼로 사용하기

원형 큐는 오래된 자료를 버리고 항상 최근의 자료를 유지하는 용도로 사용할 수도 있습니다. 예를 들어, 그림 2.8에서와 같이 최대 7개의 요소를 저장할 수 있는 원형 큐에 7개 이상의 자료들이 연속적으로 입력되었을 때 가장 최근에 들어온 7개만 저장되도록 하고 오래된 데이터는 버리는 것입니다. 이러한 원형 큐를 링 버퍼(ring buffer)라고 합니다.

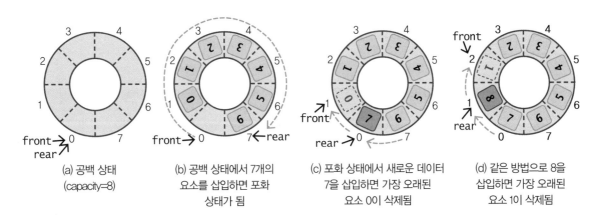

(a) 공백 상태
(capacity=8)

(b) 공백 상태에서 7개의 요소를 삽입하면 포화 상태가 됨

(c) 포화 상태에서 새로운 데이터 7을 삽입하면 가장 오래된 요소 0이 삭제됨

(d) 같은 방법으로 8을 삽입하면 가장 오래된 요소 1이 삭제됨

그림 2.8 │ 링 버퍼 동작의 예(최근에 들어온 데이터만 저장됨)

그림 2.8(a)와 같은 공백 상태의 큐에 7개의 데이터가 삽입되면 큐는 (b)와 같이 포화 상태가 됩니다. 이 상태에서 삽입연산을 추가로 수행하면 기존의 원형 큐에서는 오버플로 오류가 발생하고 삽입은 실패합니다. 이에 비해 링 버퍼에서는 원형 큐의 enqueue를 약간 수정하여 포화 상태와 상관없이 항상 삽입할 수 있도록 합니다. 물론 이 과정에서 가장 오래된 요소가 버려집니다. 그림 2.8(c)와 같이 포화 상태가 되더라도 무조건 다음 위치에 데이터(7)를 일단 삽입합니다. 삽입이 끝나면 front와 rear가 같아지는 오류 상태가 되는데, 이때 front를 하나 증가시킵니다. 즉, 가장 오래된 데이터를 삭제해서 큐를 계속 포화 상태로 유지하는 것입니다.

링 버퍼를 위해서는 ArrayQueue 클래스의 삽입 연산을 약간 수정해야 합니다. 새로운 삽입 연산을 enqueue2()라고 하면 다음과 같이 구현할 수 있습니다.

●●● **코드 2.3a: 원형 큐: 링 버퍼를 위한 삽입 연산** 완성파일 ch02/ArrayQueue_Ring.py

```
01:         def enqueue2( self, item ):                    # 링 버퍼 삽입 연산
02:             self.rear = (self.rear + 1) % self.capacity
03:             self.array[self.rear] = item              ← 일단, 무조건 삽입
04:             if self.isEmpty():                          # front == rear
05:                 self.front = (self.front + 1) % self.capacity
```

삽입 후가 공백이면 이것은 오류 상태.
이 경우 front를 회전시켜 가장 오래된 요소를 삭제.

링 버퍼의 테스트를 위한 프로그램과 실행 결과는 다음과 같습니다.

●●● **코드 2.3b: 링 버퍼의 테스트 프로그램** 완성파일 ch02/ArrayQueue_Ring.py

```
07:         q = ArrayQueue(8)                    # 큐 객체를 생성(capacity=8)
08:
09:         q.display("초기 상태")
10:         for i in range(6) :                  # enqueue2( ): 0, 1, 2, 3, 4, 5
11:             q.enqueue2(i)
12:         q.display("삽입 0-5")
13:
14:         q.enqueue2(6); q.enqueue2(7)         # enqueue2( ): 6, 7
15:         q.display("삽입 6,7")    ← 이제 큐는 포화 상태
16:
17:         q.enqueue2(8); q.enqueue2(9)    ← 포화 상태에서 두 번의 삽입 연산 수행
18:         q.display("삽입 8,9")              가장 오래된 요소 2개가 삭제됨
19:
20:         q.dequeue(); q.dequeue()            # dequeue( ) 2회
21:         q.display("삭제   x2")
```

📟 **실행 결과**

```
초기 상태= []
삽입 0-5= [0 1 2 3 4 5 ]
삽입 6,7= [1 2 3 4 5 6 7 ]     포화 상태가 아니면 정상적으로 동작함
삽입 8,9= [3 4 5 6 7 8 9 ]     포화 상태에서 8, 9를 삽입하면 가장 먼저
삭제   x2= [5 6 7 8 9 ]        들어온 요소들(1, 2)이 자동으로 삭제됨
```

1. 원형 큐에서 공백 상태는 _____이고, 포화 상태는 _____입니다.
2. capacity가 8인 원형 큐에서 front와 rear가 모두 6일 때 다음과 같은 연산을 처리한 후의 front와 rear는 각각 얼마일까요?
   enqueue(10), enqueue(11), enqueue(12), enqueue(13), dequeue( ), dequeue( )
3. capacity가 8인 원형 큐를 링 버퍼로 사용하는 경우, 공백 상태의 큐에 1, 2, 3, …, 20과 같이 20개의 정수를 순서대로 삽입(enqueue2)했다면 큐에 남은 요소는 무엇일까요?

02-3 덱이란?

덱(deque)은 double-ended queue의 줄임말로서 전단과 후단에서 모두 삽입과 삭제가 가능한 큐를 말합니다. 그렇지만 여전히 중간에 삽입하거나 삭제하는 것은 허용하지 않습니다.

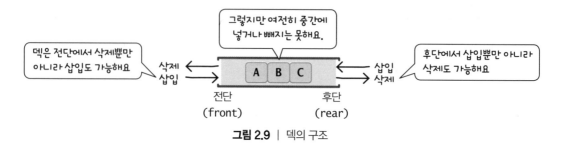

그림 2.9 | 덱의 구조

덱은 스택이나 큐보다 입출력이 자유로워서 연산도 몇 가지 추가됩니다. 덱의 주요 연산은 다음과 같이 정의할 수 있습니다.

💻 덱의 연산

- addFront(e) :   새로운 요소 e를 전단에 추가
- addRear(e) :   새로운 요소 e를 후단에 추가
- deleteFront( ) : 덱의 전단 요소를 꺼내서 반환
- deleteRear( ) :   덱의 후단 요소를 꺼내서 반환
- getFront( ) :   덱의 전단 요소를 삭제하지 않고 반환
- getRear( ) :   덱의 후단 요소를 삭제하지 않고 반환
- isEmpty( ) :   덱이 비어있으면 True를 아니면 False를 반환
- isFull( ) :   덱이 가득 차 있으면 True를 아니면 False를 반환
- size( ) :   덱에 들어 있는 전체 요소의 수를 반환

덱은 스택과 큐의 연산을 모두 가지고 있습니다.

- 덱의 addRear, deleteFront, getFront 연산은 각각 큐의 enqueue, dequeue, peek 연산과 정확히 동일합니다.
- 덱의 후단(rear)을 스택의 상단(top)으로 사용한다면, 덱의 addRear, deleteRear, getRear 연산은 스택의 push, pop, peek 연산과 정확히 동일합니다.

그림 2.9를 보면 덱의 구조가 큐와 매우 비슷한 것을 알 수 있습니다. 따라서 덱의 구현도 원형 큐와 비슷하게 원형 덱(circular deque)으로 구현하는 것이 좋습니다. 이때 주의해야 할 연산은 front와 rear를 감소시켜야 하는 deleteRear와 addFront입니다. 이들은 원형 큐의 enqueue나 dequeue 연산과는 달리 인덱스를 하나씩 줄여야 하는데, 이것은 반시계 방향 회전을 의미합니다. 이를 위한 인덱스 처리는 나머지 연산을 이용해 간결하게 할 수 있습니다.

- 전단 회전(반시계 방향) : front ← (front−1+capacity) % capacity
- 후단 회전(반시계 방향) : rear ← (rear−1+capacity) % capacity

예를 들어, 그림 2.10(a)에서 후단 삭제를 위한 deleteRear( )를 수행하면 (b)와 같이 rear는 3에서 2로 줄어듭니다. 또한, (b)에서 전단 삽입을 위해 addFront(D)를 수행하면 (c)와 같이 front는 0에서 7(=(0−1+8)%8)로 회전합니다.

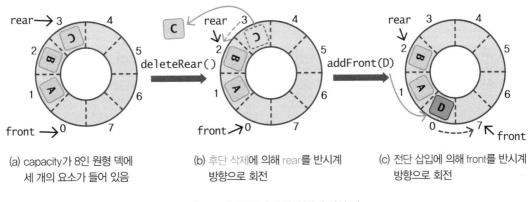

(a) capacity가 8인 원형 덱에 세 개의 요소가 들어 있음

(b) 후단 삭제에 의해 rear를 반시계 방향으로 회전

(c) 전단 삽입에 의해 front를 반시계 방향으로 회전

그림 2.10 | 원형 덱의 삽입/삭제 연산 예

💬 **Quiz**

1. 덱을 큐처럼 사용하려면 enqueue( )와 dequeue( ) 대신에 어떤 연산을 호출해야 할까요? 두 가지 방법을 모두 설명해 보세요.
2. 덱을 스택처럼 사용하려면 push( )와 pop( ) 대신에 어떤 연산을 호출해야 할까요? 두 가지 방법을 모두 설명해 보세요.

02-4 상속을 이용한 덱의 구현

원형 덱은 어떻게 구현할 수 있을까요? 먼저 떠오르는 방법은 원형 큐와 같이 클래스를 만들고 각 연산을 하나씩 구현해 넣는 것입니다. 그런데 좀 더 편리한 방법이 있습니다. 상속(inheritance)이라는 객체지향 프로그래밍 기법을 사용하는 것입니다. C++이나 Java 등과 마찬가지로 파이썬도 클래스의 상속을 지원하기 때문에 앞에서 구현한 원형 큐 클래스를 상속하여 원형 덱 클래스를 구현하려는 것입니다. 그림 2.11은 덱의 연산들을 큐의 연산과 비교하고 있습니다.

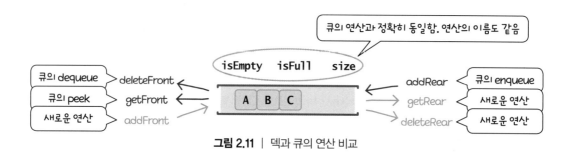

그림 2.11 | 덱과 큐의 연산 비교

isEmpty, isFull, size 연산은 이름과 동작이 모두 같고, deleteFront, getFront, addRear는 큐에 있는 연산인데 이름만 바뀐 것입니다. 새로 추가되는 연산은 addFront, getRear, deleteRear뿐입니다.

상속은 매우 짧은 코드로 기존의 복잡한 클래스에 기능을 추가한 새로운 클래스를 만들 수 있는 매우 유용한 방법입니다. 원형 큐를 상속해서 원형 덱을 구현하면 다음과 같은 장점들이 있습니다.

- 데이터는 추가로 정의할 필요가 없습니다.
- isEmpty, isFull도 추가로 정의할 필요가 없습니다.
- addRear, deleteFront, getFront는 구현해야 하지만 단순히 원형 큐의 enqueue, dequeue, peek 연산을 호출하면 됩니다.
- deleteRear, addFront, getRear는 원형 큐에 없는 연산이므로 새로 구현합니다.

결국 상속을 이용하면 불필요한 코드의 복사가 필요 없어 클래스의 전체 코드가 짧고 간결해집니다. 아직 약간 애매하고 어렵나요? 한번 사용해보면 생각보다 어렵지 않다는 것을 알 수 있을 것입니다. 본격적으로 상속을 이용해 봅시다.

원형 큐를 상속하여 구현하는 원형 덱 클래스

클래스의 상속과 멤버변수 초기화

앞에서 구현한 원형 큐 클래스 ArrayQueue를 상속하여 새로운 원형 덱 클래스 CircularDeque를 만들어 보겠습니다. 상속을 위한 코드는 다음과 같은데, 이때 ArrayQueue를 부모 클래스, 상속을 받는 CircularDeque을 자식 클래스라 부릅니다.

●●● **코드 2.4a: 원형 덱: 큐를 상속한 클래스 정의**   완성파일 ch02/CircularDeque.py

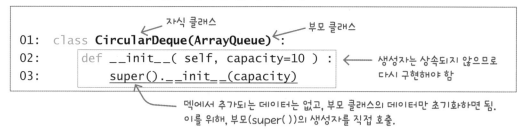

코드에서 3행의 super()는 자식 클래스의 메서드에서 부모를 부르는 함수입니다. 상속을 한다는 것은 자식 안에 부모가 하나 들어 있는 것과 비슷한데, 결국 상속을 받는 것만으로 자식인 CircularDeque은 ArrayQueue에서 정의한 멤버변수와 연산을 갖게 됩니다. 예를 들어, 생성자에서 front, rear, array와 같은 변수를 선언하지 않았지만 이들은 부모 클래스의 데이터 멤버이므로 이미 자식 클래스에 들어있습니다. 따라서 자식 클래스에서 self.front와 같이 바로 사용하면 되는 것입니다.
부모 클래스의 멤버함수도 자식 클래스에서 따로 정의하지 않고 바로 사용할 수 있습니다. 그런데 생성자는 상속되지 않습니다. 따라서 자식 클래스에서 다시 정의해야 합니다.

isEmpty( ), isFull( ), size( ), display( ) 연산

공백 상태와 포화 상태의 검사나 덱의 크기, 화면 출력 등의 연산은 부모 클래스에서 잘 구현된 것을 그대로 사용합니다. 즉, 자식 클래스에서는 추가적인 코드가 전혀 필요 없이 바로 사용할 수 있습니다. 예를 들어, 공백 상태의 검사가 필요하면 self.isEmpty()를 호출하면 됩니다.

addRear(e), deleteFront( ), getFront( ) 연산

이 연산들은 원형 큐의 enqueue, dequeue, peek와 정확히 같은 동작을 합니다. 그런데 이름은 다릅니다. 따라서 이들은 자식 클래스에 멤버함수로 추가하고, 이미 구현된 부모 클래스의 해당 연산을 호출하면 됩니다.

코드 2.4b: 원형 덱: 동작이 동일한 연산   완성파일 ch02/CircularDeque.py

```
04:    def addRear( self, item ): self.enqueue( item )
05:    def deleteFront( self ): return self.dequeue()
06:    def getFront( self ): return self.peek()
```

deleteFront와 getFront는 전단 요소를 반환해야 하므로 원형 큐의 해당 연산의 결과를 반환(return)해야 하는 깃에 유의하세요.

addFront(e), deleteRear( ), getRear( ) 연산

덱에만 있는 기능들은 자식 클래스에서 모두 새로 구현해 주어야 합니다. 이 중에서 addFront와 deleteRear는 그림 2.10에서와 같이 인덱스를 반시계 방향으로 회전시켜야 합니다. getRear는 현재 rear가 가리키는 요소를 반환하면 됩니다.

●●● 코드 2.4c: 원형 덱: 추가된 연산   완성파일 ch02/CircularDeque.py

```
08:    def addFront( self, item ):
09:        if not self.isFull():
10:            self.array[self.front] = item
11:            self.front = (self.front-1+self.capacity) % self.capacity
12:        else: pass                    ← 포화상태가 아니면 front에 요소를 삽입하고,
13:                                         front를 반시계 방향으로 회전
14:    def deleteRear( self ):
15:        if not self.isEmpty():
16:            item = self.array[self.rear];
17:            self.rear = (self.rear-1+self.capacity) % self.capacity
18:            return item
19:        else: pass                    ← 공백상태가 아니면 rear 요소를 복사해 두고, rear를
20:                                         반시계 방향으로 회전. 마지막으로 복사해 둔 요소를 반환.
21:    def getRear( self ):
22:        if not self.isEmpty():        ← 공백이 아니면 rear 요소를 반환
23:            return self.array[self.rear]
24:        else: pass
```

원형 덱의 활용

이제 만들어진 덱을 활용해 보겠습니다. 다음 코드는 덱 객체를 생성하고, 0~8의 숫자 중에서 홀수는 전단에 짝수는 후단에 삽입합니다. 다음으로 전단에서 두 번, 후단에서 세 번의 삭제를 하고, 마지막으로 전단에 5번의 삽입을 하였습니다.

●●● **코드 2.5: 원형 덱의 테스트 프로그램**   완성파일 ch02/CircularDeque.py

```
01:        dq = CircularDeque()
02:
03:        for i in range(9):
04:            if i%2==0 : dq.addRear(i)      ← i는 0부터 8까지가 순서대로 대입됨.
05:            else : dq.addFront(i)             i가 짝수면 후단, 홀수면 전단으로 삽입.
06:        dq.display("홀수는 전단 짝수는 후단 삽입")
07:
08:        for i in range(2): dq.deleteFront()
09:        for i in range(3): dq.deleteRear()
10:        dq.display("전단 삭제 2번, 후단 삭제 3번")
11:
12:        for i in range(9,14): dq.addFront(i)    ← 9~13을 전단으로 삽입
13:        dq.display("전단에 9 ~ 13 삽입")
```

화면 출력도 큐 클래스의 display()를 그대로 사용하였습니다. 이 프로그램의 실행 결과는 다음과 같습니다.

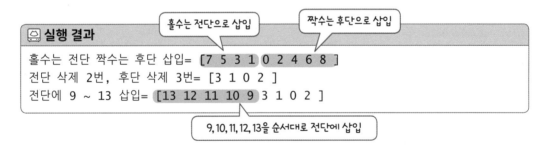

```
🖳 실행 결과

                    홀수는 전단으로 삽입          짝수는 후단으로 삽입

홀수는 전단 짝수는 후단 삽입= [7 5 3 1 0 2 4 6 8 ]
전단 삭제 2번, 후단 삭제 3번= [3 1 0 2 ]
전단에 9 ~ 13 삽입= [13 12 11 10 9 3 1 0 2 ]

                    9, 10, 11, 12, 13을 순서대로 전단에 삽입
```

1. 다음은 원형 덱의 연산입니다. 이 중에서 front나 rear를 시계 방향으로 회전시켜야 하는 연산을 모두 고르세요.
   ① isEmpty( )   ② isFull( )   ③ addFront(x)   ④ deleteFront( )
   ⑤ getFront( )   ⑥ addRear(x)   ⑦ deleteRear( )   ⑧ getRear( )
2. 1번 문제에서 front나 rear를 반시계 방향으로 회전시켜야 하는 연산을 모두 고르세요.
3. 원형 큐를 상속해 원형 덱을 구현하는 경우, 아무런 처리(구현)가 없이도 사용할 수 있는 덱의 연산들은 무엇일까요?

02-5 파이썬에서 큐와 덱 사용하기

파이썬으로 코딩을 하다가 큐나 덱이 필요하면 어떻게 할까요? 앞에서 구현한 클래스를 사용할 수도 있지만, 더 빠른 해결책도 있습니다. 파이썬에서 제공하는 것을 이용하는 것입니다. 파이썬 리스트는 스택으로 사용하기는 충분하지만, 원형 큐나 덱으로 직접 사용하기에는 적절하지 않습니다. 따라서 파이썬에서 제공하는 모듈을 사용하는 것이 좋습니다.

queue 모듈의 Queue 사용하기

파이썬의 **queue 모듈**은 스택과 함께 큐를 제공해 주는데, 큐 클래스의 이름은 Queue입니다. 다음은 import문으로 queue 모듈을 포함시킨 다음, 용량이 20인 Queue 객체를 생성하는 문장입니다.

```
import queue                      # 파이썬의 queue 모듈 포함
q = queue.Queue(maxsize=20)       # 큐 객체 생성(최대크기 20)
```

maxsize는 큐의 용량인데, 만약 maxsize가 0이면 용량의 제한이 없는(무한대의) 큐 객체를 만든다는 의미입니다. Queue 클래스의 멤버함수 이름이 ArrayQueue와는 약간 다르고, peek() 연산도 제공되지 않는 것에 유의해야 합니다.

연산	ArrayQueue	queue.Queue
삽입/삭제	enqueue(), dequeue()	put(), get()
공백/포화 상태 검사	isEmpty(), isFull()	empty(), full()
전단 들여다보기	peek()	제공하지 않음

코드 2.2와 같이 용량이 8인 큐를 만들고 무작위로 발생한 정수(0~99)를 큐가 꽉 찰 때까지 삽입한 후, 다시 모든 숫자를 꺼내 출력하는 프로그램을 이 클래스를 이용해 다시 구현하면 다음과 같습니다.

●●● 코드 2.6: queue 모듈의 Queue 테스트 　　　　　　완성파일 ch02/QueueInPython.py

```
01:  import queue              # 파이썬의 큐 모듈 포함
02:  import random             # 난수 발생을 위해 random 모듈 포함
03:
04:  q = queue.Queue(8)        # 큐 객체를 생성(용량=8)
05:
06:  print("삽입 순서: ", end='')
07:  while not q.full() :
08:      v = random.randint(0,100)
09:      q.put(v)
10:      print(v, end=' ')
11:  print()
12:
13:  print("삭제 순서: ", end='')
14:  while not q.empty() :
15:      print(q.get(), end=' ')
16:  print()
```

← 큐가 포화 상태가 될 때까지 0에서 99 사이의 정수를 무작위로 발생하여 큐에 삽입.

← 큐가 공백 상태가 될 때까지 요소를 꺼내서 화면에 출력

queue와 random 모듈을 포함하고, 큐 객체를 생성한 후 full()과 put() 연산을 이용해 큐가 포화 상태가 될 때까지 난수를 채웁니다. 다음으로 empty()와 get() 연산을 이용해 공백 상태가 될 때까지 전단 요소를 꺼내 화면에 출력합니다. 실행 결과의 예는 다음과 같습니다.

🖥 **실행 결과**

```
삽입 순서: 47 58 10 4 81 30 67 27
삭제 순서: 47 58 10 4 81 30 67 27
```

collections모듈의 deque 클래스 사용하기

파이썬은 collections라는 모듈에서 내장 자료형인 튜플이나 딕셔너리에 대한 확장 데이터 구조들을 제공하는데, defaultdict, counter, deque, namedtuple 등 다양한 클래스를 포함하고 있습니다. 이 중에서 deque이 우리가 공부한 덱 클래스입니다. 다음은 먼저 import collections로 이 모듈을 포함한 다음 덱 객체를 만드는 코드인데, 용량이 무한대인 덱이 만들어집니다.

```
import collections          # 파이썬의 collections 모듈 포함
dq = collections.deque()    # 용량이 무한대인 덱 객체 생성
```

이러한 덱은 스택이나 큐로도 당연히 사용할 수 있습니다. deque에는 다양한 멤버함수들이 제공되는데, CircularDeque의 주요 연산은 다음과 같이 대응됩니다.

연산	CircularDeque	collections.deque
전단 삽입/삭제	addFront( ), deleteFront( )	appendleft( ), popleft( )
후단 삽입/삭제	addRear( ), deleteRear( )	append( ), pop( )
공백 상태 검사	isEmpty( )	dq (예: if dq : …)
포화 상태 검사	isFull( )	의미 없음
들여다보기	getFront( ), getRear( )	제공하지 않음

collections.deque에서는 CircularDeque의 전단(front) 대신에 좌단(left)을 사용합니다. 따라서 전단 삽입과 삭제 연산의 이름이 appendleft( ), popleft( )입니다. 후단 삽입과 삭제는 리스트와 같이 append( )와 pop( )을 사용합니다. deque에는 이들 외에도 count( ), extend( ), rotate( ) 등의 다양한 멤버함수들이 제공되는데, 이들은 관련 자료를 찾아보기 바랍니다. 다음은 collections 모듈의 deque 클래스를 사용하는 테스트 프로그램인데, CircularDeque에서 공부한 연산만을 사용하였습니다.

●●● 코드 2.7: collections 모듈의 deque 클래스 테스트   완성파일 ch02/QueueInPython.py

```
01:  import collections              # 덱을 사용하기 위해 collections 모듈 포함
02:  dq = collections.deque()        # 덱 객체를 생성
03:
04:  print("덱은 공백 상태 아님" if dq else "덱은 공백 상태")
05:  for i in range(9):
06:      if i%2==0 : dq.append(i)    ←   i는 0부터 8까지가 순서대로 대입됨.
07:      else : dq.appendleft(i)          i가 짝수면 후단, 홀수면 전단으로 삽입.
08:  print("홀수는 전단 짝수는 후단 삽입", dq)
09:
10:  for i in range(2): dq.popleft()
11:  for i in range(3): dq.pop()
12:  print("전단 삭제 2번, 후단 삭제 3번", dq)
13:
```

```
14:    for i in range(9,14): dq.appendleft(i)    ←── 9~13을 전단으로 삽입
15:    print("전단에 9 ~ 13 삽입          ", dq)
16:
17:    print("덱은 공백 상태 아님" if dq else "덱은 공백 상태")
```

- 2행 : 덱 객체를 생성합니다. 용량은 무한대입니다.
- 4행 : dq가 공백 상태인지 아닌지를 출력합니다. if dq에 유의하세요.

🖥 실행 결과

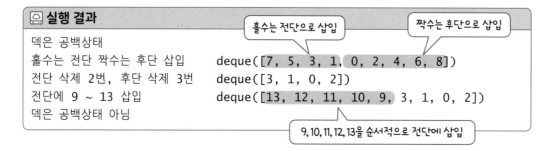

```
덱은 공백상태
홀수는 전단 짝수는 후단 삽입    deque([7, 5, 3, 1, 0, 2, 4, 6, 8])
전단 삭제 2번, 후단 삭제 3번    deque([3, 1, 0, 2])
전단에 9 ~ 13 삽입             deque([13, 12, 11, 10, 9, 3, 1, 0, 2])
덱은 공백상태 아님
```

홀수는 전단으로 삽입
짝수는 후단으로 삽입
9, 10, 11, 12, 13을 순서적으로 전단에 삽입

헬로 파이썬 **파이썬 3항 연산자**

C언어에서는 조건식 ? 참인_경우_값 : 거짓인_경우_값과 같은 방법으로 3항 연산자 ? : 를 지원합니다. 파이썬에서는 이러한 3항 연산자를 다음과 같이 제공합니다.

참인_경우_값 if 조건식 else 거짓인_경우_값

따라서 4행은 dq에 항목이 하나라도 있으면(공백 상태가 아니면, 조건식) "덱은 공백 상태 아님"을 출력하고, 공백 상태이면 "덱은 공백 상태"를 출력하게 됩니다.

💬 Quiz

1. 큐의 enqueue( )와 dequeue( )에 대응되는 파이썬 queue 모듈의 Queue 클래스 멤버함수는 무엇일까요?
2. 다음과 같은 덱의 연산 중에서 파이썬 collections 모듈의 deque 클래스에서 멤버함수로 제공하지 않는 것은 무엇일까요?
   ① addFront( )   ② deleteRear( )   ③ getFront( )   ④ isEmpty( )

연습 문제

01 capacity가 8인 원형 큐의 front와 rear가 각각 7과 2일 때, 큐의 전체 요소의 수는 얼마일까요? 만약 반대로 front와 rear가 각각 2와 7이라면 전체 요소는 몇 개일까요?

02 원형 큐 클래스(코드 2.1)에 큐를 공백 상태로 초기화하는 clear( ) 연산을 추가해 보세요.

03 다음 코드의 연산 결과 큐에 남아 있는 내용을 순서대로 적어보세요.

```
values = Queue()
for i in range( 20 ) :
    if i % 3 == 0 :
        values.enqueue( i )
    elif i % 4 == 0 :
        values.dequeue()
```

04 2개의 스택을 사용하여 큐를 구현할 수 있습니다. 스택 S1과 S2가 주어졌을 때 이들을 이용해 큐의 enqueue( )와 dequeue( )를 구현하는 방법을 설명해 보세요.

05 피보나치 수열은 다음과 같이 순환적으로 정의되는데, 0, 1, 1, 2, 3, 5, 8, …과 같은 수열이 만들어집니다.

$$fib(n) = \begin{cases} 0 & n=0 \\ 1 & n=1 \\ fib(n-2) + fib(n-1) & otherwise \end{cases}$$

이러한 피보나치 수열을 계산하기 위해 큐를 이용할 수 있습니다. 처음에는 큐에 $fib(0)$와 $fib(1)$가 들어 있습니다. 다음으로 $fib(2)$를 계산할 수 있는데, $fib(0)$를 큐에서 제거하고, 계산된 결과 $fib(2)$를 다시 큐에 넣는데, 이 과정을 반복하면 n번째 피보나치 수를 계산할 수 있습니다. 큐를 이용해 n번째 피보나치 수를 계산하는 함수를 구현하세요.

Chapter

03

리스트

📖 학습목표

'버킷 리스트(Bucket List)'가 무엇인지 아시죠? 죽기 전에 꼭 해보고 싶은 일을 적은 리스트를 말합니다. 우리는 일상생활에서 '리스트'란 단어를 흔히 사용합니다. 리스트(list)는 이름과 같이 자료의 '목록'을 다루는 자료구조입니다. 앞에서 공부한 스택이나 큐와 같이 리스트도 자료를 일렬로 나열하여 저장하는 선형 자료구조입니다. 그러나 입구와 출구를 정하지 않고 임의의 위치에서 자료를 추가하거나 꺼낼 수 있어 가장 활용이 자유롭습니다.

이 장에서는 자료구조의 리스트에 대해 설명하겠습니다. 그런데 지금까지와는 달리 구현하는 방법을 살짝 바꾸어 볼 생각입니다. 앞에서 우리는 배열 구조로 스택과 큐를 구현했습니다. 배열 구조는 여러 가지 편리한 점이 많지만, 용량이 고정되는 등 여러 가지 불편한 점도 있습니다. 그래서 이번에는 연결된 구조를 사용해보려고 합니다.

연결된 구조는 배열 구조보다 좀 복잡하고 어렵지만, 컴퓨터 분야에서 광범위하게 사용되어 매우 중요합니다. 이번 장을 통해 리스트와 함께 연결된 구조로 자료구조를 어떻게 구현하는지를 공부해봅시다.

03-1 리스트란?

리스트는 가장 자유로운 선형 자료구조입니다

리스트는 우리가 생활에서 가장 많이 사용하는 자료 정리방법 중 하나입니다. 우리는 이번 주에 할 일이나 친구들의 연락처를 리스트로 관리하고, 나만의 버킷 리스트를 만들고, 배달해야 할 물건의 목록을 만듭니다.

리스트(list) 또는 선형 리스트(linear list)는 자료들이 차례대로 나열된 선형 자료구조입니다. 이때 각 자료는 순서 또는 위치(position)를 가집니다. 그림 3.1은 리스트의 구조를 보여줍니다.

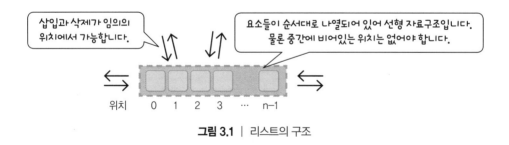

그림 3.1 | 리스트의 구조

리스트에서는 어떤 위치에서도 새로운 요소를 삽입할 수 있습니다. 이때 중요한 것은 어느 위치에 요소를 삽입하려면 이후 모든 자료가 한 칸씩 뒤로 밀린다는 것입니다. 삭제도 마찬가지입니다. 어느 위치의 요소를 삭제하면 이후의 모든 요소의 위치가 변경됩니다. 예를 들어, 그림 3.2처럼 공백 상태의 리스트에 A와 B가 삽입된 상태인 (c)에서 위치 1에 C를 삽입하면 B가 한 칸 뒤로 밀립니다. 다음으로 위치 0인 요소를 삭제하면 (e)와 같이 A가 나오고 이후의 C와 B가 앞으로 한 칸씩 당겨집니다.

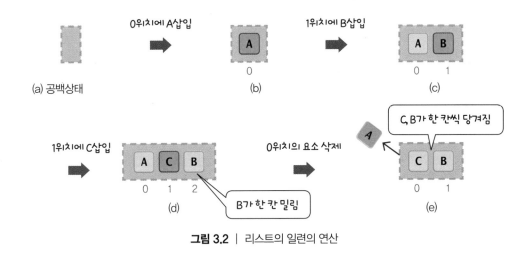

그림 3.2 | 리스트의 일련의 연산

스택이나 큐, 덱에서도 자료들을 일렬로 저장하지만 자료의 대한 접근은 전단이나 후단으로 제한되었습니다. 그러나 리스트는 이러한 제한이 없습니다. 따라서 가장 활용이 자유로운 선형자료구조입니다. 물론 자유로운 만큼 고려해야 할 사항들도 많고, 코드도 복잡해질 것입니다.

리스트는 집합(Set)과 유사한 점이 많지만 중요한 차이가 있습니다. 리스트에서는 순서가 있지만 집합은 원소 사이에 순서가 없습니다. 또한, 집합은 원소의 중복을 허용하지 않습니다. 특히 집합은 원소 사이에 순서의 개념이 없으므로 선형 자료구조라 볼 수 없습니다.

리스트의 연산

리스트의 주요 연산은 다음과 같이 정리할 수 있습니다.

- insert(pos, e) : pos 위치에 새로운 요소 e를 삽입
- delete(pos) :   pos 위치에 있는 요소를 꺼내서 반환
- getEntry(pos) : pos 위치에 있는 요소를 삭제하지 않고 반환
- isEmpty( ) :   리스트가 비어 있으면 True를, 아니면 False를 반환
- isFull( ) :   리스트가 가득 차 있으면 True를, 아니면 False를 반환
- size( ) :   리스트에 들어 있는 전체 요소의 수를 반환

리스트에서도 역시 가장 중요한 기능은 삽입(insert)과 삭제(delete)입니다. 이 연산들은 스택이나 큐와 달리 처리할 위치(pos)가 주어져야 하고, 삽입이나 삭제 후에도 리스트의 구조가 잘 유지되어야 합니다. 공백 상태와 포화 상태 검사도 기본적인 연산입니다. pos 위치의 요소를 들여다보는 연산 getEntry(pos)는 스택이나 큐의 peek( )에 대응되는데, pos 위치의 요소를 삭제하지 않고 참조할 수 있습니다.

리스트는 활용이 자유로우므로 추가적인 다양한 연산이 가능합니다. 예를 들어, 맨 뒤에 새로운 요소를 삽입하는 append(e)나 맨 뒤의 요소를 삭제하는 pop( ), 요소 e의 위치를 찾는 find(e), pos번째 요소를 변경하는 replace(pos, e), 리스트를 화면에 보기 좋게 출력하는 display( ) 등 다양한 연산을 추가하여 편리하게 사용할 수 있습니다. 물론 이들은 기본 연산을 조합해서 구현할 수 있습니다.

💬 **Quiz**

1. 공백 상태의 리스트가 있다. 다음 연산을 차례로 수행한 후에 리스트의 내용을 순서대로 적으세요.

    insert(0, 10), insert(1, 20), insert(0, 30), insert(2, 40), insert(size( ), 50)

2. 앞의 결과에서 다음 연산을 차례로 수행한 후에 리스트의 내용을 순서대로 적으세요.

    insert(1, 60), replace(2, 70), delete(2)

3. 리스트의 맨 뒤에 새로운 요소 e를 삽입하는 append(e) 연산을 구현하려면 리스트의 기본 연산을 어떻게 이용하면 될까요?

4. 리스트와 집합의 차이점을 설명해보세요.

03-2 배열 구조와 연결된 구조

리스트도 배열 구조와 연결된 구조로 구현할 수 있습니다.

앞에서 스택과 큐를 구현할 때 사용했던 배열 구조는 그림 3.3(a)와 같습니다. 이때 모든 요소는 중간에 빈자리가 없이 반드시 메모리의 연속된 공간에 저장되어야 합니다. 요소들이 연속된 공간에 있으면 원하는 위치의 요소를 빠르게 참조하고 관리할 수 있습니다.

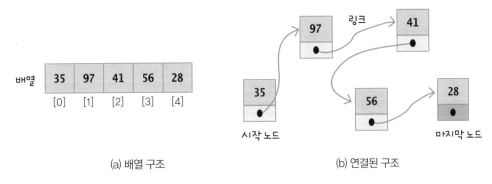

(a) 배열 구조   (b) 연결된 구조

그림 3.3 | 배열 구조와 연결된 구조의 리스트 비교

이에 비해, 연결된 구조에서는 그림 3.3(b)와 같이 요소들을 메모리의 한군데 모아두는 것을 포기합니다. 즉, 요소들이 메모리의 여기저기에 흩어져서 저장되는 것입니다. 그렇다면 흩어진 요소들은 어떻게 순서대로 관리할 수 있을까요? 링크(link)를 이용하면 됩니다. 즉, 요소들이 다른 요소를 가리키는 하나 이상의 링크(그림 3.3에서 상자에 연결된 줄)를 갖도록 하여 전체를 순서대로 연결해 관리하는 것입니다.

이처럼 메모리에 흩어져 있는 요소들을 링크로 연결해 하나로 관리하는 것을 연결된 구조(linked structure)라고 합니다. 특히 자료들을 링크를 통해 일렬로 나열할 수 있는 연결된 구조를 연결 리스트(linked list)라고 부릅니다. 그림 3.3과 같은 연결된 구조에서 하나의 상자를 노드(node)라고 부르는데, 데이터와 함께 링크를 갖습니다. 배열 구조와는 달리 하나의 요소를 표현하기 위해 링크가 추가로 필요한 것에 유의하세요. 연결된 구조에서는 이러한 링크의 수를 여러 개로 늘리면 리스트와 같은 선형 자료구조뿐만 아니라 트리나 그래프와 같이 훨씬 복잡한 구조들도 효율적으로 표현할 수 있습니다.

배열 구조의 리스트와 연결 리스트의 비교

배열 구조와 연결된 구조의 장단점을 살펴보기 위해 리스트의 몇 가지 연산을 생각해 봅시다.

리스트 요소들에 대한 접근

리스트의 k번째 요소의 위치를 얼마나 빨리 알 수 있을까요? 먼저 배열 구조를 살펴 보겠습니다. 배열 구조는 모든 요소의 크기가 같고 연속된 메모리 공간에 있다는 전 제 조건이 있습니다. 또한, 배열의 시작 주소와 요소 하나의 크기를 알고 있습니다. 그 렇다면 k번째 요소의 위치는 어떻게 알 수 있을까요? 예를 들어, 그림 3.4(a)와 같이 A[3]의 주소는 한 요소의 크기에 원하는 위치(3)를 곱해 시작주소에 더해 주면 바로 계산됩니다. 계산하는 데 걸리는 시간은 k와 상관없습니다. 즉, k가 아무리 크더라도 곱셈과 덧셈을 각각 한 번씩만 사용하면 위치가 계산됩니다.

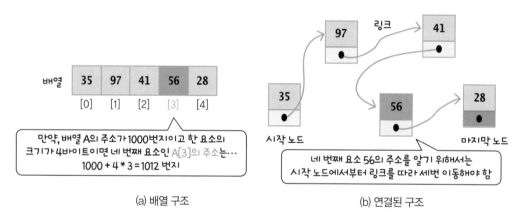

(a) 배열 구조   (b) 연결된 구조

그림 3.4 | 리스트 요소의 접근 방법 차이

반대로, 연결된 구조는 k번째 요소를 찾기 위해 큰 노력이 필요합니다. 연결된 구조에 서는 시작 노드의 주소만 알고 있는데, k번째 요소를 찾으려면 어쩔 수 없이 시작 노 드에서부터 k−1번 링크를 따라 이동해야 합니다. 만약 k가 작은 값이라면 몇 번만 이 동하면 되겠지만, k가 큰 값이라면 많은 이동을 거쳐야 드디어 원하는 요소에 도달할 수 있습니다. 결국 리스트에서 원하는 요소에 접근하는 연산은 배열 구조가 훨씬 유리 합니다. 그렇다면 연결된 구조를 왜 사용하냐고요? 당연히 그만한 장점이 있기 때문 입니다.

리스트의 용량

기본적으로 배열은 용량이 고정됩니다. 고정된 용량은 중간에 부족하다고 늘리거나 필요 없다고 줄이기 어렵습니다. 리스트를 위해 배열을 사용할 때, 만약 배열을 무턱대고 너무 크게 할당해 놓으면 메모리 낭비가 심할 것입니다. 그렇다고 너무 적게 할당하면 빨리 포화 상태가 되어 새로운 요소를 넣지 못하는 상황이 발생합니다.

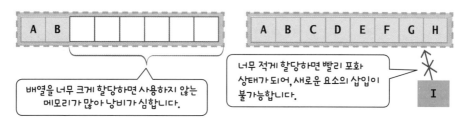

그림 3.5 | 배열은 용량이 고정됩니다.

이에 비해, 연결된 구조는 용량이 고정되어 있지 않습니다. 필요할 때 필요한 크기만큼 새로 할당해서 사용하는 것입니다. 따라서 메모리를 효율적으로 사용할 수 있습니다. 또한, 컴퓨터에 메모리가 남아 있는 한 계속 자료를 넣을 수 있습니다. 따라서 가득 찬 상태, 즉 포화 상태가 될 수 없습니다.

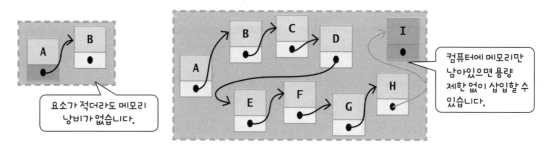

그림 3.6 | 연결된 구조는 용량이 고정되지 않습니다.

리스트의 삽입 연산

배열 구조에서는 중간에 자료를 삽입하려면 그 위치 이후의 모든 요소를 한 칸씩 뒤로 밀어야 합니다. 예를 들어, 그림 3.7(a)와 같이 두 번째 위치에 61을 삽입하려면 먼저 97, 41, 56, 28을 모두 한 칸씩 뒤로 이동해야 61을 삽입할 수 있습니다. 이때 이동은 맨 뒤의 요소(28)부터 앞으로 가면서 처리해야 하는 것에 유의하세요. 이처럼 배열 구조의 삽입은 많은 요소의 이동이 필요합니다.

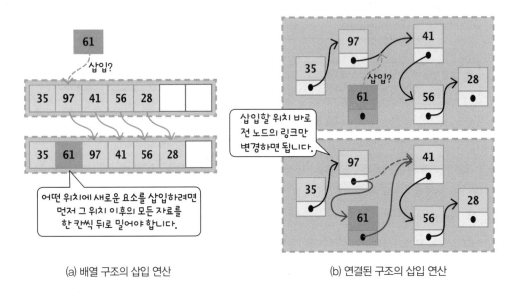

(a) 배열 구조의 삽입 연산   (b) 연결된 구조의 삽입 연산

그림 3.7 | 연결된 구조에서는 중간에 데이터를 삽입하는 것이 편리합니다.

연결된 구조에서는 삽입할 위치를 알고 있다면 효율적인 삽입이 가능합니다. 예를 들어, 그림 3.7(b)에서 97 다음에 새로운 요소 61을 삽입하려면 어떻게 할까요? 그림과 같이 97의 링크와 새로운 요소 61의 링크만 수정하면 됩니다. 그 외의 다른 노드들은 전혀 영향을 받지 않는다는 것에 유의하세요. 결국 삽입할 위치 바로 앞의 노드(97)를 알고 있다면 연결된 구조의 삽입이 훨씬 효율적입니다.

리스트의 삭제 연산

삭제 연산도 마찬가지입니다. 배열 구조에서는 중간에 있는 자료를 삭제하면 이후의 모든 자료를 앞으로 당겨 빈 곳이 생기지 않도록 해야 합니다. 예를 들어, 그림 3.8(a)에서 97을 삭제하려면 이후의 모든 요소를 앞으로 한 칸씩 당겨야 합니다. 만약 삭제할 요소가 앞쪽이라면 리스트의 요소 대부분을 이동해야 하므로 매우 비효율적입니다.

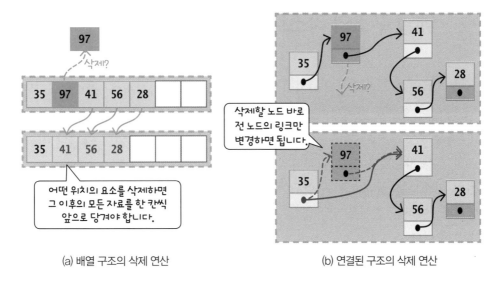

(a) 배열 구조의 삭제 연산 (b) 연결된 구조의 삭제 연산

그림 3.8 | 연결된 구조에서는 중간 노드를 삭제하기 쉽습니다.

이에 비해, 연결된 구조에서는 삭제할 노드 바로 앞 노드의 링크만 수정하면 되고, 다른 노드들은 수정할 필요가 없습니다. 예를 들어, 그림 3.8(b)에서 변경되는 것은 노드 35의 링크뿐입니다. 결국 삭제할 위치 바로 앞의 노드(35)를 알고 있다면 연결된 구조의 삭제가 훨씬 효율적입니다.

> **Quiz**
> 1. 어떤 배열 A의 시작 주소가 2,000번지이고 하나의 요소의 크기가 4바이트라면 A[100]의 주소는 몇 번지일까요?
> 2. 연결 리스트에서 머리 노드(첫 번째 노드)의 주소를 알고 있다면 100번째의 요소가 저장된 노드의 주소는 어떻게 알 수 있을까요?

03-3 배열 구조의 리스트: 파이썬 리스트

지금까지 코드에서 사용했던 파이썬의 리스트를 한번 되돌아봅시다. 스택이나 큐를 구현할 때 배열의 용도로 파이썬의 리스트를 사용했습니다. 이러한 파이썬의 리스트는 자료구조 리스트를 배열 구조로 구현한 하나의 사례입니다. 즉, 단순한 배열이 아니라 자료구조 리스트의 추상 자료형을 구현한 하나의 예라는 의미입니다.

파이썬의 리스트는 클래스로 구현되어 있는데, 다양한 연산들을 멤버함수(메서드)로 지원합니다. 이러한 연산은 다음과 같은데, 우리가 앞에서 살펴본 리스트의 연산보다 훨씬 다양합니다.

멤버함수(메서드)	설명
append(e)	새로운 요소 e를 추가합니다.
extend(lst)	리스트 lst를 리스트 s에 삽입합니다.
count(e)	리스트에서 요소 e의 개수를 세어 반환합니다.
index(e,[시작],[종료])	요소 e가 나타나는 가장 작은 위치(인덱스)를 반환합니다. 탐색을 위한 시작 위치와 종료 위치를 지정할 수도 있습니다.
insert(pos, e)	pos 위치에 새로운 요소 e를 삽입합니다.
pop(pos)	pos 위치의 요소를 꺼내고 반환합니다.
pop( )	맨 뒤의 요소를 꺼내고 반환합니다.
remove(e)	요소 e를 리스트에서 제거합니다.
reverse( )	리스트 요소들의 순서를 뒤집습니다.
sort([key], [reverse])	요소들을 key를 기준으로 오름차순으로 정렬합니다. reverse=True이면 내림차순으로 정렬합니다.

파이썬의 리스트는 배열 구조로 구현되어 있으므로 원소의 접근은 효율적이지만, 삽입과 삭제 연산은 많은 요소를 이동해야 하므로 효율적이지 않습니다.

파이썬 리스트는 용량이 제한되지 않도록 구현되었습니다.

파이썬 리스트는 배열 구조를 사용하지만 용량이 제한되지 않도록 내부적으로 구현되어 있습니다. 파이썬 리스트에서 용량 제한을 극복하는 방법을 간단히 살펴보겠습니다. 예를 들어, 그림 3.9와 같이 용량이 8인 리스트에 A에서 H까지 여덟 개의 요소가 삽입(append)되면 이제 리스트에는 여유 공간이 없습니다. 이 상태에서 그림과 같이 append(I)와 같은 연산을 시도하면 어떻게 될까요? 만약 용량이 제한된 리스트라면 이 연산을 성공적으로 처리하지 못합니다.

그렇지만 파이썬 리스트는 이러한 상황을 용량을 늘리는 방법으로 해결합니다. 그 과정은 다음과 같습니다.

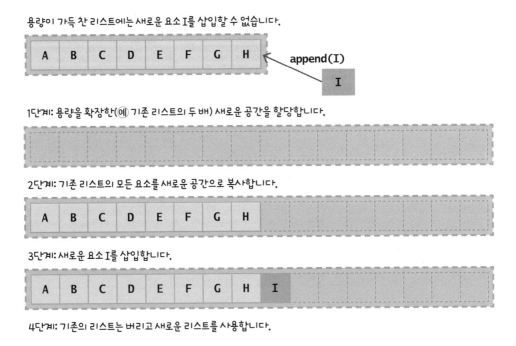

그림 3.9 │ 파이썬 리스트의 용량 확장 과정의 예

- 1단계 : 기존의 리스트보다 용량을 늘린(예를 들어, 2배) 새로운 리스트를 할당합니다.
- 2단계 : 기존의 리스트의 모든 요소를 새로운 리스트에 모두 복사합니다. 이제 새로운 리스트는 기존 리스트와 같은 요소들을 갖지만, 여유 공간이 많이 남아 있습니다.
- 3단계 : 새로운 리스트에 새로운 요소 I를 삽입합니다. 여유 공간이 확보되었기 때문에 이 연산이 가능합니다.
- 4단계 : 기존 리스트 대신에 새로운 리스트를 사용합니다.

그렇다면 append( ) 연산은 얼마나 효율적일까요? 리스트의 용량이 포화되기 전이라면 append( )는 매우 빨리 처리됩니다. 다음 여유 공간에 바로 삽입하면 되기 때문입니다. 만약 리스트가 포화 상태라면 그림 3.9와 같은 처리가 필요하므로 훨씬 많은 시간이 걸립니다. 메모리를 할당하고, 기존의 요소를 모두 복사하는 작업이 추가되어야 하기 때문입니다. 결국 파이썬 리스트의 append( ) 연산은 처리 시간이 항상 같지는 않습니다. 그렇지만 용량을 확장해야 하는 경우가 가끔 발생하고, 대부분은 여유 공간이 있어 빠르게 처리됩니다. 특히, 용량 확장은 내부적으로 처리되므로 리스트를 사용하는 사용자는 신경을 쓰지 않아도 됩니다.

··· Quiz

1. 내부 용량이 8인 어떤 파이썬 리스트에 현재 5개의 요소가 저장되어 있다고 가정한다면, 앞으로 몇 번의 append( ) 연산을 반복하면 그림 3.9와 같은 용량 확장 과정이 처리될까요?

03-4 연결 리스트의 구조와 종류

연결 리스트의 구조

노드(node)

연결 리스트에서 하나의 노드(node)는 하나의 데이터 (data)와 함께 하나 이상의 링크(link)를 갖습니다. 이 때 데이터는 배열 구조에서의 요소를 말하는데, 리스트에 저장하고 싶은 자료에 해당합니다. 링크는 다른 노드를 가리키는(다른 노드의 주소를 저장하는) 변수입니다. 배열 구조에 비해 연결된 구조에서는 링크를

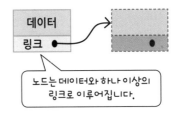

위한 추가 공간이 필요합니다. 그러나 대부분은 데이터가 훨씬 크므로 링크를 위한 공간은 무시할 수 있습니다.

헤드 포인터(head pointer)

연결 리스트는 시작 노드만 알면 링크로 매달려 있는 모든 노드에 순차적으로 접근할 수 있는데, 이 노드를 보통 머리 노드(head node)라고 부릅니다. 머리 노드의 주소를 저장하는 변수를 헤드 포인터(head pointer)라고 하는데, 연결 리스트의 가장 중요한 정보입니다. 마지막 노드를 보통 꼬리 노드(tail node)라고 부르는데, 꼬리 노드의 링크를 처리하는 방법에 따라 단순 연결과 원형 연결로 구분됩니다.

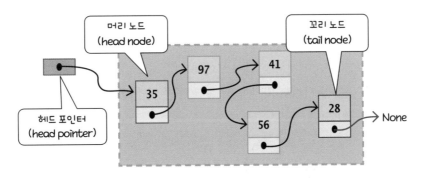

그림 3.10 | 연결된 구조에서는 머리 노드의 주소를 저장하는 헤드 포인터를 잘 관리해야 합니다.

파이썬에서의 변수

포인터(pointer)는 다른 객체를 가리키고(pointing) 있는 변수라는 의미입니다. C/C++ 등에서는 정수나 실수 값이 저장되는 일반 변수와(아래 그림의 왼쪽) 주소가 저장되는 포인터(하단 우측 그림)를 구분해서 사용합니다. 그런데 파이썬에서는 사실 모든 변수가 포인터 변수 또는 참조자(reference)의 의미로 사용됩니다. 즉, 아래의 그림과 같이 그 안에 데이터를 담는 것이 아니라 데이터가 있는 위치를 저장하는 것입니다. 다행스러운 것은 파이썬에서는 포인터와 관련된 번거로운 작업들(메모리의 할당 · 해제 등)이 자동으로 처리되기 때문에 부담 없이 포인터를 그냥 변수로 생각하고 사용하면 된다는 것입니다.

연결 리스트의 종류

노드의 형태와 연결된 구조에 따라 연결 리스트를 몇 가지로 나눌 수 있습니다.

단순 연결 리스트(singly linked list)

그림 3.10과 같이 하나의 방향으로만 연결된 리스트를 말합니다. 노드는 하나의 링크를 갖는데, 다음 노드의 주소가 저장됩니다. 꼬리 노드의 링크는 마지막 노드라는 것을 나타내기 위해 None을 갖기로 약속되어 있습니다.

원형 연결 리스트(circular linked list)

꼬리 노드의 링크를 약간 다르게 사용하면 원형으로 연결된 구조를 만들 수 있습니다. 그림 3.11과 같이 꼬리 노드의 링크가 None이 아니라 다시 머리 노드를 가리키도록 하는 것입니다. 이러한 원형 연결 구조에서는 어떤 노드에서 시작해도 다른 모든 노드를 찾아갈 수 있습니다. 하지만 노드들을 순서대로 방문할 때 종료 조건 처리에 매우 조심해야 합니다.

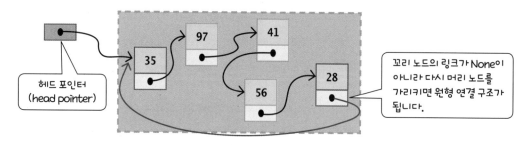

그림 3.11 | 원형 연결 리스트에서는 꼬리 노드의 링크가 머리 노드를 가리킵니다.

이중 연결 리스트(doubly linked list)

하나의 노드가 이전 노드와 다음 노드의 링크를 모두 갖도록 설계되었습니다. 두 개의 링크를 갖는데, 하나는 이전 노드(previous node)를, 다른 하나는 다음 노드(next node)를 가리키도록 하는 것입니다.

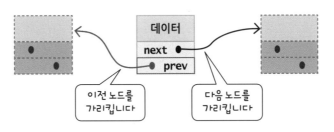

그림 3.12 | 이중 연결 구조를 위한 노드

이전 노드를 위한 링크가 있으면 어떤 노드에서 이전 노드를 바로 찾아갈 수 있다는 장점이 있습니다. 편리한 만큼 링크를 이중으로 정확히 유지해야 하므로 코드가 복잡해집니다.

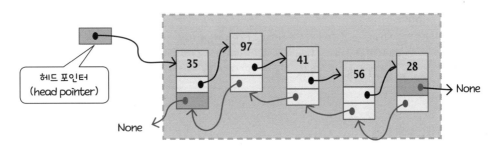

그림 3.13 | 이중 연결 리스트의 예

😐 Quiz

1. 다음 중 NULL(또는 None) 포인터가 존재하지 않는 자료구조는?
   ① 연결된 스택 　　　　　　② 단순 연결 리스트
   ③ 원형 연결 리스트 　　　　④ 이중 연결 리스트
2. 이중 연결 구조의 리스트는 원형으로 구현할 수 없다. (○ , ×)

03-5 단순 연결 구조로 리스트 구현하기

자료구조 리스트를 단순 연결 구조로 구현한 단순 연결 리스트를 만들어 보겠습니다. 먼저 노드를 위한 Node 클래스를 구현한 다음 이를 이용한 단순 연결 리스트 클래스 LinkedList를 구현합니다.

단순 연결 구조의 노드 클래스를 구현해 봅시다.

Node 클래스의 정의와 생성자

단순 연결을 위한 노드는 데이터 필드와 함께 하나의 링크를 갖습니다. 이들은 Node 클래스의 생성자에서 선언하고 초기화하는데, 코드는 다음과 같습니다. link는 디폴트 인수 기능을 이용해 인수가 전달되지 않으면 None으로 자동으로 초기화하도록 하였습니다.

●●● 코드 3.1a: 단순 연결 구조를 위한 Node 클래스 　　　　　완성파일 ch03/LinkedList.py

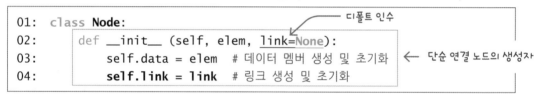

```
01:   class Node:
02:       def __init__ (self, elem, link=None):   ← 디폴트 인수
03:           self.data = elem   # 데이터 멤버 생성 및 초기화
04:           self.link = link   # 링크 생성 및 초기화   ← 단순 연결 노드의 생성자
```

> **헬로 파이썬　매개변수의 이름**
>
> 4행의 self.link = link 문장이 모호해 보이지 않나요? C++이나 Java 등과는 달리 파이썬 클래스의 멤버함수에서는 매개변수(예 link)로 데이터 멤버와 같은 이름을 사용해도 전혀 문제가 없습니다. 이것은 클래스의 모든 멤버는 self를 통해 접근해야 하기 때문에 어떤 이름을 사용하더라도 이들과 구분할 수 있기 때문입니다. 예를 들어, 4행에서 link는 매개변수이고, self.link는 클래스의 멤버인데, 이 둘은 정확히 구별됩니다.

노드 클래스에 삽입과 삭제 연산을 추가할 수 있습니다. 리스트 클래스가 아니라 노드 클래스에 말입니다. 단순 연결 구조에서는 노드가 하나의 링크를 갖는데, 이 링크를 조작하면 현재 노드 뒤에 새로운 노드를 추가하거나 뒤에 있는 노드를 삭제하는 연산을 노드 클래스에서 직접 처리할 수 있습니다. 그리고 이렇게 하면 할 일이 많은 리스트 클래스의 코드가 좀 더 간결해집니다. 노드에서의 삽입과 삭제 연산을 먼저 살펴보겠습니다.

새로운 노드를 뒤에 추가하는 append() 연산

그림 3.14와 같이 현재 노드 self 뒤에 새로운 노드인 node를 추가하려고 합니다. 성공적으로 추가하고 나면 오른쪽 그림과 같이 현재 노드(self)의 다음 노드는 node가 되고, node의 다음 노드는 현재 노드의 다음 노드(self.link)가 되어야 합니다. 어떻게 처리하면 될까요?

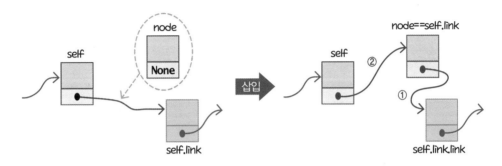

그림 3.14 | 현재 노드 self 다음에 새로운 노드 node를 삽입하는 과정

① node의 링크가 self.link를 가리키게 함: node.link = self.link
② self의 링크가 node를 가리키게 함: self.link = node

이 연산은 전체 리스트와는 상관없이 하나의 노드 단위에서 이루어집니다. 따라서 Node 클래스에 append()란 이름으로 이 연산을 추가할 수 있습니다.

● ● ● **코드 3.1b: Node 클래스: append(node) 연산**　　　　완성파일 ch03/LinkedList.py

```
05:        def append (self, node):        # self 다음에 node를 넣는 연산
06:            if node is not None :
07:                node.link = self.link
08:                self.link = node
```
← 삽입할 노드가 None이 아니면 ①과 ②단계를 통해 node를 다음 노드로 연결

다음 노드를 연결 구조에서 꺼내는 Node 클래스의 popNext() 연산

다음 노드를 꺼내는 연산도 마찬가지입니다. 그림 3.15와 같이 현재 노드 self의 뒤에

있는 노드 self.link를 연결된 구조에서 꺼내고 반환하려고 합니다. 어떻게 하면 될까요?

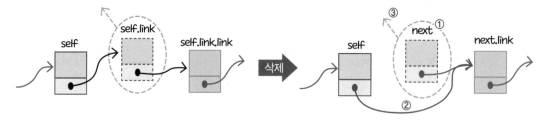

그림 3.15 | 현재 노드 self의 다음 노드를 연결된 구조에서 삭제하는 과정

① 변수 next가 삭제할 노드 self.link를 가리키게 함: next = self.link
② self의 링크가 next의 link를 가리키게 함: self.link = next.link
③ 다음 노드 next를 반환

이때 ②는 삭제할 노드 next가 None이 아닌 경우에만 처리해야 합니다. 이 연산도 연결 리스트와 관련 없이 하나의 노드 단위에서 이루어지고, 따라서 Node 클래스에 popNext()란 이름으로 추가할 수 있습니다.

●●● **코드 3.1c: Node 클래스: popNext( ) 연산**   완성파일 ch03/LinkedList.py

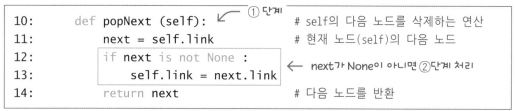

단순 연결 리스트 클래스의 데이터

이제 노드 클래스가 충분히 준비되었으니 본격적으로 리스트 클래스를 구현해 보겠습니다. 연결된 구조에서는 리스트 클래스의 데이터 멤버로 어떤 것이 필요할까요? 의외로 단순합니다. 그림 3.16과 같이 머리 노드를 가리킬 변수 하나만 있으면 되는데, 이를 head라 하겠습니다.

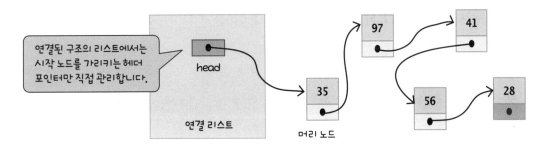

그림 3.16 | 연결된 구조의 리스트에서는 헤더 포인터만 잘 관리하면 됩니다.

그림 3.17은 리스트가 공백 상태인 경우와 노드가 추가된 예를 보여주고 있는데, 전체 리스트를 관리하기 위해서는 head만 잘 처리하면 된다는 것을 알 수 있습니다.

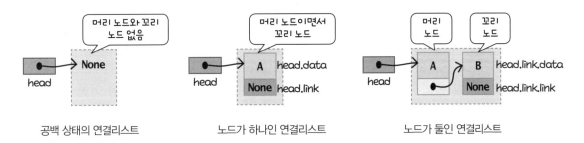

그림 3.17 | 노드가 0, 1, 2개인 단순 연결 리스트의 예

리스트 클래스는 다음과 같이 정의됩니다. 맨 처음에는 공백 상태가 되어야 하므로 생성자에서 head는 None으로 초기화합니다.

●●● **코드 3.2a: 단순 연결 리스트 클래스 정의와 생성자**   완성파일 ch03/LinkedList.py

```
01:  class LinkedList:                    # 단순 연결 리스트 클래스
02:      def __init__( self ):            # 생성자
03:          self.head = None             # head 선언 및 None으로 초기화
```

단순 연결 리스트 클래스의 연산

공백 상태와 포화 상태를 검사하는 isEmpty( )와 isFull( ) 연산

공백 상태는 그림 3.17의 왼쪽과 같이 head가 None인 경우입니다. 포화 상태는 어떨까요? 연결된 구조에서는 메모리만 남아 있다면 언제든지 노드를 추가할 수 있습니다.

따라서 절대 포화 상태가 되지 않으므로 항상 False를 반환하도록 하였습니다.

••• 코드 3.2b: LinkedList 연산: 포화, 공백 상태 검사   완성파일 ch03/LinkedList.py

```
05:        def isEmpty( self ):              # 공백 상태 검사
06:            return self.head == None      # head가 None이면 공백
07:
08:        def isFull( self ):               # 포화 상태 검사
09:            return False                  # 연결된 구조에서는 포화 상태 없음
```

pos번째 노드를 반환하는 getNode(pos) 연산

pos번째 요소를 구하기 위해서는 먼저 해당 요소가 들어 있는 노드를 찾아야 합니다. 리스트 요소가 노드의 데이터 필드에 저장되기 때문입니다. 따라서 pos번째 노드를 반환하는 getNode(pos) 연산을 먼저 구현하겠습니다. 이 연산은 배열 구조에서는 전혀 필요가 없다는 것에 유의하세요(배열 A의 pos번째 요소는 단지 A[pos]입니다). 파이썬 리스트의 인덱스가 0부터 시작하므로 일관성을 위해 getNode(0)이 머리 노드를, getNode(1)이 두 번째 노드를 반환하도록 하겠습니다.

만약 pos가 유효하지 않은 위치라면 어떻게 될까요? 예를 들어, pos가 0보다 작거나 리스트의 크기 이상이면 그런 노드가 없으므로 유효하지 않은 위치이고, 이 경우 None을 반환하면 됩니다.

만약 pos가 유효한 위치라면 머리 노드부터 링크를 따라 여러 번 이동해야 합니다. 즉, 그림과 같이 새로운 포인터 ptr이 맨 처음에 head를 가리키도록 한 다음 ptr = ptr.link를 이용해 링크를 따라 pos번 이동하면 ptr이 원하는 노드를 가리키게 되고, 이 노드를 반환합니다.

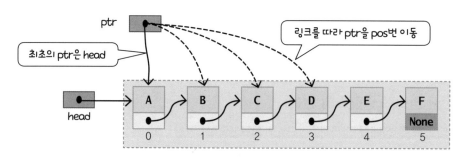

그림 3.18 | pos번째 노드를 찾는 과정

• • • 코드 3.2c: LinkedList 연산: getNode(pos)

```
11:        def getNode(self, pos) :
12:            if pos < 0 : return None        # 잘못된 위치 -> None 반환
13:            ptr = self.head                 # 시작 위치 -> head
14:            for i in range(pos):
15:                if ptr == None :        ← 머리 노드에서부터 링크를 따라 pos번 이동하면
16:                    return None            pos 위치의 노드에 도착.
17:                ptr = ptr.link             위치는 0부터 시작한다고 가정함.
18:            return ptr                      # 최종 노드를 반환
```

pos번째 요소를 반환하는 getEntry(pos) 연산

pos번째 노드를 구할 수 있다면 getEntry(pos)는 단순히 그 노드의 데이터를 반환하면 됩니다. 만약 유효하지 않은 노드라면 오류 상황인데, 단순히 None을 반환하도록 처리하였습니다.

• • • 코드 3.2d: LinkedList 연산: getEntry(pos)

```
20:        def getEntry(self, pos) :
21:            node = self.getNode(pos)         # pos번째 노드를 구함
22:            if node == None : return None    # 해당 노드가 없는 경우
23:            else : return node.data          # 있는 경우 데이터 필드 반환
```

배열 구조의 리스트에서는 pos번째 요소를 바로 알 수 있는 것에 비해 getNode(pos)는 pos번이 이동이 필요한데, 이것은 연결된 구조의 가장 큰 단점입니다. 그렇지만 요소들이 메모리에 흩어져 있는 것을 허용하기 때문에 다른 방법은 없습니다.

pos 위치에 새로운 요소를 삽입하는 insert(pos, e) 연산

연결 리스트의 pos 위치에 새로운 노드를 삽입하기 위해 중요한 것이 있습니다. pos 위치에 새로운 노드를 삽입하려면 pos−1 위치의 노드 before를 알아야 한다는 것입니다. 왜냐하면, 그림 3.19와 같이 삽입 과정에서 변경되어야 하는 것은 pos위치의 노드 (P)가 아니라 pos−1의 노드(B)의 링크이기 때문입니다. 전체 삽입 과정은 다음과 같습니다.

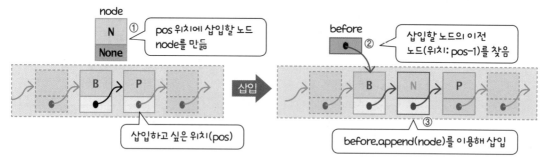

그림 3.19 | 단순 연결 리스트의 삽입연산

① 요소를 이용해 새로운 노드 node를 만듦: node = Node(e, None)
② pos−1 위치의 노드 before를 찾음
③ before에 node를 추가함: before.append(node)

단계 ③은 이미 앞에서 구현한 노드의 append() 연산(코드 3.1b)을 이용하면 간단히 처리됩니다. 그런데 삽입 연산에서 예외 상황이 발생할 수 있습니다. 그것은 ②에서 찾은 before가 None인 경우입니다. 삽입할 위치의 이전 노드가 없다는 것은 리스트의 맨 앞에 추가하려는 것으로 보고, 연결 구조의 맨 앞에 새로운 노드를 넣습니다. 그런데 이때 주의할 것이 있습니다. 머리 노드가 변경되었으니 head 포인터가 수정되어야 합니다. before가 None이 아니면 간단하게 before에서 append()를 호출하면 됩니다. 전체 삽입 연산은 다음과 같습니다.

●●● **코드 3.2e: LinkedList 연산: 삽입 연산 insert(pos, e)**　　완성파일 ch03/LinkedList.py

```
25:     def insert(self, pos, e) :
26:         node = Node(e, None)          # 삽입할 새로운 노드를 만듦
27:         before = self.getNode(pos-1)  # 삽입할 위치 이전 노드 탐색
28:         if before == None :
29:             node.link = self.head     ← before가 None이면 맨 앞에 추가.
30:             self.head = node             리스트의 머리노드(head)가 변경됨.
31:         else : before.append(node)    # 아닌 경우: before뒤에 추가
```

이 연산에서는 before 노드를 찾기 위해 getNode(pos-1)를 수행하는데, 이 과정에서 pos번의 이동이 필요합니다. 만약 before를 미리 알고 있다면 삽입 과정은 훨씬 효율적으로 처리될 것입니다.

pos 위치의 요소를 삭제하는 delete(pos) 연산

연결 리스트의 pos 위치에 있는 노드를 삭제하기 위해서도 삭제할 노드가 아니라 pos−1 위치의 노드 before를 알아야 합니다. 그림 3.20과 같이 이 경우에도 삭제를 위해 변경되는 것은 pos 위치의 노드(X)가 아니라 pos−1의 노드(B)의 링크이기 때문입니다. 삭제 과정은 다음과 같습니다.

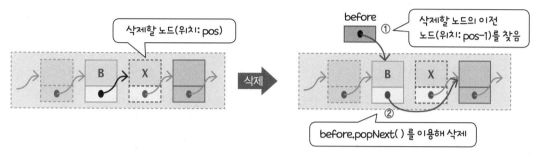

그림 3.20 │ 단순 연결 리스트의 삭제 연산

① pos−1 위치의 노드 before를 찾음
② before의 다음 노드를 삭제함: before.popNext()

단계 ②도 이미 앞에서 구현한 노드의 popNext( ) 연산(코드 3.1c)을 이용하면 간단히 처리됩니다. 삽입에서와 같은 예외적인 상황에 대한 처리도 필요합니다. 만약 before 가 None이면 리스트의 머리 노드를 삭제하는 상황이 되고, 역시 이 경우도 head 포인터가 수정되어야 합니다. 전체 삭제 연산은 다음과 같습니다.

●●● **코드 3.2f: LinkedList 연산: 삭제 연산 delete(pos)**　　　완성파일 ch03/LinkedList.py

```
33:     def delete(self, pos) :
34:         before = self.getNode(pos-1)       # 삭제할 위치 이전 노드 탐색
35:         if before == None :
36:             before = self.head
37:             if self.head is not None :
38:                 self.head = self.head.link
39:             return before
40:         else: return before.popNext()      # before의 다음 노드 삭제
```

← 머리노드를 삭제하면 head가 다음 노드로 변경됨.

전체 요소의 수를 구하는 size( ) 연산

연결된 구조에서는 전체 요소의 수를 금방 알 수 없습니다. 왜냐하면, 머리 노드에서부터 링크를 따라 꼬리 노드까지 움직여보기 전에는 몇 개의 노드가 매달려 있는지 알 수 없기 때문입니다. 변수 ptr을 이용해 머리 노드에서부터 링크를 따라 전체 노드를 방문하여 노드의 개수를 구하는 방법은 그림 3.21과 같습니다.

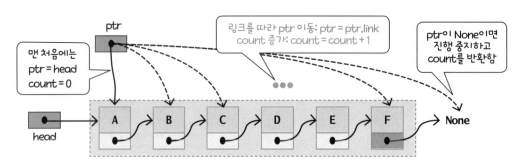

그림 3.21 | 연결 리스트에서 size( ) 연산 처리 과정

●●● 코드 3.2g: LinkedList 연산: 전체 요소의 수 size( )
완성파일 ch03/LinkedList.py

```
42:     def size( self ) :
43:         ptr = self.head                머리노드부터 링크를 따라
44:         count = 0;                     None이 될 때까지 이동하면서
                                           이동 횟수를 기록함.
45:         while ptr is not None :        # ptr이 None이 아닌 동안
46:             ptr = ptr.link             # 링크를 따라 ptr 이동
47:             count += 1                 # 이동할 때마다 count 증가
48:         return count                   # count 반환
```

> **잠깐만** **더욱 효과적인 size( ) 연산**
>
> 만약 연결 리스트 클래스에 노드의 개수를 저장하는 count와 같은 데이터 멤버를 추가한다면 size( )는 단순히 이 값만 반환하면 되어 훨씬 효율적입니다. 그렇지만, 이 경우 삽입 연산에서는 count를 증가시키고, 삭제 연산에서는 감소시키는 코드가 반드시 추가되어야 합니다. 이처럼 클래스에서 멤버변수를 많이 사용하면 편리한 점이 분명히 있지만, 이들이 일관성을 갖도록 관련된 멤버함수에서 정확히 처리해야 한다는 부담이 따른다는 것을 명심해야 합니다.

리스트를 보기 좋게 화면에 출력하는 display() 연산

연결 리스트의 출력을 위해서도 size()에서 살펴본 방법으로 모든 노드를 순서대로 방문해야 합니다. 다음은 연결 리스트의 머리 노드부터 순서대로 꼬리 노드까지 방문하여 출력하는 코드의 예입니다.

● ● ● **코드 3.2h: LinkedList 연산: 화면 출력 display()**   완성파일 ch03/LinkedList.py

```
50:     def display(self, msg='LinkedList:' ):
51:         print(msg, end='')
52:         ptr = self.head
53:         while ptr is not None :
54:             print(ptr.data, end='->')        ←   머리노드부터 링크를 따라
55:             ptr = ptr.link                        None이 될 때까지 이동하면서
56:         print('None')                             현재 노드의 데이터를 화면에 출력함.
```

연결 리스트와 파이썬 리스트 비교

간단한 예제 코드로 지금까지 구현한 LinkedList와 파이썬의 리스트의 사용 방법을 비교해 보겠습니다. 다음은 5개의 요소를 삽입하고, 하나의 요소를 교체한 후 세 개의 요소를 삭제하는 프로그램을 보여주고 있습니다(9행의 replace() 연산은 앞에서 구현하지 않았습니다).

●●● 코드 3.3: LinkedList와 파이썬 리스트 비교　　　　완성파일 ch03/LinkedList.py

단순 연결 리스트(LinkedList)	파이썬의 리스트
01: s = LinkedList() 02: s.display('연결리스트(초기): ') 03: s.insert(0, 10) 04: s.insert(0, 20) 05: s.insert(1, 30) 06: s.insert(s.size(), 40) 07: s.insert(2, 50) 08: s.display("연결리스트(삽입x5): ") 09: s.replace(2, 90) 10: s.display("연결리스트(교체x1): ") 11: s.delete(2) 12: s.delete(3) 13: s.delete(0) 14: s.display("연결리스트(삭제x3): ")	l = [] print('파이썬list(초기):', l) l.insert(0, 10) l.insert(0, 20) l.insert(1, 30) l.insert(len(l), 40) l.insert(2, 50) print('파이썬list(삽입x5):', l) l[2] = 90 print('파이썬list(교체x1):', l) l.pop(2) l.pop(3) l.pop(0) print('파이썬list(삭제x3):', l)

실행 결과는 다음과 같습니다. 구현 방법이 서로 다르더라도 동작은 정확히 동일한 것을 알 수 있습니다.

🖥 실행 결과	🖥 실행 결과
연결리스트(초기): None 연결리스트(삽입x5): 20->30->50->10->40->None 연결리스트(교체x1): 20->30->90->10->40->None 연결리스트(삭제x3): 30->10->None	파이썬list(초기): [] 파이썬list(삽입x5): [20, 30, 50, 10, 40] 파이썬list(교체x1): [20, 30, 90, 10, 40] 파이썬list(삭제x3): [30, 10]

💬 Quiz

1. LinkedList 클래스에 pos번째 요소를 e로 변경하는 replace(pos, e) 연산을 어떻게 구현할 수 있을지 설명해보세요.
2. 코드 3.2의 LinkedList 클래스에 노드의 개수를 저장하는 멤버 변수 count를 추가한다면, 수정되어야 하는 메서드는 무엇일까요?
3. 위 문제에서 count가 잘 관리된다면 size() 연산은 어떻게 구현할까요?

03-6 이중 연결 구조로 리스트 구현하기

이중 연결 구조에서는 노드에 링크가 하나 더 추가되어야 하고, 삽입과 삭제를 위한 연산이 더 복잡해집니다.

이중 연결 구조를 위한 노드 클래스

이중 연결 구조의 노드 클래스 정의와 생성자

이중 연결을 위해서는 두 개의 링크가 필요한데, 각각 prev와 next라 하겠습니다. next는 단순 연결 구조의 link와 정확히 같고, prev는 이전 노드를 가리킵니다. 이중 연결 구조를 위한 노드 클래스를 DNode라 하면 다음과 같이 정의됩니다.

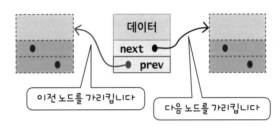

●●● 코드 3.4a: 이중 연결 구조를 위한 DNode 클래스 정의   완성파일 ch03/DblLinkedList.py

```
01:   class DNode:
02:       def __init__ (self, elem, prev=None, next=None):
03:           self.data = elem # 노드의 데이터 필드(요소)
04:           self.next = next # 다음 노드를 위한 링크
05:           self.prev = prev # 이전 노드를 위한 링크(추가됨)
```
← 이중 연결 노드의 생성자

그림 3.22는 이러한 이중 연결 구조를 이용한 리스트의 공백 상태와 노드가 1~3개인 경우의 예를 보여주고 있는데, 각 노드에서 이전 노드와 다음 노드의 연결 정보를 가지고 있습니다. 꼬리 노드의 next는 반드시 None을 가리켜야 하고, 머리 노드의 prev도 None으로 처리합니다.

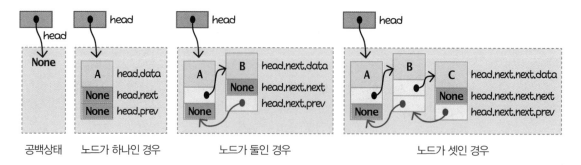

공백상태   노드가 하나인 경우   노드가 둘인 경우   노드가 셋인 경우

그림 3.22 | 이중 연결 리스트의 공백 상태와 노드가 하나, 둘, 및 셋인 경우

새로운 노드를 뒤에 추가하는 DNode 클래스의 append( ) 연산

이중 연결 구조에서 노드의 append( ) 연산은 어떻게 수정해야 할까요? 추가된 링크
인 prev를 반드시 처리해야 할 것입니다. 현재 노드 self 다음에 새로운 노드 node를
추가하는 과정은 다음과 같습니다.

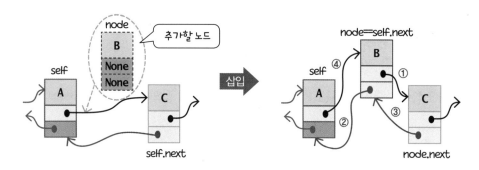

그림 3.23 | 이중 연결 구조에서 노드를 추가하는 과정

① node의 next가 self.next를 가리키게 함: node.next = self.next

② node의 prev가 self를 가리키게 함: node.prev = self

③ node.next가 있으면, 이전 노드로 node를 가리키게 함: node.next.prev = node

④ self의 next가 node를 가리키게 함: self.next = node

단계 ③은 node.next가 None이 아닌 경우에만 처리되어야 하는 것에 유의하세요.
DNode의 멤버함수로 기술한 append( )는 다음과 같습니다.

```
07:        def append (self, node):           # self 다음에 node를 넣는 연산
08:            if node is not None :          # node가 None이 아니면
09:                node.next = self.next      # ①
10:                node.prev = self           # ②
11:                if node.next is not None:  # ③ self의 다음 노드가 있으면
12:                    node.next.prev = node  # 그 노드의 이전 노드는 node
13:                self.next = node           # ④
```

다음 노드를 연결 구조에서 꺼내는 DNode 클래스의 popNext() 연산

popNext()에서도 prev 링크에 대한 추가적인 처리가 필요합니다. self 뒤에 있는 노드 node(self.link)를 꺼내는 과정은 다음과 같습니다.

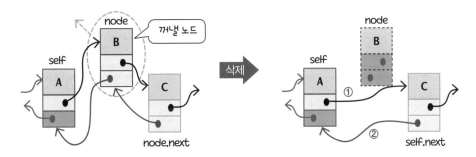

그림 3.24 | 이중 연결 구조에서 self의 다음 노드를 꺼내는 과정

① self의 next가 node의 next를 가리키게 함: self.link = node.next
② self의 next가 있으면 self.next.prev가 self를 가리키게 함: self.next.prev = self

마찬가지로 단계 ②는 self.next가 None이 아닌 경우에만 처리해야 합니다.

```
14:        def popNext (self):                # self 다음 노드 삭제 연산
15:            node = self.next               # 삭제할 노드
16:            if node is not None :          # next가 None이 아니면
17:                self.next = node.next      # ①
18:                if self.next is not None:  # ② 다음 노드가 있으면
19:                    self.next.prev = self  # 그 노드의 이전 노드는 self
20:            return node                    # 다음 노드를 반환
```

이중 연결 리스트 클래스

노드 클래스 DNode를 수정하면 이중 연결 리스트 클래스에서 수정할 것은 생각보다 많지 않습니다. 일단, 이 클래스의 이름을 DblLinkedList라 하겠습니다.

이중 연결 리스트 클래스 정의와 생성자

DblLinkedList의 데이터 멤버는 LinkedList와 동일합니다. 즉, 머리 노드를 가리키는 head만 있으면 됩니다. 단순 연결 리스트와 같이 head를 None으로 초기화합니다.

●●● 코드 3.5a: 이중 연결 리스트 클래스 정의와 생성자   완성파일 ch03/DblLinkedList.py

```
01:    class DblLinkedList:                      # 이중 연결 리스트 클래스
02:        def __init__( self ):                 # 생성자
03:            self.head = None                  # head 선언 및 None으로 초기화
```

isEmpty( ), isFull( ), getEntry(pos)

삽입과 삭제를 제외한 대부분의 연산은 LinkedList 클래스에서와 거의 비슷합니다. isEmpty( ), isFull( ), getEntry( ) 등은 코드가 정확히 동일합니다. Node에서는 link 란 이름을 사용했는데, DNode에서는 next를 사용하므로 LinkedList의 getNode( ), size( ), display( ) 등의 연산에서 .link를 .next로 수정하면 이중 연결 리스트에서도 정확히 동작합니다. 예를 들어, 이중 연결 리스트에서 머리 노드부터 순서대로 꼬리 노드까지 방문하여 출력하는 display( ) 연산은 다음과 같은데, 반드시 수정해야 하는 코드는 10행뿐입니다.

●●● 코드 3.5b: DblLinkedList 연산: 화면 출력 display( )   완성파일 ch03/DblLinkedList.py

```
05:        def display(self, msg='DblLinkedList:' ):
06:            print(msg, end='')
07:            ptr = self.head
08:            while ptr is not None :
09:                print(ptr.data, end='<=>')    # 이중 연결은 <=>로 표시
10:                ptr = ptr.next                # 다음 노드로 이동
11:            print('None')
```

pos 위치에 새로운 요소를 삽입하는 insert(pos, e) 연산

pos 위치에 삽입을 위해서는 pos-1 위치의 노드 before를 찾아야 합니다. 물론 이중 연결 구조에서는 pos 위치의 노드를 찾더라도 prev 링크를 통해 pos-1번째 노드를 알 수 있습니다. 삽입 연산은 다음과 같이 LinkedList의 insert()와 유사한데, 차이가 있는 부분은 14행, 17~19행뿐입니다.

●●● 코드 3.5c: DblLinkedList 연산: 삽입 연산   완성파일 ch03/DblLinkedList.py

```
13:        def insert(self, pos, e) :
14:            node = DNode(e)   ←── 삽입할 이중 연결 구조의 노드 생성
15:            before = self.getNode(pos-1)   # 삽입할 위치 이전 노드 탐색
16:            if before == None :            # 머리 노드로 삽입하는 경우
17:                node.next = self.head          node의 다음 노드가 현재 head가
18:                if node.next is not None:   ←  되고, 그 노드의 prev를 node로
19:                    node.next.prev = node       수정하며, 마지막으로 머리 노드
20:                self.head = node                head를 node로 변경
21:            else : before.append(node)     # 아닌 경우: before 다음에 추가
```

pos 위치의 요소를 삭제하는 delete(pos) 연산

pos 위치의 노드를 삭제하는 연산도 대부분 코드가 LinkedList와 동일합니다. 삭제 연산은 다음과 같은데, link가 아니라 next를 사용해야 하고, 머리 노드를 삭제하는 경우 새로운 머리 노드의 이전 노드를 None으로 처리하는 부분만 다릅니다.

●●● 코드 3.5d: DblLinkedList 연산: 삭제 연산   완성파일 ch03/DblLinkedList.py

```
23:        def delete(self, pos) :
24:            before = self.getNode(pos-1)
25:            if before == None :            # 머리 노드 삭제 경우
26:                before = self.head
27:                if self.head is not None :
28:                    self.head = self.head.next     머리노드를 삭제하면
29:                if self.head is not None :    ←   head가 다음 노드로 변경됨.
30:                    self.head.prev = None
31:                return before
32:            else: before.popNext()         # before의 다음 노드 삭제
```

이중 연결 리스트 클래스 테스트

DblLinkedList의 테스트도 LinkedList와 동일하게 할 수 있습니다. 코드 3.3을 그대로 사용하는데, 1행만 다음과 같이 수정하면 됩니다.

```
s = DblLinkedList()
```

실행 결과는 다음과 같습니다.

🖥 **실행 결과**

연결리스트(초기): None   이중연결구조를 표시하기 위해 사용
연결리스트(삽입 x 5): 20<=>30<=>50<=>10<=>40<=> one
연결리스트(교체 x 1): 20<=>30<=>90<=>10<=>40<=>None
연결리스트(삭제 x 3): 30<=>10<=>None

💬 **Quiz**

1. 이중 연결 리스트 DblLinkedList의 멤버함수 중에서 단순 연결 리스트 LinkedList와 정확히 같은 코드를 사용할 수 있는 멤버함수(들)는 무엇일까요?

연습 문제

01 다음과 같은 자료구조 리스트의 연산은 파이썬의 리스트에서는 어떻게 처리할 수 있을까요?
- delete(pos)
- getEntry(pos)
- isEmpty( )
- size( )

02 LinkedList 클래스에 어떤 요소 e를 찾아 위치를 반환하는 find(e) 연산은 어떻게 구할 수 있을지 설명해보세요. 리스트에 e가 없으면 –1을 반환하고, 있으면 그 위치를 정수로 반환합니다.

03 스택을 단순 연결 구조로 구현해 보세요.

04 큐를 단순 연결 구조로 구현해 보세요.

05 덱을 단순 연결 구조로 구현하면 후단삭제 연산이 다른 연산들에 비해 비효율적으로 처리됩니다. 이유를 설명해 보세요.

06 이중 원형 연결 구조로 리스트를 구현해 보세요.

Chapter

04

트리

🗂 학습목표

트리는 나무 모양의 자료구조입니다. 트리는 회사의 조직도와 같은 계층적인 자료를 아주 쉽게 표현할 수 있는데, 컴퓨터에서 트리의 응용 분야는 굉장히 다양합니다. 자료의 탐색을 위해서도 사용되고, 집합을 나타내는 데도 사용되며 수식을 계산하기 위해서도 사용됩니다.

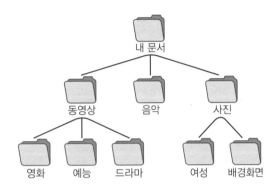

이번 장에서는 트리의 개념과 표현 방법들을 먼저 다루고, 트리와 관련된 몇 가지 연산과 응용을 다룹니다. 트리의 중요한 응용의 하나인 탐색 트리에 대해서는 7장에서 자세히 다룰 것입니다.

나뭇가지에 달린 잎들은 순서를 매기기 어렵습니다. 이처럼 트리에 저장되는 데이터는 일렬로 나열하기가 쉽지 않고, 따라서 트리는 비선형 자료구조입니다. 이제 트리가 무엇인지 자세히 살펴봅시다.

04-1 트리란?

트리(tree)는 이름에서 알 수 있듯이 나무를 닮은 자료구조입니다. 나무에는 뿌리가 있는데, 여기에서부터 가지들이 뻗어 나와서 분기되고, 가지 끝에는 잎이 달립니다. 이러한 트리 구조는 계층적인 관계를 가진 자료의 표현에 매우 유용하게 사용됩니다. 예를 들어, 회사의 조직 체계를 표현해봅시다. 회사의 사장은 나무의 뿌리에 해당합니다. 사장 밑에 있는 각 부서의 부장들은 뿌리에서 뻗어 나온 가지에 해당합니다. 부장 밑에 있는 여러 팀장은 부장에서 분기된 가지이고, 말단 직원은 잎(leaf)에 해당합니다.

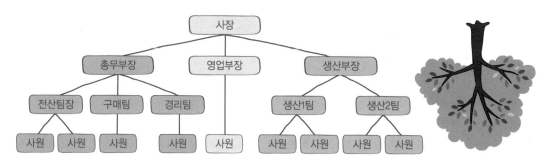

그림 4.1 | 트리의 예: 회사의 조직도

이러한 구조를 트리라고 부르는 것은 이들이 마치 그림 4.1과 같이 실제 나무를 거꾸로 엎어놓은 것과 비슷한 모양을 하고 있기 때문입니다.

지금까지 공부한 선형 자료구조들과 마찬가지로 트리도 매우 다양하게 활용됩니다. 운영체제에서 파일 시스템이 트리 구조로 이루어져 있고, 효율적인 탐색을 위해서도 트리가 사용됩니다. 우선순위 큐를 효율적으로 구현하기 위해 트리가 사용되고, 의사결정 구조를 표현하기 위한 중요한 방법으로 결정 트리(decision tree)가 사용됩니다.

트리 관련 용어

트리에서 각각의 요소들을 노드(node)라고 부르는데, 트리는 하나 이상의 노드들로 이루어집니다. 그림 4.1의 조직도에서 각각의 박스들이 노드에 해당합니다. 노드와 노드의 연결 관계는 간선 또는 에지(edge)로 나타냅니다. 그림 4.1에서 '사장'과 같이 계층적인 구조에서 가장 높은 곳에 있는 노드를 루트(root) 노드라고 부릅니다. 트리에서 사용되는 용어들을 살펴보겠습니다.

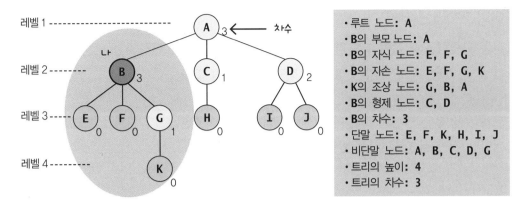

그림 4.2 | 트리 관련 용어

표 4.1 | 트리 관련 용어

부모(parent) 노드	간선으로 직접 연결된 노드 중에 상위 노드
자식(child) 노드	간선으로 직접 연결된 노드 중에 하위 노드
형제(sibling) 노드	같은 부모 노드를 가진 노드
조상(ancestor) 노드	어떤 노드에서 루트 노드까지의 경로상에 있는 모든 노드
자손(descendent) 노드	어떤 노드 하위에 연결된 모든 노드
단말(terminal, leaf) 노드	자식 노드가 없는 노드. 자식이 있으면 비단말 노드
노드의 차수(degree)	노드가 가지고 있는 자식의 수. 단말 노드는 항상 0
트리의 차수	트리에 포함된 모든 노드의 차수 중에서 가장 큰 수
레벨(level)	트리의 각층에 번호를 매기는 것. 루트 노드의 레벨은 1이고 한 층씩 내려갈수록 레벨은 1씩 증가
트리의 높이(height)	트리가 가지고 있는 최대 레벨

트리의 모든 노드는 자신을 루트로 하는 하나의 서브 트리를 대표합니다. 예를 들어, 그림 4.2는 루트 노드 A와 세 개의 서브 트리로 이루어지는데, 서브 트리들은 다시 각각 B, C, D를 루트로 갖는 트리입니다. 따라서 트리는 순환적으로 정의되는 자료구조라고 볼 수 있고, 순환호출을 사용하는 순환 알고리즘이 흔히 사용됩니다.

트리의 표현 방법

트리는 그림 4.2와 같이 노드와 간선의 연결 관계로 흔히 표현하지만 다른 방법으로도 나타낼 수 있습니다. 몇 가지 방법을 살펴보겠습니다.

- 트리는 중첩된 집합으로도 나타낼 수 있습니다. 이것은 트리가 서브 트리들의 집합이라는 것을 잘 나타낼 수 있습니다.

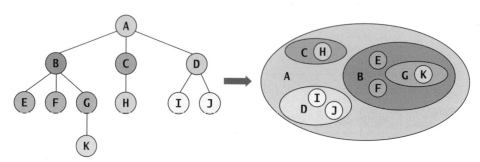

그림 4.3 │ 중첩된 집합으로 표현한 트리

- 트리의 루트와 서브 트리를 중첩된 괄호로 묶어 표현하는 방법이 있습니다. 예를 들어, A가 루트이고 세 개의 자식 B, C, D를 갖는 트리를 (A (B⋯)(C⋯)(D⋯))와 같이 나타내는 것입니다. 이때 서브 트리에도 같은 표현 방법이 적용되어야 합니다. 예를 들어, 다음 그림과 같이 이 방법은 트리를 하나의 문자열처럼 표현할 수 있다는 장점이 있습니다. 그러나 이것만으로 트리의 구조를 직관적으로 이해하기에는 다소 어려움이 있습니다.

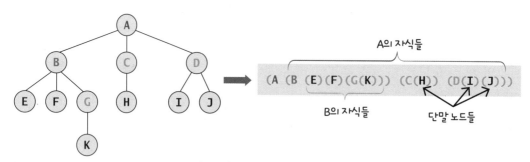

그림 4.4 │ 중첩된 괄호로 표현한 트리

- 트리는 들여쓰기(indentation)로도 나타낼 수 있습니다. 이것은 자료가 계층적인 구조를 갖는 것을 잘 나타내는데, 윈도 탐색기에서 폴더와 파일을 나타내기 위해 흔히 사용됩니다.

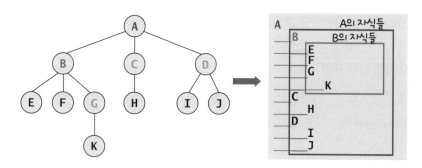

그림 4.5 | 들여쓰기로 표현한 트리

일반 트리의 표현

자식의 개수에 제한이 없는 트리를 일반 트리(general tree)라고 부릅니다. 이런 트리를 프로그램에서 표현하는 데는 두 가지 방법이 있습니다.

N-링크 표현

가장 간단한 방법은 차수가 N인 노드가 N개의 링크를 갖도록 허용하는 것입니다. 이 경우 각 노드는 그림 4.6과 같이 하나의 데이터 필드와 자식 노드 개수만큼의 링크를 갖습니다. 다음은 이러한 노드를 이용해 트리를 표현한 예를 보여줍니다.

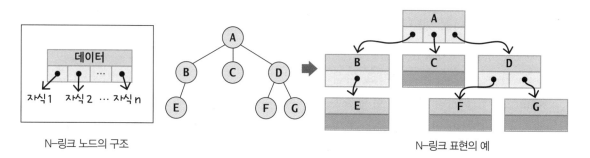

N-링크 노드의 구조   N-링크 표현의 예

그림 4.6 | N-링크 표현을 위한 노드 구조와 트리의 예

노드 A는 세 개의 자식이 있으므로 링크가 셋이고, D는 두 개의 링크를 갖습니다. C,

E, F, G와 같은 단말 노드는 링크가 하나도 없습니다. 이 방법은 간단해 보이긴 하지만 노드나 링크의 개수가 다르다는 문제가 있습니다. 예를 들어, 컴퓨터 폴더 구조를 트리로 나타내는 경우, 하나의 폴더에 파일이나 폴더가 하나도 없을 수도 있고 수천 개일 수도 있는 것입니다. 이를 위해, 노드별로 링크를 관리하기 위해 연결 리스트를 사용할 수 있지만, 트리의 표현과 관리가 복잡해질 수밖에 없습니다.

왼쪽 자식-오른쪽 형제 표현

노드의 형태를 좀 더 단순화하는 방법도 있습니다. 노드가 N개가 아니라 두 개의 링크만을 갖도록 하는 방법입니다. 두 개의 링크만으로 어떻게 많은 자식을 갖는 트리를 표현할 수 있을까요?

링크의 용도를 정해서 이 문제를 해결할 수 있습니다. 그림 4.7과 같이 하나의 링크는 왼쪽 자식(첫 번째 자식, child)을 가리키고, 다른 하나는 오른쪽 형제(다음 형제, sibling)를 가리키기 위해 사용하는 것입니다.

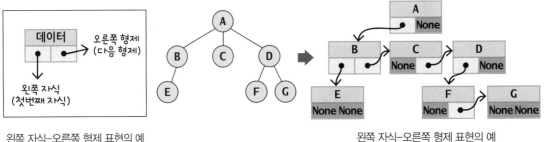

그림 4.7 | 왼쪽 자식-오른쪽 형제 표현을 위한 노드 구조와 트리 표현 예

- 노드 A는 첫 번째 자식이 B이고 형제는 없습니다. 따라서 child 링크는 노드 B를, sibling 링크는 None을 갖습니다.
- 노드 B는 왼쪽 자식이 E이고 다음 형제 노드가 C입니다. 따라서 child는 E를, sibling은 C를 가리킵니다. 형제 노드 사이에 순서가 있는 것에 유의하세요.
- 노드 C는 자식이 없으므로 child는 None을 갖고, 다음 형제는 D이므로 sibling이 D를 가리킵니다. 다른 노드들도 같은 방법으로 표현할 수 있습니다.

이 방법은 비교적 단순한 형태의 노드를 이용해 임의의 일반 트리를 표현할 수 있습니다. 그러나 표현이 복잡하고 특히 루트인 A에서 G까지 찾아가는 과정에서 필요 없이 많은 노드를 거쳐야 하는 문제가 있습니다.

다행히 실제로는 좀 더 단순한 형태의 트리를 많이 사용하는데, 아이디어는 트리 노드의 자식 수에 제한을 두는 것입니다. 예를 들어, 자식이 최대 2개, 또는 최대 3개만을 가질 수 있도록 제한한 트리를 이용하는 것입니다.

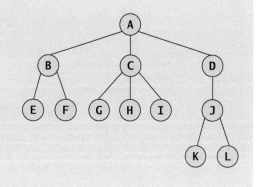

Quiz

1. 오른쪽 트리에서 다음을 구해보세요.
   (a) 루트 노드
   (b) 노드 J의 부모 노드
   (c) 노드 G의 형제 노드
   (d) 노드 C의 차수
   (e) 트리의 높이
   (f) 트리의 차수

2. 이 트리를 다음의 방법으로 각각 표현해보세요.
   (a) 중첩된 집합으로 표현
   (b) 중첩된 괄호로 표현

04-2 이진 트리

이진 트리(binary tree)는 모든 노드가 최대 2개의 자식만을 가질 수 있는 트리입니다.
즉, 모든 노드의 차수가 2 이하로 제한된 트리입니다. 이때 자식 사이에도 순서가 존
재하는데, 왼쪽 자식과 오른쪽 자식은 반드시 구별되어야 합니다.

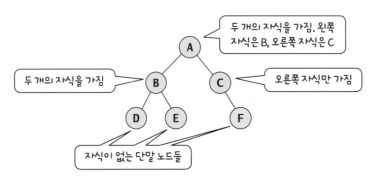

그림 4.8 | 이진 트리의 예

이 트리는 무제한의 자식을 허용하는 일반 트리에 비해 계층적인 관계를 가진 모든 자
료를 표현하기 부족합니다. 그러나 이러한 특별한 구조를 이용해 여러 훌륭한 알고리
즘들이 개발되어 있습니다. 아주 빠른 자료의 탐색이 가능한 이진 탐색 트리(binary
search tree), 우선순위 큐를 효과적으로 구현하는 힙 트리(heap tree), 수식을 트리
형태로 표현하여 계산하는 수식 트리(expression tree) 등이 모두 이진 트리의 대표적
인 예입니다.

이진 트리의 종류

이진 트리는 레벨과 노드 수의 관계에
따라 포화 이진 트리와 완전 이진 트리
를 정의할 수 있습니다. 또한 서브 트
리의 높이에 '균형'의 개념을 적용하면
균형 이진 트리를 정의할 수 있습니다.

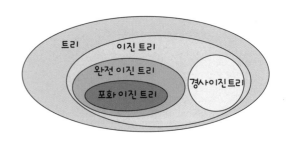

포화 이진 트리(full binary tree)

트리의 각 레벨에 노드가 꽉 차있는 이진 트리를 말합니다.

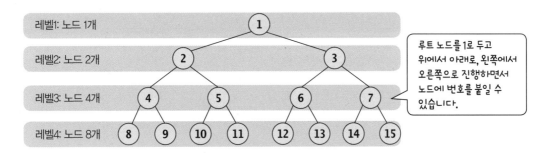

그림 4.9 │ 포화 이진 트리와 노드에 번호 붙이기

노드가 꽉 차 있으니까 트리의 높이를 알면 전체 노드의 수를 쉽게 계산할 수 있습니다. 높이가 k인 포화 이진 트리의 노드의 수는 다음과 같습니다.

$$\text{전체 노드 개수} : 2^{1-1} + 2^{2-1} + 2^{3-1} + \cdots + 2^{k-1} = \sum_{i=0}^{k-1} 2^i = 2^k - 1$$

포화 이진 트리는 각 노드에 순서대로 번호를 붙일 수 있습니다. 위에서 아래로 내려오면서 왼쪽에서 오른쪽으로 순서대로 번호를 붙이면 되는데, 이 번호는 항상 일정합니다. 예를 들어, 그림 4.9에서 루트 노드의 번호는 항상 1이고, 루트의 왼쪽 자식은 2, 오른쪽 자식은 항상 3입니다.

완전 이진 트리(complete binary tree)

높이가 k인 트리에서 레벨 1부터 $k-1$까지는 노드가 모두 채워져 있고 마지막 레벨 k에서는 왼쪽부터 오른쪽으로 노드가 순서대로 채워져 있는 이진 트리를 말합니다. 마지막 레벨에서는 노드가 꽉 차 있지 않아도 되지만 중간에 빈 곳이 있으면 안 됩니다. 따라서 포화 이진 트리는 완전 이진 트리이지만 그 역은 항상 성립하지는 않습니다. 힙(heap)은 완전 이진 트리의 대표적인 예입니다.

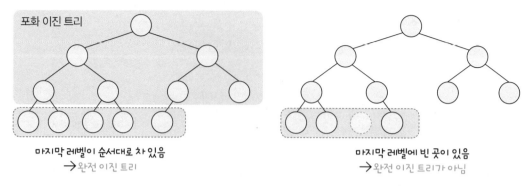

마지막 레벨이 순서대로 차 있음
→완전 이진 트리

마지막 레벨에 빈 곳이 있음
→완전 이진 트리가 아님

그림 4.10 | 완전 이진 트리의 예

균형 이진 트리(balanced binary tree)

이진 트리는 좌우 서브 트리를 구분하기 때문에 '균형'의 개념을 적용할 수 있습니다. 균형 이진 트리 또는 높이균형 이진 트리(height-balanced binary tree)는 모든 노드에서 좌우 서브 트리의 높이 차이가 1 이하인 트리를 말합니다. 예를 들어, 그림 4.11(a)의 트리에서는 모든 노드에서 좌우 서브 트리의 높이 차이가 1 이하입니다. 따라서 균형 이진 트리입니다.

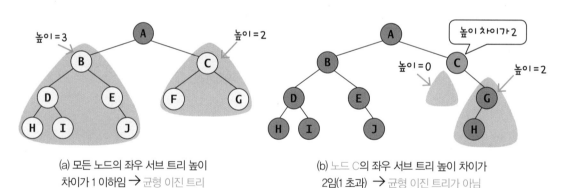

(a) 모든 노드의 좌우 서브 트리 높이
차이가 1 이하임 → 균형 이진 트리

(b) 노드 C의 좌우 서브 트리 높이 차이가
2임(1 초과) → 균형 이진 트리가 아님

그림 4.11 | 균형 이진 트리의 예

4.11의 (b)는 균형 이진 트리가 아닙니다. 다른 노드는 모두 균형 잡혀 있지만, 노드 C는 좌우 서브 트리의 높이 차이가 2이기 때문입니다. 이러한 트리를 경사 트리 또는 경사 이진 트리라고 합니다.

이진 트리의 표현 방법

이진 트리도 배열 구조와 연결된 구조로 표현할 수 있습니다.

배열 구조 표현

이진 트리를 포화 이진 트리의 일부라고 생각하면 배열 구조로 트리를 표현할 수 있습니다. 포화 이진 트리에서 노드에 번호를 붙이는 것을 그대로 배열의 인덱스로 사용하는 것입니다. 과정은 다음과 같습니다.

① 트리의 높이를 구해 배열(또는 파이썬의 리스트)을 할당합니다. 예를 들어, 높이가 k이면 길이가 $2^k - 1$인 배열이 필요합니다.
② 포화 이진 트리의 번호를 인덱스로 사용하여 배열에 노드들을 저장합니다.

보통 루트 노드의 번호를 1로 하는데, 계산의 편의를 위해 인덱스 0은 사용하지 않겠습니다. 그림 4.12와 같이 이 방법은 포화 이진 트리나 완전 이진 트리에 가장 적합하지만 일반 이진 트리도 표현할 수 있습니다. 그렇지만 (b)와 같은 심한 경사 트리의 경우 배열 항목 사이에 사용하지 않는 빈칸이 많이 발생하여 메모리의 낭비가 심해질 수 있습니다.

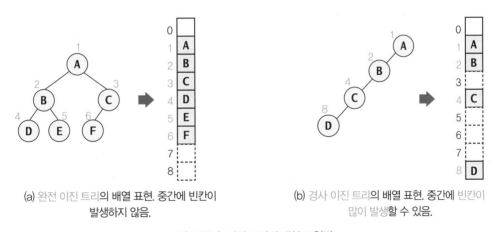

(a) 완전 이진 트리의 배열 표현. 중간에 빈칸이 발생하지 않음.

(b) 경사 이진 트리의 배열 표현. 중간에 빈칸이 많이 발생할 수 있음.

그림 4.12 | 이진 트리의 배열 표현법

이 표현법에서는 어떤 노드의 인덱스를 알면 부모 노드나 자식 노드의 인덱스를 다음과 같이 손쉽게 계산할 수 있습니다.

- 노드 i의 부모 노드 인덱스 = i/2
- 노드 i의 왼쪽 자식 노드 인덱스 = 2i
- 노드 i의 오른쪽 자식 노드 인덱스 = 2i+1

> 파이썬에서는 나눗셈 연산자가 /와 //로 구분되어 있습니다. 정수 나눗셈을 위해서는 i//2를 써야합니다.

이러한 배열 표현법은 간단하지만 경사 트리에서 기억공간을 낭비할 수 있으며, 배열의 크기에 따라 표현 가능한 트리의 높이가 제한되는 단점이 있습니다.

연결된 구조 표현: 링크 표현법

연결된 구조로도 이진 트리를 나타낼 수 있습니다. 이진 트리를 위한 노드는 두 개의 링크가 필요한데, 이들은 각각 왼쪽(left)과 오른쪽(right) 자식 노드를 가리킵니다. 이때 좌우 링크는 반드시 구별되어야 합니다.

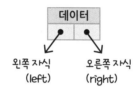

그림 4.13 | 연결된 구조의 이진 트리를 위한 노드의 구조

다음은 링크 표현법으로 이진 트리를 표현하는 예를 보여줍니다. 부모와 자식의 관계를 나타내기 위해서는 간선을 화살표로 나타내는 것이 더 정확하지만, 화살표가 없이 연결된 경우에는 위쪽이 부모 노드, 아래쪽이 자식 노드입니다.

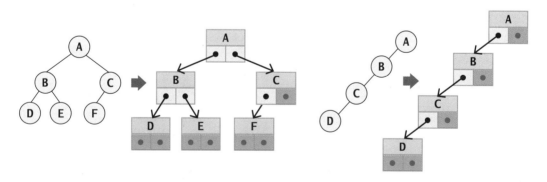

(a) 완전 이진 트리의 링크 표현   (b) 경사 이진 트리의 링크 표현

그림 4.14 | 이진 트리의 링크 표현법

이진 트리를 위한 노드 클래스를 BTNode라고 하면, 다음과 같이 표현할 수 있습니다. 생성자에서 데이터 필드와 왼쪽 자식 및 오른쪽 자식에 대한 링크를 생성하고 초기화합니다.

●●● **코드 4.1: 이진 트리를 위한 노드 클래스**　　　　　　　완성파일 ch04/BinaryTree.py

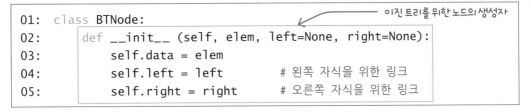

```
01:    class BTNode:
02:        def __init__ (self, elem, left=None, right=None):
03:            self.data = elem
04:            self.left = left        # 왼쪽 자식을 위한 링크
05:            self.right = right      # 오른쪽 자식을 위한 링크
```

앞으로 이 장에서 다루는 이진 트리 연산들은 코드 4.1과 같은 노드를 사용하는 링크 표현법으로 표현되어 있다고 가정하겠습니다.

●●● **Quiz**

1. 이진 트리에서 노드의 수가 10개라면 간선의 수는 몇 개일까요?
2. 높이가 5인 포화 이진 트리의 노드의 수는 얼마일까요?
3. 높이가 5인 이진 트리의 최소 노드의 수와 최대 노드의 수는 얼마일까요?
4. 다음 트리를 배열 표현법과 링크 표현법으로 저장한 모습을 각각 그리세요.
5. 링크 표현법으로 이진 트리를 표현할 때 노드의 개수가 n이라면 None을 갖는 링크 수는 몇 개일까요?

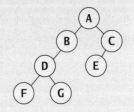

04-3 이진 트리의 연산

이진 트리에서는 어떤 연산이 가능한지 살펴보겠습니다. 이진 트리는 루트와 두 개의 서브 트리로 이루어지는데, 서브 트리도 모두 이진 트리여야 한다는 순환적인 조건이 있습니다. 이러한 순환적인 특징에 의해 이진 트리의 연산에는 순환 알고리즘이 흔히 사용됩니다. 따라서 먼저 순환호출을 복습하는 것이 좋습니다.

이진 트리의 표준순회

트리를 순회(traversal)한다는 것은 트리의 모든 노드를 한 번씩 방문하는 것을 말합니다. 예를 들어, 트리의 모든 노드를 한 번씩 화면에 출력하기 위해서도 순회가 필요한데, 순회는 모든 자료구조에서 기본적인 연산의 하나입니다.

일단, 선형 자료구조에서는 항목들이 일렬로 저장되어 있어서 순회가 매우 단순합니다. 순서대로 방문하면 되기 때문입니다. 그렇지만 트리에서는 자료가 일렬로 나열되어 있지 않기 때문에 여러 가지 '순서'로 노드를 방문할 수 있고, 따라서 순회 방법이 다양합니다.

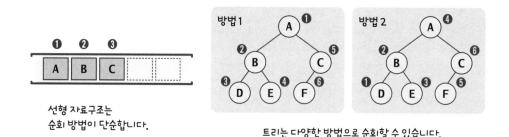

그림 4.15 | 선형 자료구조와 트리의 순회방법 비교

기본적인 순회 방법은 전위, 중위, 후위로 나눌 수 있는데, 이를 이진 트리의 표준순회라고 합니다. 이들은 루트와 왼쪽 서브 트리, 오른쪽 서브 트리를 각각 어떤 순서로 방문하느냐에 따라 구분됩니다. 그림 4.16과 같이 루트를 방문하는 작업을 V, 왼쪽과 오른쪽 서브 트리를 방문하는 작업을 각각 L과 R이라 하면, 이들을 처리하는 순서에 따라 다음과 같이 세 가지로 나눌 수 있습니다.

- 전위순회(preorder traversal) : VLR
- 중위순회(inorder traversal) : LVR
- 후위순회(postorder traversal) : LRV

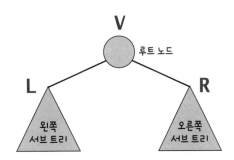

그림 4.16 | 이진 트리의 순회 환경

그런데 루트 노드의 방문 작업 V는 간단하겠지만, 서브 트리의 방문 작업 L과 R은 어떤 식으로 해야 할까요? 당연히 L과 R을 처리하는 데도 동일한 순회 방법이 적용되어야 합니다.

트리에서는 전체 트리나 서브 트리나 기본 구조가 완전히 같으므로 전체 트리에 사용된 알고리즘은 똑같이 서브 트리에도 적용할 수 있습니다. 따라서 순환 기법(재귀 호출)이 흔히 사용됩니다. 물론 순환이 진행됨에 따라 문제의 크기는 작아집니다. 어려울 것 같지만 생각보다 어렵지 않습니다.

전위순회(preorder)

(1) 루트를 먼저 방문(V)하고 다음에 (2) 왼쪽 서브 트리를 방문(L)하고, 방문이 끝나면 마지막으로 (3) 오른쪽 서브 트리를 방문(R)하는 방식입니다.

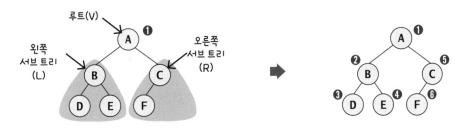

그림 4.17 | 전위순회 과정과 노드 방문 순서

그림 4.17에서 A를 먼저 처리한 다음 왼쪽 서브 트리는 어떻게 방문할까요? 이 트리의 루트인 B부터 다시 같은 순회 방법을 적용해야 합니다. 따라서 A, B, D의 순서로 처리하고 나서 이제 B의 오른쪽 노드 E를 처리하게 됩니다. 루트 A의 오른쪽 서브 트리도 같은 방법으로 방문합니다. 이러한 과정은 순환호출을 이용하여 다음과 같이 매우 간결하게 기술할 수 있습니다.

●●● 코드 4.2: 이진 트리의 전위순회   완성파일 ch04/BinaryTree.py

```
01:  def preorder(n) :                     # 전위순회 함수
02:      if n is not None :                    노드를 방문해 처리할 연산들의 위치.
03:          print(n.data, end=' ')  ←──── 여기서는 노드의 데이터를 단순히 화면에 출력.
04:          preorder(n.left)              # 왼쪽 서브 트리 처리
05:          preorder(n.right)             # 오른쪽 서브 트리 처리
```

전위순회를 사용하면 이진 트리를 그림 4.4와 같이 중첩된 괄호로 표현할 수 있습니다. 루트부터 시작하여 순환호출을 할 때마다 괄호를 한 겹씩 두르면 되는데, 그림 4.17의 트리는 다음과 같이 중첩된 괄호로 표현됩니다.

전위순회 결과 --> A B D E C F
중첩된 괄호표현 --> (A (B (D) (E)) (C (F)))

중위순회(inorder)

중위순회는 (1)왼쪽 서브 트리부터 시작해서 (2)루트를 거쳐 (3)오른쪽 서브 트리 순으로 방문합니다.

그림 4.18 │ 중위순회 과정과 노드 방문 순서

루트인 A를 처리하기 전에 왼쪽 서브 트리를 먼저 처리해야 합니다. 왼쪽 서브 트리는 다시 루트인 B를 처리하기 전에 다시 왼쪽으로 내려가야 합니다. 결국 D가 가장 먼저

처리됩니다. B의 왼쪽 서브 트리가 처리되었으므로 이제 B를 처리하고, 다음으로 E를 처리합니다. 루트와 오른쪽 서브 트리도 동일한 방법으로 처리합니다.

••• 코드 4.3: 이진 트리의 중위순회   완성파일 ch04/BinaryTree.py

```
01:  def inorder(n) :                        # 전위순회 함수
02:      if n is not None :
03:          inorder(n.left)                 # 왼쪽 서브 트리 처리
04:          print(n.data, end=' ')    ←── 노드에서 처리할 연산들의 위치
05:          inorder(n.right)                # 오른쪽 서브 트리 처리
```

후위순회(postorder)

후위순회는 (1)왼쪽 서브 트리 → (2)오른쪽 서브 트리 → (3)루트 순으로 방문합니다.

그림 4.19 | 후위순회 과정과 노드 방문 순서

••• 코드 4.4: 이진 트리의 후위순회   완성파일 ch04/BinaryTree.py

```
01:  def postorder(n) :
02:      if n is not None :
03:          postorder(n.left)
04:          postorder(n.right)
05:          print(n.data, end=' ')    ←── 노드에서 처리할 연산들의 위치
```

순회 방법의 선택

트리와 관련된 문제 중에는 순회 알고리즘만 잘 이용해도 해결되는 것들이 많습니다. 그렇다면 순회 방법은 어떻게 선택할까요?

• 순서는 중요하지 않고 노드를 전부 방문하기만 하면 된다면 어떤 방법도 상관이 없습니다. 예를 들어, 모든 노드 값을 순서와 상관없이 출력하면 되는 문제에서는 순

회 방법이 중요하지 않습니다.

- 자식을 먼저 처리해야 부모를 처리할 수 있다면 당연히 후위순회를 사용해야 합니다. 예를 들어, 컴퓨터에서 어떤 폴더의 용량은 하위 폴더들의 용량을 알아야만 계산할 수 있습니다. 따라서 후위순회를 사용해야 합니다.
- 부모가 처리되어야 자식을 처리할 수 있다면 전위순회를 사용해야 합니다. 예를 들어, 모든 노드에서 자신의 레벨을 계산하는 경우 전위순회를 사용해야 합니다. 루트의 레벨이 1이고 나머지 모든 노드는 부모의 레벨보다 1이 크기 때문에, 부모의 레벨이 결정되어야 자식의 레벨을 결정할 수 있습니다.

레벨 순회

레벨 순회(level order)는 레벨 순으로 노드를 방문합니다. 루트의 레벨이 1이고 아래로 내려갈수록 레벨이 증가하므로 그림 4.20과 같이 위에서 아래로 방문하고, 같은 레벨에서는 왼쪽에서 오른쪽으로 방문합니다.

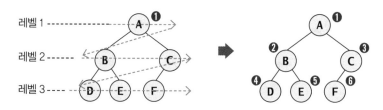

그림 4.20 | 레벨 순회 과정과 노드 방문 순서

이러한 순서는 어떻게 구현할 수 있을까요? 의외로 2장에서 학습했던 큐를 이용하면 간단하게 해결할 수 있습니다. 큐에 노드를 넣고 빼는 과정을 반복하는 것입니다. 맨 처음에는 공백 상태의 큐에 루트를 넣습니다. 다음부터는 큐에서 노드 하나를 꺼내 방문하고 그 노드의 자식들을 큐에 삽입하는 과정을 반복합니다. 삽입에도 순서가 있는데, 왼쪽 자식을 먼저 넣고 오른쪽 자식을 다음에 넣습니다. 물론 자식이 없으면 삽입하지 않습니다. 이 과정은 큐가 공백 상태가 될 때까지 반복됩니다.

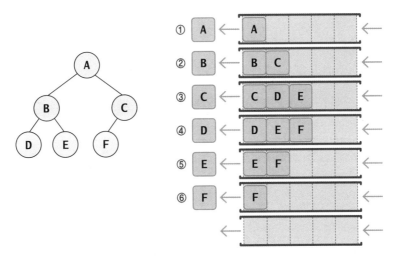

그림 4.21 | 큐를 이용한 노드 방문 과정

그림 4.21로 레벨 순회 과정을 살펴보겠습니다. 최초에 루트인 A가 큐에 입력된 상태에서 순회가 시작됩니다. ① 큐에서 하나를 꺼내면 A가 나오고, ② A의 자식인 B와 C를 순서대로 큐에 삽입합니다. 다음으로 큐에서 B를 꺼내고, ③ 자식인 D와 E를 넣습니다. 이 과정은 큐가 공백이 될 때까지 ④, ⑤, ⑥과 같이 반복됩니다. 이때 큐에서 노드가 나오는 순서가 방문 순서입니다.

이러한 레벨 순회는 순환을 사용하지 않습니다. 대신 큐가 하나 필요한데, 2장에서 구현한 ArrayQueue 클래스(코드 2.1)를 사용한 알고리즘은 다음과 같습니다.

●●● **코드 4.5: 이진 트리의 레벨 순회**　　　　　　　　　　　완성파일 ch04/BinaryTree.py

```
01:  def levelorder(root) :
02:      queue = ArrayQueue()            # 큐 객체 초기화
03:      queue.enqueue(root)             # 최초에 루트 노드만 들어있음.
04:      while not queue.isEmpty() :     # 큐가 공백 상태가 아닌 동안,
05:          n = queue.dequeue()
06:          if n is not None :
07:              print(n.data, end=' ')
08:              queue.enqueue(n.left)
09:              queue.enqueue(n.right)
```

큐에서 하나의 노드를 꺼내고,
이 노드가 None이 아니면 처리.
(여기서는 화면 출력)함.
마지막으로 이 노드의 왼쪽과
오른쪽 자식 노드를 큐에 삽입.

레벨 순회는 트리의 노드를 위에서 아래로, 좌에서 우로 출력하므로 표준순회 방법들보다 출력 결과를 이해하기가 조금 쉽다는 장점이 있습니다.

이진 트리의 연산들

전체 노드의 수 구하기

이진 트리에서 어떤 문제를 해결하기 위해서는 일단은 순환을 떠올려보는 것이 좋습니다. 노드의 수를 구하는 경우도 마찬가지입니다. 아이디어는 다음과 같습니다.

이진 트리의 노드 개수는 왼쪽 서브 트리의 노드 수와 오른쪽 서브 트리의 노드 수의 합에 1(루트 노드)을 더하면 됩니다.

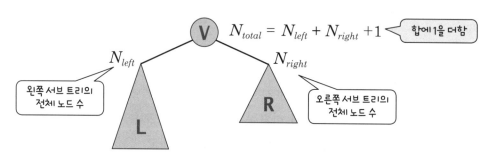

그림 4.22 | 이진 트리의 전체 노드 개수를 계산하는 순환 아이디어

이러한 순환적인 아이디어는 다음과 같이 간단히 구현됩니다.

●●● 코드 4.6: 이진 트리의 노드 수 구하기

완성파일 ch04/BinaryTree.py

```
01:  def count_node(n) :
02:      if n is None :    # n이 None이면 공백 트리 --> 0을 반환
03:          return 0
04:      else :            # 좌우 서브 트리의 노드 수의 합 + 1 (순환이용)    그림 4.22
05:          return count_node(n.left) + count_node(n.right) + 1
```

좌우 서브 트리의 노드 수를 각각 순환으로 구한 후 이들의 합에 1을 더하면 전체 노드의 수를 구할 수 있습니다.

트리의 높이 구하기

높이 계산에도 다음과 같은 순환 아이디어를 사용할 수 있습니다.

이진 트리의 높이는 왼쪽 서브 트리의 높이와 오른쪽 서브 트리의 높이 중에서 큰 값에 1을 더한 값입니다.

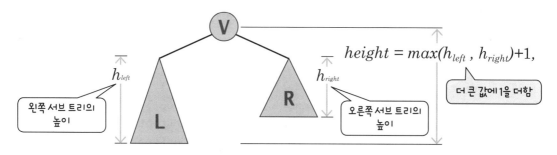

그림 4.23 | 이진 트리의 높이를 계산하는 순환 아이디어

순환으로 구현된 함수는 다음과 같습니다.

●●● 코드 4.7: 이진 트리의 높이 구하기

완성파일 ch04/BinaryTree.py

```
01:  def calc_height(n) :
02:      if n is None :              # 공백 트리 --> 0을 반환
03:          return 0
04:      hLeft = calc_height(n.left)   # hLeft <- L의 높이
05:      hRight = calc_height(n.right) # hRight<- R의 높이
06:      if (hLeft > hRight) :  # 더 큰 값에 1을 더해 반환      <------ 그림 4.23
07:          return hLeft + 1
08:      else: return hRight + 1
```

테스트 프로그램

지금까지 구현한 이진 트리의 여러 연산을 테스트하는 코드를 작성해 보겠습니다. 먼저 테스트를 위한 트리를 만들어야 하는데, 링크 표현법으로 트리를 만들기 위해 노드들을 연속적으로 생성합니다. 이때 BTNode의 생성자를 이용하는데, 먼저 D, E, F와 같은 단말 노드를 만들고, 이들을 좌우 자식으로 갖는 노드들을 만들어나가며 최종적으로 루트 노드인 A를 생성합니다. 생성된 트리에 대해 네 가지 방법으로 순회하고, 노드의 개수와 트리의 높이를 구하는 코드와 실행 결과는 다음과 같습니다.

```
01:  d = BTNode('D', None, None)
02:  e = BTNode('E', None, None)
03:  b = BTNode('B', d, e)
04:  f = BTNode('F', None, None)
05:  c = BTNode('C', f, None)
06:  root = BTNode('A', b, c)
07:
08:  print('\n In-Order : ', end=''); inorder(root)
09:  print('\n Pre-Order : ', end=''); preorder(root)
10:  print('\n Post-Order : ', end=''); postorder(root)
11:  print(\n Level-Order : ', end=''); levelorder(root)
12:  print()
13:
14:  print(" 노드의 개수 = %d개" % count_node(root))
15:  print(" 트리의 높이 = %d" % calc_height(root))
```

단말 노드부터 루트까지 하나씩 노드를 만들어 트리를 구축

```
        A
      /   \
     B     C
    / \   /
   D   E F
```

🖥 실행 결과

```
   In-Order : D B E A F C
  Pre-Order : ( A ( B ( D ) ( E ) ) ( C ( F ) ) )
 Post-Order : D E B F C A
Level-Order : A B C D E F
  노드의 개수 = 6개
  트리의 높이 = 3
```

중첩된 괄호 표현을 위해 괄호 (,) 추가

💬 Quiz

1. 다음 트리를 전위, 중위, 후위, 레벨 순회할 경우 노드의 방문 순서는 어떻게 될까요?

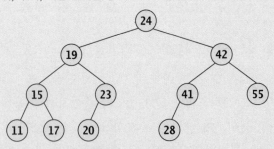

2. 코드 4.2의 전위순회 함수에 다음의 문장들을 삽입하면 이진 트리의 중첩된 괄호 표현을 구할 수 있습니다. 각 문장이 들어갈 위치는 어디일까요?

```
print("( ", end='')
print(") ", end='')
```

04-4   모스 코드 결정 트리

SOS를 나타내는 모스 코드··· --- ···를 아시나요? 모스 코드(Morse Code)는 도트 (점)와 대시(선)의 조합으로 구성된 메시지 전달용 부호로 1830년대에 미국의 새뮤얼 모스(Samuel Morse)에 의해 고안되었습니다. 이것은 메시지를 전선을 통해 장거리로 전송할 수 있도록 하여 통신에 혁명을 일으켰는데, 미국 철도 회사들에서 광범위하게 사용되었습니다. 모스 코드는 각 알파벳에 대해 다음과 같이 점과 선으로 이루어진 코드를 부여합니다.

표 4.2 | 영어 대문자에 대한 모스 코드 표

문자	부호	문자	부호	문자	부호
A	· −	J	· − − −	S	· · ·
B	− · · ·	K	− · −	T	−
C	− · − ·	L	· − · ·	U	· · −
D	− · ·	M	− −	V	· · · −
E	·	N	− ·	W	· − −
F	· · − ·	O	− − −	X	− · · −
G	− − ·	P	· − − ·	Y	− · − −
H	· · · ·	Q	− − · −	Z	− − · ·
I	· ·	R	· − ·		

문자를 모스 코드로 변환하는 과정: 인코딩

문자를 모스 코드로 변환하는 것을 부호화 또는 인코딩(encoding)이라 합니다. 즉, 문자 열 'SOS'를 모스 코드 '··· --- ···'으로 바꾸는 것입니다. 이 과정은 매우 간단한 데, 문자열의 각 문자를 모스 코드 표에서 찾아 대응되는 코드를 순서대로 출력하면 되기 때문입니다. 예를 들어 'PYTHON'을 인코딩하면 다음과 같습니다.

··− −· −− − ··· −−− −·

이 과정을 파이썬 코드로 구현해보겠습니다. 먼저 모스 코드 표는 다음 코드와 같이 리스트 table에 저장하였는데, (문자, 코드)와 같은 튜플을 'A'부터 시작하여 알파벳 순으로 저장하였습니다. 따라서 'A'의 모스 코드는 table[0][1]에 저장되고, 'C'의 코드는 table[2][1]에 저장될 것입니다. 점은 '·' 문자로, 선은 '-' 문자로 나타냈습니다.

●●● 코드 4.9: 영어 대문자에 대한 모스 코드 표   완성파일 ch04/MorseCodeTree.py

```
01:    table =[('A', '.-'),     ('B', '-...'),  ('C', '-.-.'),  ('D', '-..'),
02:            ('E', '.'),      ('F', '...-.'), ('G', '--.'),   ('H', '....'),
03:            ('I', '..'),     ('J', '.---'),  ('K', '-.-'),   ('L', '.-..'),
04:            ('M', '--'),     ('N', '-.'),    ('O', '---'),   ('P', '.--.'),
05:            ('Q', '--.-'),   ('R', '.-.'),   ('S', '...'),   ('T', '-'),
06:            ('U', '..-'),    ('V', '...-'),  ('W', '.--'),   ('X', '-..-'),
07:            ('Y', '-.--'),   ('Z', '--..') ]
```

표가 주어지면 인코딩 함수를 간단하게 구현할 수 있습니다. 다음은 문자가 입력되면 이 문자에 대한 모스 코드를 찾아 반환하는 인코딩 함수입니다.

●●● 코드 4.10: 모스 코드 인코딩 함수   완성파일 ch04/MorseCodeTree.py

```
01:    def encode(ch):
02:        idx = ord(ch)-ord('A')    # 리스트에서 해당 문자의 인덱스
03:        return table[idx][1]       # 해당 문자의 모스 부호 반환
```

2행의 ord()는 파이썬 내장 함수로 문자를 아스키 코드값으로 바꿔주는데, 문자 ch의 아스키 코드값과 'A'의 코드값의 차이가 문자 ch의 위치입니다. 이러한 인코딩 함수 encode(ch)는 테이블에 있는 어떤 알파벳이든 대응되는 코드를 바로 찾아 반환하는 매우 효율적인 함수입니다.

모스 코드를 문자로 변환하는 과정: 디코딩(decoding)

이제 반대로 모스 코드가 주어졌을 때 해당하는 알파벳을 추출하는 방법을 생각해 봅시다. 이 과정을 복호화 또는 디코딩(decoding)이라고 하는데, 모스 코드 '· · · − − − · · ·'가 왔을 때 이것을 원래의 문자열 'SOS'로 해석합니다.

코드 4.9 안의 표에서 ·－－·에 대한 알파벳은 어떻게 찾을 수 있을까요? 인코딩에서
와는 달리 ·－－·의 위치를 바로 계산할 수는 없습니다. 어쩔 수 없이 표의 모든 항목
을 하나씩 조사하여 모스 코드 ·－－·가 있는지를 검사하는 수밖에 없습니다. 이러한
디코딩 방법은 다음과 같이 구현할 수 있습니다.

●●● **코드 4.11: 단순한 방법의 모스 코드 디코딩 함수**　　　완성파일 ch04/MorseCodeTree.py

```
01:   def decode_simple(morse):
02:       for tp in table :              # 모스 코드 표의 모든 문자에 대해
03:           if morse == tp[1] :        # 찾는 코드와 같으면
04:               return tp[0]           # 그 코드의 문자를 반환
```

이 함수는 주어진 코드에 대한 알파벳을 찾기 위해 운이 나쁘면 표의 모든 항목을 뒤
져봐야 합니다. 즉, 표의 크기(문자 수)가 n개라면 n번 비교해야 하는 매우 비효율적
인 방법입니다.

결정 트리를 이용한 모스 코드의 디코딩

이진 트리를 이용하면 보다 효율적인 디코딩이 가능합니다. 이러한 트리를 결정 트리
(decision tree)라고 하는데, 여러 단계의 복잡한 조건을 갖는 문제에 대해 조건과 그에
따른 해결방법을 트리 형태로 나타낸 것을 말합니다.

그림 4.24는 표 4.2에 대한 결정 트리를 보여주고 있습니다. 이 트리에서 루트를 제외
한 모든 노드는 하나의 알파벳을 나타내는데, 루트에서 시작하여 코드에 점(.)이 나타
나면 왼쪽 자식으로 움직이고, 선(－)이 나타나면 오른쪽 자식으로 움직입니다. 이 과
정을 코드 전체에 대해 수행하면 해당 코드의 알파벳 노드에 도착합니다.

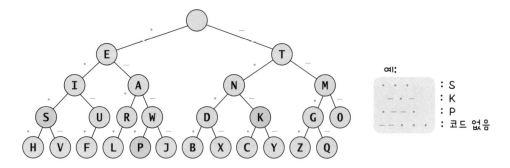

그림 4.24 | 모스 코드를 위한 결정 트리

예를 들어, 두 가지 코드를 결정 트리를 이용해 탐색해 보겠습니다.

- · ─ ─ · 탐색 : 루트에서 시작하여 왼쪽(·) → 오른쪽(─) → 오른쪽(─) → 왼쪽(·)으로 움직이고, 이에 따라 루트 → E → A → W를 거쳐 결국 P에서 탐색이 끝납니다.
- ─ ─ · · · 탐색 : 오른쪽(─) → 오른쪽(─) → 왼쪽(·) → 왼쪽(·)까지는 움직일 수 있지만, 마지막으로 왼쪽(·)으로 가야 하는데 노드가 없고, 이것은 잘못된 코드임을 의미합니다.

그렇다면 이러한 결정 트리는 어떻게 만들까요? 결정 트리를 만드는 방법을 먼저 살펴보고, 이 트리를 이용해 디코딩하는 코드를 구현해보겠습니다.

모스 코드 결정 트리 만들기

모스 코드표가 주어졌을 때 결정 트리를 만드는 방법은 다음과 같습니다.

① 빈 루트 노드를 만들고 모스 코드표의 각 문자를 하나씩 트리에 추가합니다.
② 문자를 추가할 때 루트부터 시작하여 트리를 타고 내려갑니다. 만약 타고 내려갈 자식 노드가 None이면 새로운 노드를 추가하는데, 노드만 추가할 뿐이지 그 노드의 문자는 아직 결정할 수 없습니다.
③ 마지막 코드의 노드에 도달하면 그 노드에 문자를 할당합니다.

결정 트리는 이진 트리이므로 노드를 앞에서 사용한 BTNode를 그대로 사용하면 됩니다. 코드 4.9 안의 표를 이용해 결정 트리를 구축하고 루트 노드를 반환하는 함수는 다음과 같습니다.

●●● **코드 4.12: 모스 코드 디코딩을 위한 결정 트리 만들기**   완성파일 ch04/MoesrCodeTree.py

```python
01:  def make_morse_tree():
02:      root = BTNode(None, None, None)
03:      for tp in table :                    # tp: 모스 코드 표의 각 항목
04:          code = tp[1]                      # tp[1]:모스 코드
05:          node = root                       # 루트부터 탐색
06:          for c in code :                          왼쪽 자식이 비었으면 빈 노드를 추가
07:              if c == '·' :                        왼쪽 자식으로 진행
08:                  if node.left == None:
09:                      node.left = BTNode(None, None, None)
10:                  node = node.left
11:              elif c == '-' :              # 선(-)이면 오른쪽으로 이동
12:                  if node.right == None:
13:                      node.right = BTNode(None, None, None)
14:                  node = node.right
                                              오른쪽도 같은 방법으로 진행
16:          node.data = tp[0]                # 최종 노드에 문자(tp[0]) 부여
17:      return root
```

결정 트리를 이용한 디코딩

결정 트리가 만들어지면 이제 효율적인 디코딩이 가능합니다. 디코딩 함수는 다음과 같습니다.

●●● **코드 4.13: 결정 트리를 이용한 디코딩 함수**   완성파일 ch04/MoesrCodeTree.py

```python
01:  def decode(root, code):
02:      node = root                                    # 루트 노드에서 시작
03:      for c in code :                                # 각 부호에 대해
04:          if c == '·' : node = node.left             # 점( · ): 왼쪽으로 이동
05:          elif c=='-' : node = node.right            # 선(-): 오른쪽으로 이동
06:      return node.data                               # 문자 반환
```

이 방법으로 모스 코드를 디코딩하기 위해서는 몇 개의 노드를 거치게 될까요? 그림

4.24를 보면 어떤 코드도 트리의 높이보다 많은 노드를 이동하지 않는다는 것을 알 수 있습니다. 만약 결정 트리가 n개의 노드를 갖는 포화 이진 트리라면 높이가 $\log_2 n$이 되는데, 따라서 이 디코딩 함수는 $\log_2 n$에 비례하는 비교가 필요합니다. 이것은 n에 비례하는 시간이 걸렸던 코드 4.10에 비해 훨씬 효율적인 방법입니다. 예를 들어, 문자의 개수가 1,024개라면 코드 4.10은 최악의 경우 1,024번의 검사가 필요하지만, 이 방법은 10(= $\log_2 1024$)번 이내의 검사로 디코딩이 끝납니다.

테스트 프로그램

문자열을 입력받아 모스 코드로 바꾸고, 이 코드를 다시 문자열로 복구하는 테스트 프로그램은 다음과 같습니다.

●●● 코드 4.14: 인코딩과 디코딩 테스트 프로그램   완성파일 ch04/MoesrCodeTree.py

```
01:  morseCodeTree = make_morse_tree()   ← 모스코드 결정트리를 만듦.
                                            morseCodeTree가 루트 노드
02:  str = input("입력 문장 : ")
03:  mlist = []
04:  for ch in str:                      ← 입력 문자열의 각 문자를 순서대로
05:      code = encode(ch)                 모스코드로 변환하여 리스트에 추가
06:      mlist.append(code)
07:  print("Morse Code: ", mlist)
08:  print("Decoding : ", end='')
09:  for code in mlist:                  ← 리스트의 모스 코드를 순서대로 디코딩한
10:      ch = decode(morseCodeTree, code)  문자를 화면에 출력
11:      print(ch, end='')
12:  print()
```

입력 문장으로 'GAMEOVER'를 입력하고 이를 모스 코드로 바꾼(encoding) 결과와 이 모스 코드를 다시 알파벳으로 변환(decoding)한 결과는 다음과 같습니다. 입력 문장 'GAMEOVER'가 원래대로 잘 복원되었습니다.

🖥 **실행 결과**

```
입력 문장 : GAMEOVER        A    M    E    O     V      E    R
Morse Code: G['--.', '.-', '--', '.', '---', '...-', '.', '.-.']
Decoding   : GAMEOVER
```

1. 표 4.2를 이용해 'DATA'를 모스 코드로 인코딩해 보세요.

2. 표 4.2를 이용해 모스 코드 '- · - · · ·'을 디코딩해 보세요.

3. 그림 4.24의 모스 코드 결정 트리를 이용해 모스 코드 '-- · ·'를 디코딩할 때 방문하는 노드들을 순서대로 나열하세요.

04-5 수식 트리

수식 트리(Expression Tree)란 산술식을 트리 형태로 표현한 이진 트리입니다. 수식 트리는 하나의 연산자가 두 개의 피연산자를 갖는다고 가정하는데, 피연산자는 단말노드에 저장되고 연산자는 루트나 가지노드에 배치합니다.

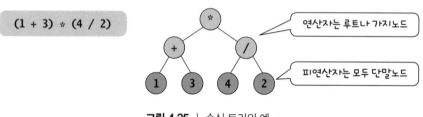

그림 4.25 | 수식 트리의 예

연산자인 비단말 노드는 두 개의 피연산자를 가져야 하므로 반드시 양쪽 자식을 모두 갖게 되는데, 이때 자식 노드인 피연산자가 숫자(number)일 수도 있지만, 또 다른 식(expression)일 수도 있습니다. 예를 들어, 그림 4.25에서 + 노드나 / 노드는 모두 값(숫자)을 피연산자(자식 노드)로 갖습니다. 그렇지만 *노드는 숫자가 아닌 +와 /를 자식 노드로 갖는데, 이들은 또 다른 식을 나타냅니다.

수식 트리의 계산

수식 트리를 만드는 것은 다음에 살펴보고, 먼저 수식 트리에 저장된 식을 계산하는 방법을 살펴보겠습니다. 어떤 연산자를 계산하려면 자식 노드의 계산이 반드시 끝나 있어야 합니다. 예를 들어, 그림 4.26에서 *연산자를 처리하려면 왼쪽 자식인 +와 오른쪽 자식인 /노드의 계산이 모두 끝나야 하고, +와 /보다 절대 먼저 처리할 수는 없습니다. 따라서 수식 트리의 계산에는 후위순회가 사용됩니다. 자식을 먼저 처리해야 부모 노드를 처리할 수 있기 때문입니다.

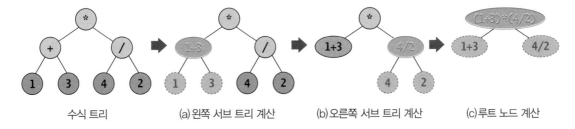

| 수식 트리 | (a)왼쪽 서브 트리 계산 | (b)오른쪽 서브 트리 계산 | (c)루트 노드 계산 |

그림 4.26 | 수식 트리의 계산 과정

수식 트리 계산은 다음과 같이 순환 함수 evaluate()로 기술할 수 있습니다. 함수의 매개변수로 수식 트리의 루트 노드가 전달됩니다.

●●● **코드 4.15: 수식 트리 계산 함수**　　　　　　　　　완성파일 ch04/ExpressionTree.py

```
12:  def evaluate(node) :
13:      if node is None :                    # 공백 트리이면 0 반환
14:          return 0
15:      elif node.isLeaf() :                 # 단말 노드이면 -> 피연산자
16:          return node.data                 # 그 노드의 값(데이터) 반환
17:      else :                               # 루트나 가지노드라면 -> 연산자
18:          op1 = evaluate(node.left)        ← 왼쪽과 오른쪽 서브트리를 먼저
19:          op2 = evaluate(node.right)          계산해야 루트를 계산할 수 있음.
20:          if node.data == '+' : return op1 + op2
21:          elif node.data == '-' : return op1 - op2    ← 루트(현재 노드)를
22:          elif node.data == '*' : return op1 * op2       처리. 후위순회
23:          elif node.data == '/' : return op1 / op2
```

이제 수식 트리가 주어지면 결과를 계산할 수 있습니다. 그렇다면 주어진 수식을 어떻게 수식 트리로 만들 수 있을까요? 물론 코드 4.8처럼 노드를 하나하나 직접 코드로 만들 수도 있습니다. 그러나 우리는 자동으로 수식 트리를 만들어 볼 것입니다. 즉, 문자열로 수식을 입력하면 수식 트리로 만들어 루트 노드를 반환하는 함수를 만들려는 것입니다. 자동으로 수식 트리를 만드는 방법을 공부하기 전에 먼저 수식을 표현하는 데는 몇 가지 방법이 있다는 것을 이해해야 합니다.

수식의 표현 방법

수식은 연산자와 피연산자로 이루어지는데, 이들의 상대적인 위치에 따라 몇 가지 방법으로 구분할 수 있습니다. 이것은 이진 트리의 표준순회와 비슷한 개념입니다.

전위(prefix)	중위(infix)	후위(postfix)
연산자 피연산자1 피연산자2	피연산자1 **연산자** 피연산자2	피연산자1 피연산자2 **연산자**
+ A B	A + B	A B +
+ 5 * A B	5 + A * B	5 A B * +

전위표기법은 연산자를 먼저 적고 좌우 피연산자를 이어서 적는 방법입니다. 중위와 후위표기법은 연산자를 중간 또는 마지막에 적는 방법입니다. 예를 들어, A + B는 중위표기법인데, 같은 식을 전위표기로 나타내면 + A B, 후위표기로 나타내면 A B +가 됩니다.

우리는 당연히 중위표기에 익숙하지만, 컴퓨터는 이 방법을 좋아하지 않습니다. 왜 그럴까요? 컴퓨터 입장에서 중위표기는 여러 가지 불편한 점이 많습니다. 일단 중위표기에는 괄호가 사용되는데, 처리가 번거롭습니다. 또한, 연산자들에 우선순위가 있어 이를 처리해야 합니다. 예를 들어, A + B * C에서 곱셈이 덧셈보다 뒤에 나왔지만 우선순위가 더 높아 먼저 처리되어야 합니다. 후위표기는 이러한 번거로운 문제들을 피할 수 있습니다. 예를 들어, 중위표기 (A + B) * C와 동일한 후위표기 A B + C *는 다음과 같은 장점이 있습니다.

- 괄호를 사용하지 않아도 계산 순서를 알 수 있습니다.
- 연산자의 우선순위를 생각할 필요가 없습니다. 식 자체에 우선순위가 이미 포함되어 있기 때문입니다.
- 수식을 읽으면서 바로 계산할 수 있습니다. 중위표기는 괄호와 연산자의 우선순위 때문에 식을 끝까지 읽은 다음에야 계산할 수 있습니다.

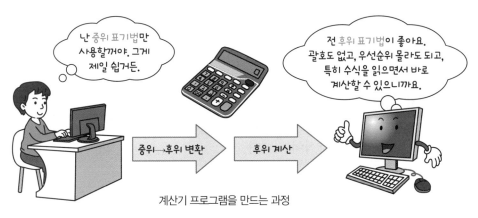

계산기 프로그램을 만드는 과정

그림 4.27 │ 계산기 프로그램 : 보통 중위표기식을 후위표기로 먼저 변환한 다음 후위표기식을 계산하는 방법을 사용합니다.

컴퓨터는 이러한 장점 때문에 수식의 처리를 위해 후위표기를 이용합니다. 그렇지만 여전히 사람들은 중위표기에 익숙해 있습니다. 그래서 컴퓨터의 계산기 프로그램들은 사용자로부터 괄호를 포함한 중위표기 수식을 입력받고, 이것을 후위표기 수식으로 변환한 다음, 이 식을 계산하는 방법을 흔히 사용합니다. 이 과정에서 모두 스택이 사용되는데, 자세한 과정은 숙제로 남기겠습니다.

수식 트리 만들기

여기서는 전위표기와 후위표기로 기술된 수식을 자동으로 수식 트리로 바꾸는 방법을 살펴보겠습니다.

전위표기 식으로 수식 트리 만들기

전위표기 수식은 맨 앞에서 뒤로 읽으면서 처리합니다. 예를 들어, 다음 수식에 대한 처리 과정을 살펴봅시다.

입력 수식 : * + 1 3 / 4 2

❶ * 첫 항목(*)은 수식 트리의 루트 노드가 됩니다.
❷ + 이전 항목(*)이 연산자이므로 +는 *의 왼쪽 자식이 됩니다.
❸ 1 이전 항목(+)이 다시 연산자이므로 1은 +의 왼쪽 자식이 됩니다.

❹ ③ 이전 항목(1)이 피연산자(첫 번째)이므로 3은 이전 연산자 +의 두 번째 피연산자가 됩니다. 두 번째 피연산자가 처리되었으므로 +를 루트로 하는 서브 트리는 완성되었습니다.

❺ / 이제 /는 이전 연산자 *의 오른쪽 자식이 됩니다.

❻ ④ 이전 연산자의 왼쪽 자식이 됩니다.

❼ ② 이전 연산자의 오른쪽 자식이 됩니다.

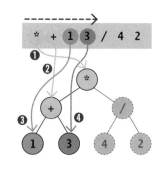

후위표기 식으로 수식 트리 만들기

후위표기 수식은 맨 뒤에서 앞으로 읽으면서 처리합니다.

입력 수식 : 1 3 + 4 2 / *

❶ * 끝 항목(*)은 수식 트리의 루트 노드가 됩니다.

❷ / 이전 항목(*)이 연산자이므로 /는 *의 오른쪽 자식이 됩니다.

❸ ② 이전 항목(/)이 다시 연산자이므로 2는 /의 오른쪽 자식이 됩니다.

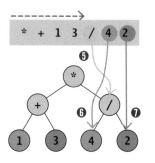

❹ ④ 이전 항목(2)이 피연산자(두 번째)이므로 4는 이전 연산자 /의 첫 번째 피연산자가 됩니다. 피연산자들이 모두 처리되었으므로 /를 루트로 하는 서브 트리는 완성되었습니다.

❺ + 이제 +는 이전 연산자 *의 왼쪽 자식이 됩니다.

❻ ③ 3은 이전 연산자의 오른쪽 자식이 됩니다.

❼ ① 1은 이전 연산자의 왼쪽 자식이 됩니다.

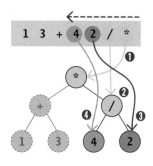

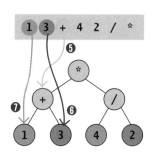

후위표기 수식은 뒤에서 앞으로 처리되므로 자식들도 오른쪽 자식이 먼저 왼쪽이 그다음에 처리되어야 하는 것에 유의하세요. 다음은 후위표기 수식을 입력받아 수식 트리를 만들어 루트 노드를 반환하는 함수입니다.

●●● 코드 4.16: 후위표기 수식을 이용한 수식 트리 만들기   완성파일 ch04/ExpressionTree.py

```
01:  def buildETree(expr):          ← 후위표기 수식을 expr로 전달. 예를 들어, 그림 4.25의 수식 트리는
02:      if len(expr) == 0 :             ['1', '3', '+', '4', '2', '/', '*']와 같이 전달됨.
03:          return None

04:
05:      token = expr.pop()         ← 후위순회는 수식을 뒤에서 앞으로 처리. 따라서
06:      if token in "+-*/" :            pop()으로 맨 뒤의 요소를 꺼냄.
07:          node = BTNode(token)
08:          node.right= buildETree(expr)  ← 연산자이면 노드를 만들고, 오른쪽과
09:          node.left = buildETree(expr)     왼쪽순으로 서브트리를 순환호출을 이용해 만듦.
10:          return node                      마지막으로 노드 반환.
11:      else :                          ← 피연산자이면 단말노드이므로 노드를
12:          return BTNode(float(token))     만들어 바로 반환
```

테스트 프로그램

수식 트리의 테스트 프로그램은 다음과 같습니다.

●●● 코드 4.17: 수식 트리 테스트 프로그램   완성파일 ch04/ExpressionTree.py

```
01:  str = input("입력(후위표기): ")        # 후위표기식 입력
02:  expr = str.split()                     # 토큰 리스트로 변환
03:  print("토큰분리(expr): ", expr)
04:  root = buildETree(expr)   ← 후위표기식을 수식트리로 만들고 루트를 반환
05:  print('\n 전위순회: ', end=''); preorder(root)
06:  print('\n 중위순회: ', end=''); inorder(root)
07:  print('\n후위순회: ', end=''); postorder(root)
08:  print('\n계산 결과 : ', evaluate(root))   # 수식 트리 계산
```

이 프로그램의 실행 예는 다음과 같습니다. 전위순회 함수는 괄호를 함께 출력하여 중
첩된 괄호 표현으로 출력되도록 하였습니다.

입력(후위표기): 1 3 + 4 2 / *

토큰분리(expr): `['1', '3', '+', '4', '2', '/', '*']`

토큰 분리 결과(공백으로 분리)

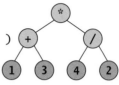

전위 순회: (* (+ (1.0) (3.0)) (/ (4.0) (2.0)))

중위 순회: 1.0 + 3.0 * 4.0 / 2.0

후위 순회: 1.0 3.0 + 4.0 2.0 / *

계산 결과 : 8.0 ← 계산 결과

Quiz

1. 다음과 같은 후위표기 수식을 수식 트리로 나타내세요.

$$2 1 3 + * 8 4 / -$$

2. 이 수식 트리를 계산한 결과는 얼마일까요?

연습 문제

01 N-링크 표현을 위한 노드 클래스를 파이썬으로 정의해봅시다. 이때 링크의 저장을 위해 연결 리스트를 이용하세요.

02 왼쪽 자식-오른쪽 형제 표현을 위한 노드 클래스를 파이썬으로 정의해봅시다.

03 이진 트리에서 단말 노드의 수를 구하는 연산을 순환구조를 이용해 구현해봅시다. 노드 개수 구하기와 트리 높이 구하기 연산을 참고하세요.

04 표 4.2의 영문자에 숫자와 특수문자들이 추가된 모스 코드 표를 인터넷에서 찾아보세요. 이를 이용한 인코딩 함수와 디코딩 함수를 구현해보세요.

05 중위표기 수식을 후위표기 수식으로 변환하는 방법을 찾아보고 설명해보세요. 이를 위해 스택이 사용됩니다.

자료구조와 알고리즘
with 파이썬

알고리즘

기본적인 자료구조에 관한 공부가 끝났으니, 이제 본격적으로 알고리즘을 공부해 보겠습니다. 그런데 먼저 '알고리즘(Algorithm)'이란 단어가 어디서 왔는지 알고 있나요? '알고리즘'은 9세기경 페르시아의 수학자 알-콰리즈미(al-Khwarizmi)의 이름에서 유래되었습니다. 좀 이상하죠? 유럽이나 미국에서 생긴 단어일 것 같은데 말입니다. 어쨌든 알고리즘은 어떤 문제를 해결하기 위한 절차를 순서대로 명확히 나타낸 것을 말합니다.

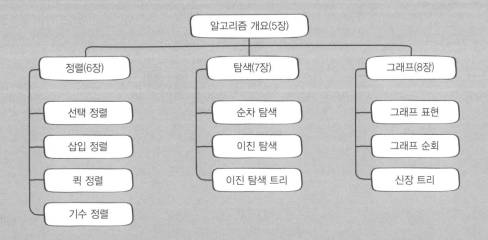

5장에서 먼저 알고리즘을 좀 더 구체적으로 정의해 보고, 어떤 알고리즘이 더 좋은지를 평가하는 방법을 살펴봅니다. 6~7장에서 컴퓨터 분야에서 가장 중요한 문제인 정렬과 탐색에 대한 유명한 알고리즘들을 살펴보고, 8장에서는 가장 복잡한 관계를 표시할 수 있는 그래프의 개념과 관련 알고리즘들을 다룹니다. 유명한 알고리즘들에 대한 지식을 넓혀 봅시다.

알고리즘 개요

📖 학습목표

본격적으로 유명한 알고리즘들을 공부하는 것은 다음 장부터입니다.
그럼 이번 장에서는 무엇을 다룰까요? 알고리즘이 무엇이고, 어떻게
표현할 수 있는지를 먼저 살펴봅니다.

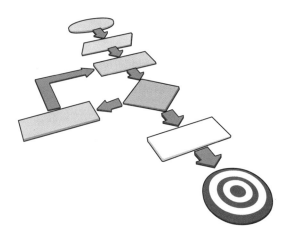

다음으로 알고리즘의 성능을 평가하는 방법을 다룹니다. 어떤 문제
를 해결하는 다양한 알고리즘이 있을 때, 이들을 서로 비교하고 어
떤 것이 더 좋은지를 판단할 수 있는 능력을 길러봅시다.

05-1 알고리즘이란?

알고리즘의 정의와 조건

알고리즘(algorithm)은 주어진 문제를 해결하기 위한 단계적인 절차를 말합니다. 컴퓨터에서는 어떤 일을 하는 절차를 표현하기 위해 명령어들을 사용하는데, 결국 알고리즘은 특정한 일을 수행하는 명령어들의 집합으로 볼 수 있습니다. 이때 명령어(instruction set)란 컴퓨터에서 수행되는 문장들을 의미하는데, 이러한 문장들은 프로그래밍 언어의 종류나 스타일과는 관련이 없습니다. 즉, 알고리즘은 C언어나 Java, 파이썬 등과 같은 프로그래밍 언어와 상관없이 문제 해결 절차를 나타내는 명령어의 집합입니다.

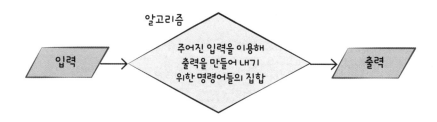

그렇다고 프로그래밍을 위해 작성된 모든 명령어의 집합이 알고리즘이 되는 것은 아닙니다. 다음 조건들을 만족해야 합니다.

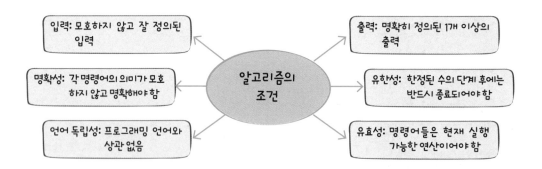

알고리즘 대부분은 입력을 요구하지만 때로는 입력이 필요 없는 경우(예를 들어, 난수 발생 알고리즘)도 있습니다. 그렇지만 반드시 하나 이상의 출력은 있어야 합니다. 의미가 모호한 명령어가 하나라도 포함된다면 알고리즘이 될 수 없으며, 컴퓨터가 실행할 수 없는 명령어(예를 들어, 0으로 나누는 연산)를 사용하면 역시 알고리즘이 아닙

니다. 또한, 특정한 프로그래밍 언어에서만 의미가 있거나 무한히 반복되는 명령어들의 집합도 알고리즘이 아닙니다.

알고리즘의 기술 방법

알고리즘은 여러 가지 방법으로 기술할 수 있습니다.

- 영어나 한국어와 같은 자연어를 사용하는 방법
- 흐름도(flowchart)로 표시하는 방법
- 특정한 프로그래밍 언어(예 C언어, Java, 파이썬)의 코드로 나타내는 방법
- 유사 코드(pseudo-code)로 기술하는 방법

간단한 문제를 예로 들어봅시다. 3개의 숫자 a, b, c가 주어졌을 때, 이들 중에서 가장 큰 값을 찾는 문제입니다. 너무 시시한가요? 그래도 알고리즘이 필요한 문제입니다.

어떻게 하면 될까요? 먼저 최댓값을 저장할 변수를 하나 준비합니다. 이것을 max라 하겠습니다. 일단 a가 가장 큰 값이라고 생각하고, a를 max에 복사합니다. 다음으로 b를 max와 비교하여 b가 더 크면 max에 b를 복사하고, 이어서 c도 max와 비교하여 max보다 크면 max에 복사합니다. 마지막으로 max를 출력(반환)합니다. 생각보다 복잡한가요? 이제, 이 알고리즘을 4가지 방법으로 표현해 봅시다.

자연어 표현

자연어를 사용하면 표현이 자유롭고 편리하다는 장점이 있지만, 자칫 문장의 의미가 애매해질 수 있습니다. 따라서 사용되는 단어들의 의미를 정확히 해야만 알고리즘이 될 수 있습니다.

●●● 코드 5.1: 세 개의 숫자에서 최댓값을 찾는 알고리즘(자연어 표현)

```
01:  find_max( a, b, c )
02:      a를 최댓값을 저장하는 변수 max에 복사합니다.
03:      만약 b가 max보다 크면 b를 max에 복사합니다.
04:      만약 c가 max보다 크면 c를 max에 복사합니다.
05:      max를 반환합니다.
```

흐름도 표현

흐름도(flowchart)는 알고리즘의 절차들을 가장 정확하게 표현할 수 있어서 특히 명세서 등에서 많이 사용됩니다. 그렇지만 알고리즘이 조금만 길어도 그림이 너무 복잡해져 혼란스러워진다는 문제가 있습니다.

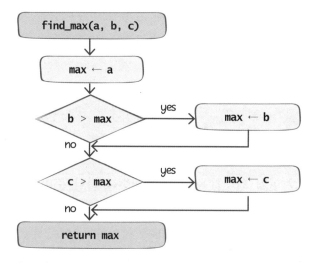

그림 5.1 | 흐름도로 표시한 알고리즘 예시(3가지 숫자에서 최댓값 찾기)

특정 프로그래밍 언어 표현

C언어와 같이 특정 프로그래밍 언어로 기술하면 알고리즘을 실행해 볼 수 있어 편리합니다. 그렇지만 프로그래밍 언어의 문법을 정확히 따라 기술해야 하는데, 언어의 특징에 따른 많은 불필요한 표현들이 알고리즘에 포함된다는 문제가 있습니다. 따라서 간단한 알고리즘도 매우 복잡해 보일 수 있고, 이것이 알고리즘의 핵심을 이해하는 것을 방해한다는 문제가 있습니다. 코드 5.2는 C언어로 작성되었는데 C언어를 모르더라도 대략 어떻게 동작하는지는 이해할 수 있을 것입니다.

●●● 코드 5.2: 세 개의 숫자에서 최댓값을 찾는 알고리즘(C언어로 표현)

```
01:  int find_max(int a, int b, int c){
02:      int max = a;                /* 사용할 변수를 미리 선언해야 함 */
03:      if( b > max A[i] ){
04:          max = b;                /* = 를 대입 연산자로 사용하고, */
05:      }                           /* 중괄호 { }를 맞추어 주어야 한다. */
06:      if( c > max A[i] ){
07:       max = c;                   /*= 를 대입 연산자로 사용하고, */
08:      }                           /* 중괄호 { }를 맞추어 주어야 한다. */
09:      return tmp;
10:  }
```

- 1행 : C언어 함수는 반환형이 명시되어야 하고, 매개변수의 자료형도 정확히 표시되어야 합니다.
- 2행 : C언어에서 변수들은 사용하기 전에 반드시 미리 선언되어야 합니다.
- 1~10행 : 모든 블록은 중괄호 { }로 묶어야 하고, 괄호의 짝을 정확히 맞추어야 합니다.

유사코드(pseudo code) 표현

유사코드는 자연어보다는 체계적이지만 프로그래밍 언어보다는 덜 엄격한 방법입니다. 특히, 프로그래밍 언어에서 발생하는 많은 불필요한 표현을 생략할 수 있어 논문이나 도서들에서 흔히 사용됩니다. 유사코드의 문법은 C와 같은 기존 언어들과 유사하지만, 대입(할당) 연산자로 '='이 아니라 '←'를 사용하고, '='는 비교 연산자로 사용됩니다.

●●● 코드 5.3: 세 개의 숫자에서 최댓값을 찾는 알고리즘(유사코드 표현)

```
01:  find_max( a, b, c )
02:      max ← a               // ← 는 대입 연산을 의미함
03:      if b > max then
04:          max ← b
05:      if c > max then
06:          max ← c
07:      return max
```

파이썬을 이용한 표현

파이썬은 다른 프로그래밍 언어들과 달리 알고리즘을 매우 간결하게 기술할 수 있습니다. 다음은 파이썬과 유사코드의 비교입니다.

●●● 코드 5.4: 최댓값 찾기 알고리즘(파이썬과 유사코드)   완성파일 ch05/find_max.py

```
01:  def find_max( a, b, c ) :        01:  find_max( a, b, c )
02:      max = a                      02:      max ← a
03:      if b > max :                 03:      if b > max then
04:          max = b                  04:          max ← b
05:      if c > max :                 05:      if c > max then
06:          max = c                  06:          max ← c
07:      return max                   07:      return max
```

파이썬은 유사코드 표현과 매우 유사합니다. 그런데 파이썬은 알고리즘을 바로 실행하여 결과를 확인할 수 있다는 장점이 있습니다. 따라서 본문에서는 여러 알고리즘의 표현 방법들을 사용하지만, 대부분은 파이썬 코드로 제시하고 설명합니다. 그것은 파이썬이 알고리즘을 간결하게 표현할 수 있으면서도 코드들을 바로 실행해 볼 수 있기 때문입니다.

●●● Quiz
1. 흐름도로 알고리즘을 표현하는 방법의 장점을 설명해보세요.
2. 유사코드로 알고리즘을 표현하는 방법의 장점을 설명해보세요.
3. 파이썬으로 알고리즘을 표현하는 방법의 장점을 설명해보세요.

05-2 알고리즘의 성능 분석

어떤 문제를 해결할 수 있는 여러 알고리즘이 있을 때, 이들의 성능을 비교하기 위해 다양한 기준을 사용할 수 있습니다. 그중에서 가장 중요하게 사용되는 것은 연산량과 메모리 사용량입니다.

- 연산량 : 알고리즘이 얼마나 적은 연산을 수행하는가?
- 메모리 사용량 : 얼마나 적은 메모리 공간을 사용하는가?

연산량은 알고리즘이 수행해야 하는 작업(연산)의 양을 말하는데, 알고리즘의 시간 효율성을 나타냅니다. 메모리 사용량은 필요한 작업을 하는데 사용하는 기억 공간의 양을 말하는데, 공간 효율성을 나타냅니다. 예전과 달리 요즘은 컴퓨터에 메모리가 풍부해졌기 때문에 공간 효율성의 중요성이 조금 떨어진 경향은 있지만, 여전히 성능 평가의 중요한 기준이 됩니다.

가장 좋은 알고리즘은 연산량과 메모리 사용량이 모두 작은 것이겠지만 이 둘을 동시에 만족시키기는 쉽지 않습니다. 따라서 둘 중 하나를 골라야 한다면 보통은 시간 효율성을 선택합니다.

실행 시간 측정 방법

시간 효율성을 측정하는 단순하지만 가장 확실한 방법은 실행 시간을 직접 측정해 보는 것입니다. 파이썬에서는 이를 위해 time 모듈을 이용할 수 있습니다. 예를 들어, 어떤 알고리즘이 파이썬의 함수 testAlgorithm()으로 구현되었다면 실행 시간은 다음과 같이 측정할 수 있습니다.

●●● 코드 5.5: time 모듈을 이용한 실행시간 측정 예 　　　　　완성파일 ch05/elapsed_time.py

```
01:  import time                        # time 모듈 불러오기
02:  start = time.time()                # 현재 시각을 start에 저장(시작 시각)
03:  testAlgorithm(input)               # 실행시간을 측정하려는 알고리즘 호출
...    ...
05:  end = time.time()                  # 현재 시각을 end에 저장(종료 시각)
06:  print("실행시간 = ", end-start)    # 실제 실행시간(종료-시작)을 출력
```

그런데 이 방법으로 알고리즘의 성능을 비교하는 데는 치명적인 약점이 있습니다.

- 알고리즘을 반드시 '구현'해야 합니다. 알고리즘이 비교적 단순하다면 어렵지 않겠지만, 복잡한 경우에는 구현이 큰 부담이 될 수 있습니다.
- 여러 알고리즘의 측정 결과를 비교하기 위해서는 반드시 같은 조건의 하드웨어를 사용해야 합니다. 왜냐하면, 아주 비효율적인 알고리즘도 슈퍼컴퓨터상에서 실행하면 가장 효율적인 알고리즘을 스마트폰에서 실행하는 것보다 더 빨리 처리될 수 있기 때문입니다.
- 프로그래밍 언어나 운영체제와 같은 소프트웨어 환경도 같아야 합니다. 예를 들어, 프로그래밍 언어에 따라서도 실행속도가 크게 달라질 수 있는데, C나 C++과 같은 컴파일 방식 언어로 구현한 경우가 파이썬이나 베이직과 같이 명령어를 직접 실행하는 인터프리트 방식보다 훨씬 빠릅니다.
- 성능 비교에 사용했던 데이터가 아닌 다른 데이터에 대해서는 전혀 다른 결과가 나올 수 있어 실험되지 않은 입력에 대해서는 실행 시간을 주장할 수 없습니다.

복잡도 분석 방법

그렇다면 시간을 측정하지 않고 어떻게 알고리즘의 성능을 평가할 수 있을까요? 이것은 알고리즘의 복잡도 분석(complexity analysis)으로 가능합니다. 즉, 구현하지 않고도 알고리즘의 시간 복잡도(time complexity)와 공간 복잡도(space complexity)를 구해 성능을 비교하는 방법입니다.

1부터 n까지의 합을 구하는 문제를 예로 들어봅시다. 이 문제는 두 가지 알고리즘으로 해결할 수 있습니다. 첫 번째 방법은 코드 5.6과 같이 반복문을 이용해 숫자를 하나씩 순서대로 더하는 것입니다.

●●● 코드 5.6: 1부터 n까지 합을 구하는 알고리즘 1(반복문 이용)

```
01:  calc_sum1( n )
02:      sum ← 0                    # 1회 수행
03:      for i ← 1 to n then        # n회 수행(반복 제어부)
04:          sum ← sum + i          # n회 수행(반복문 내부)
05:      return sum                 # 1회 수행
```

그런데 다른 방법도 있습니다. 이미 잘 알려진 공식을 이용하는 것이지요. 1부터 n까지의 합은 공식 $\frac{n(n+1)}{2}$ 을 이용해 바로 구할 수 있습니다. 이를 이용한 알고리즘은 다음과 같습니다.

••• 코드 5.7: 1부터 n까지 합을 구하는 알고리즘 2(합 공식을 이용)

```
01:   calc_sum2( n )
02:       sum ← n * (n+1) / 2      # 1회 수행
03:       return sum               # 1회 수행
```

이제 이들 알고리즘의 성능을 비교해봅시다. 알고리즘의 복잡도를 구하기 위해서는 먼저 각 알고리즘에서 얼마나 많은 연산이 실행되는지를 계산해야 합니다. 보통 이러한 연산의 실행 횟수는 입력의 크기 n에 대한 함수 형태, 즉 $T(n)$으로 나타나는데, 이를 복잡도 함수라고 합니다. 이제 각 알고리즘을 행별로 살펴보면서 복잡도 함수를 계산해보겠습니다.

- **알고리즘 1** : 2행에서 대입 연산(sum ← 0)이 한번 수행됩니다. 반복문(for) 내부인 4행(sum ← sum + i)은 n번 수행되는데, 대입과 덧셈 연산을 한 번씩 수행합니다. 단순화를 위해 3행의 반복 제어하는 연산과 5행의 결과를 반환하는 부분은 제외하겠습니다. 이들은 복잡도에 크게 영향을 끼치지 않습니다. 2행과 4행의 연산 실행 횟수를 모두 합하면 2n+1이 되고, 따라서 알고리즘1의 복잡도 함수는 $T_1(n) = 2n + 1$로 나타낼 수 있습니다.
- **알고리즘 2** : 모든 행이 한 번만 수행됩니다. 2행에서 여러 연산이 사용되는데(sum ← n * (n+1) / 2), 대입, 곱셈, 덧셈, 나눗셈 연산이 한 번씩 수행됩니다. 앞에서처럼 3행을 제외하면 알고리즘 2는 4번의 연산이 필요하고, 따라서 복잡도 함수는 $T_2(n) = 4$로 나타낼 수 있습니다.

알고리즘 2는 입력의 크기 n과 관계없이 같은 수의 연산이 실행됩니다. 이에 비해, 알고리즘 1은 입력의 크기 n에 비례하는 수의 연산이 실행됩니다. 이들 함수를 그래프로 비교하면 다음과 같습니다.

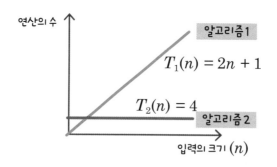

그림 5.2 | 두 알고리즘의 입력 크기에 대한 연산의 수 비교

그래프를 보면 두 알고리즘의 차이가 확실하게 나타납니다. n이 커질수록 알고리즘 2가 알고리즘 1보다 훨씬 효율적이라는 것을 알 수 있습니다. 우리는 알고리즘을 구현하지 않고 유사코드만 분석하여 두 알고리즘의 성능을 비교해 버렸습니다! 이것이 복잡도 분석의 핵심입니다.

> **잠깐만** **연산의 속도 차이**
>
> 보통의 시스템에서는 나눗셈과 곱셈이 덧셈이나 뺄셈보다 더 시간이 걸리지만, 시스템에 따라 그렇지 않은 예도 있습니다. 이러한 연산들의 상대적인 처리시간 차이는 알고리즘의 복잡도를 분석할 때 중요하지 않고, 따라서 같은 시간이 걸린다고 가정해도 문제가 없습니다.

복잡도의 점근적 표기

알고리즘의 복잡도는 흔히 더 간단한 형태로 단순화시켜 사용합니다. 예를 들어, 그림 5.2의 알고리즘 1의 복잡도를 $2n + 1$이라고 하지 않고, n이라고 말하고, 어떤 복잡도 함수가 $8n^2 + 2n + 17$이라면 단순히 n^2이라고 말하는 식입니다. 그렇다면 왜 이렇게 복잡도를 단순하게 나타내려고 할까요? 그리고 이렇게 해도 문제가 없을까요?

두 가지 알고리즘을 생각해 봅시다. n개의 숫자를 정렬하는 알고리즘 A와 알고리즘 B가 있고, 이들의 복잡도 함수가 각각 $T_A(n) = 65536n + 2000000$와 $T_B(n) = n^2 + 2n$라고 가정해 보겠습니다. 어느 것이 더 좋은 알고리즘일까요?

알고리즘 A

$65536n + 2000000$

알고리즘 B

$n^2 + 2n$

문제: n개의 숫자를 오름차순으로 정렬하라.

그림 5.3 │ 두 정렬 알고리즘의 비교

복잡도 함수 전체를 얼핏 보면 계수가 큰 A가 좀 비효율적으로 보일 수도 있습니다. 그러나 표 5.1을 보면 깜짝 놀라실 것입니다.

표 5.1 │ 입력의 크기에 대한 두 알고리즘의 연산 횟수

n(입력의 크기)	알고리즘 A $65536n + 2000000$	비교	알고리즘 B $n^2 + 2n$
1	2,065,536	>	3
10	2,655,360	>	120
100	8,553,600	>	10,200
1,000	67,536,000	>	1,002,000
10,000	657,360,000	>	100,020,000
100,000	6,555,600,000	<	10,000,200,000
1,000,000	65,538,000,000	<	1,000,002,000,000
10,000,000	655,362,000,000	<	100,000,020,000,000
100,000,000	6,553,602,000,000	<	10,000,000,200,000,000
1,000,000,000	65,536,002,000,000	<	1,000,000,002,000,000,000

n이 커질수록 엄청난 연산이 필요함

입력의 크기 n이 작을 때는 $65536n + 2000000$이나 $n^2 + 2n$의 모든 항들이 전체 연산 횟수에 영향을 미칩니다. 표 5.1을 보면 n이 10,000 이하일 때까지는 알고리즘 A가 더 많은 연산이 필요하고, B가 효율적인 것처럼 보입니다.

그런데 n이 커질수록 B가 나쁘다는 것이 서서히 드러납니다. n이 100,000 정도에서 드디어 연산 횟수의 역전이 일어나고, 이후로 n이 더 커짐에 따라 A와 B의 차이는 말할 수 없을 정도로 벌어지게 됩니다. 즉, n이 커질수록 큰 계수들(예를 들어, 알고리즘 A의 65536나 2000000)의 영향이 점점 미미해지고, 최고차항 n^2을 제외한 나머지 항의 영향도 크게 줄어드는 것입니다. 만약 n이 무한대에 가까워지면 최고차항을 제외한

나머지 항의 효과는 거의 없는 것이나 마찬가지가 됩니다.

이런 이유에서 알고리즘의 복잡도를 설명할 때 여러 항을 갖는 복잡도 함수를 최고차 항만을 계수 없이 취해 단순하게 표현하는 방법을 사용합니다. 예를 들어, 알고리즘 A 의 복잡도는 n, B의 복잡도는 n^2으로 단순하게 말하는 것입니다. 이러한 표현은 "정확히 몇 번의 연산이 필요한가?"가 아니라 "연산량이 얼마나 빨리 증가하는가?"만을 나타냅니다. 즉, 증가속도를 표현하는 것입니다. 표 5.1에서 입력의 크기 n이 증가함에 따라 알고리즘 A는 n만큼 빨리, B는 n^2만큼 빨리 연산량이 증가합니다. 그리고 우리는 A가 훨씬 좋은 알고리즘이라는 것을 쉽게 알 수 있습니다. 이러한 표현 방법을 점근적 표기(asymptotic notation)라고 부르는데, 단어가 좀 어렵죠? 점근적 표기에 상한과 하한 및 동일 등급과 같은 개념을 적용하면 빅오, 빅오메가와 빅세타 표기로 다시 나눌 수 있습니다.

빅오((big–O) 표기법

$O(g(n))$은 증가속도가 $g(n)$과 같거나 낮은 모든 복잡도 함수를 포함하는 집합입니다. 예를 들어, 어떤 알고리즘의 복잡도가 $O(n^2)$이라면 이 알고리즘은 어떤 경우에도 n^2에 비례하는 시간 안에는 반드시 완료된다는 것을 말합니다. 즉, n^2보다 더 빨리 처리될 수는 있지만 절대로 그보다 더 걸릴 수는 없고, 이것은 처리시간의 상한(upper bound)을 의미합니다. 복잡도 함수가 $2n + 1$이면 이 알고리즘은 '$O(n)$에 속한다' 또는 '$O(n)$이다'라고 말할 수 있습니다. 그리고 $0.000001n^3$은 아무리 계수가 더 작아지더라도 절대 $O(n^2)$에 속할 수 없습니다. 빅오의 예는 다음과 같습니다.

$$3n^2 + 4n \in O(n^2)$$
$$2n - 3 \in O(n^2)$$
$$2n(n + 1) \in O(n^2)$$
$$3n^2 + 4n \notin O(n)$$
$$0.000001n^3 \notin O(n^2)$$
$$1000^n \in O(n!)$$

$O(n^2)$

$2n(n + 1)$

$3n^2 + 4n$

$2n - 3$

$0.000001n^3$

빅오메가(big–omega) 표기법

$\Omega(g(n))$은 증가속도가 $g(n)$과 같거나 높은 모든 복잡도 함수를 포함합니다. 이것은 복잡도 함수의 하한(lower bound)을 나타내는데, $\Omega(n^2)$은 아무리 빨리 처리하더라도

n^2에 비례하는 시간 이상은 반드시 걸린다는 것을 말합니다.

$$2n^3 + 3n \in \Omega(n^2)$$
$$2n(n + 1) \in \Omega(n^2)$$
$$100000n + 8 \notin \Omega(n^2)$$

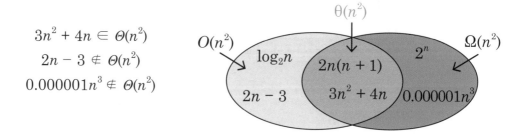

빅세타(big–theta) 표기법

$\Theta(g(n))$은 증가속도가 $g(n)$과 같은 복잡도 함수들만을 포함합니다. 이것은 상한인 동시에 하한인 경우를 말합니다.

$$3n^2 + 4n \in \Theta(n^2)$$
$$2n - 3 \notin \Theta(n^2)$$
$$0.000001n^3 \notin \Theta(n^2)$$

만약 시간 복잡도를 정확히 계산할 수 있다면 빅세타 표기법을 사용하는 것이 좋고, 정확히 분석하기 어렵다면 상한을 구해 빅오 표기법으로 나타내거나 하한을 구해 빅오메가 표기법으로 나타냅니다. 일반적으로는 최악의 상황을 고려한 해결책을 찾기 때문에 빅오 표기법이 주로 사용됩니다.

다음은 자주 사용되는 빅오 표기의 수행 시간을 순서대로 나열한 것이고, 그림 5.4는 n이 증가할 때 각 함수가 어떻게 증가하는지를 그래프로 보여줍니다.

$$O(1) < O(\log n) < O(n) < O(n \log n) < O(n^2) < O(n^3) < O(2^n) < O(3^n) < O(n!)$$

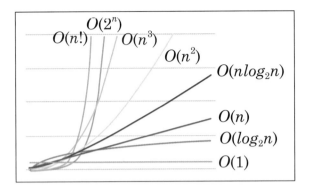

그림 5.4 | n이 증가함에 따른 시간 복잡도 함수의 증가속도

상수형인 $O(1)$은 n이 변하더라도 항상 일정한 시간에 처리되는 가장 빠른 알고리즘이고, $O(n)$은 n에 비례하는 시간이 걸리기 때문에 선형시간이라고도 부릅니다. $O(2^n)$은 지수형, $O(n!)$은 팩토리얼형이라 부르는데, 이들은 입력이 수십 개만 되더라도 엄청난 시간이 요구되어 현실적이지 않은 가장 나쁜 알고리즘입니다.

최선, 최악, 평균적인 효율성

같은 알고리즘도 입력의 종류 또는 구성에 따라 다른 특성의 실행 시간을 보일 수 있습니다. 예를 들어, 보통의 경우 비효율적이라고 알려진 어떤 정렬 알고리즘은 거의 정렬이 되어 있는 입력에 대해서는 다른 어떤 알고리즘보다 효율적으로 동작합니다. 그렇다면 알고리즘의 성능을 말할 때 도대체 어떤 종류의 입력을 기준으로 해야 할까요? 알고리즘의 효율성은 입력의 특징에 따라 3가지 경우로 나누어 평가할 수 있습니다.

- **최선의 경우(best case):** 실행 시간이 가장 적은 경우를 말하는데, 알고리즘 분석에서는 큰 의미가 없습니다.
- **평균적인 경우(average case):** 알고리즘의 모든 입력을 고려하고 각 입력이 발생할 확률을 고려한 평균적인 실행 시간을 의미하는데, 정확히 계산하기가 어렵습니다.
- **최악의 경우(worst case):** 입력의 구성이 알고리즘의 실행 시간을 가장 많이 요구하는 경우를 말하는데, 가장 중요하게 사용됩니다.

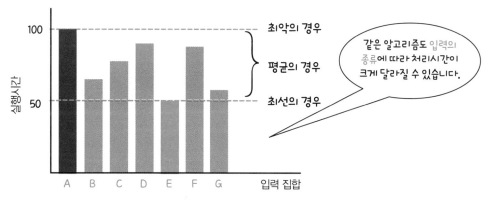

그림 5.5 | 입력의 구성에 따른 실행시간 차이의 예

두 가지 알고리즘을 예로 들어보겠습니다.

예: 리스트에서 최댓값을 찾는 알고리즘

리스트에서 '최댓값'을 찾아 반환하는 간단한 알고리즘을 작성하고, 복잡도를 분석해 봅시다. 최댓값을 위해서는 리스트의 모든 요소를 max와 비교하여 더 크면 max를 갱신해야 하고, 최종적으로 max를 반환하면 됩니다.

●●● **코드 5.8: 리스트에서 최댓값을 찾는 알고리즘**　　　　완성파일 ch05/time_complexity.py

```
01:   def find_max( A ):
02:       n = len(A)              # 입력의 크기
03:       max = A[0]              # max 초기화
04:       for i in range(n) :     # 반복 제어부
05:           if A[i] > max :     # 반복문 내부 -> n번 반복(가장 많이 처리)
06:               max = A[i]
07:       return max              # 결과 반환
```

이 알고리즘에서 입력의 크기는 무엇일까요? 리스트가 크면 당연히 더 많은 연산이 필요하므로 입력의 크기 n은 리스트의 크기(2행)가 되어야 할 것입니다.

이제 n에 대한 복잡도 함수를 구해 봅시다. 우리는 "연산이 정확히 몇 번 필요한가?"가 아니라 n이 증가함에 따라 "무엇에 비례하는 수의 연산이 필요한가?"에만 관심이 있습니다. 따라서 알고리즘에서 가장 많이 처리되는 부분을 잘 찾으면 생각보다 쉽게 구할 수 있습니다. 코드에서 2, 3, 7행은 한 번씩만 실행됩니다. 4행의 반복문이 총 n번 반복

되므로 반복문 내부인 5행은 정확히 n번 처리됩니다. 코드에서 5행보다 더 많이 반복될 수 있는 부분은 없습니다. 따라서 T(n) = n입니다. 그리고 이 알고리즘은 $O(n)$에 속합니다.

입력의 구성에 따라 이 알고리즘의 실행 시간이 달라질 수 있을까요? 리스트의 크기가 같다면 리스트의 내용에 상관없이 5행이 반복되는 횟수는 같습니다. 따라서 최선, 최악, 평균적인 입력을 구분할 필요 없이 항상 같은 연산이 필요합니다.

예: 리스트에서 어떤 값을 찾는 알고리즘

리스트에서 '어떤 값'을 찾는 문제를 생각해 봅시다. 리스트 A에 어떤 값 key가 있는 위치를 찾는 것입니다. 당연히 첫 번째 요소부터 하나씩 순서대로 검사해야 할 것입니다. 만약 찾는 값이 나오면 어떻게 할까요? 더는 찾을 필요가 없습니다. 그 요소의 인덱스를 반환하고 함수는 종료됩니다. 만약 끝까지 찾는 값이 없으면 −1을 반환합니다. 이러한 알고리즘을 순차 탐색이라고 하는데, 다음과 같이 기술할 수 있습니다.

●●● 코드 5.9: 리스트에서 어떤 값을 찾는 알고리즘   완성파일 ch05/time_complexity.py

```
01:  def find_key( A, key ):
02:      n = len(A)              # 입력의 크기
03:      for i in range(n) :     # 반복 제어부
04:          if A[i] == key :    # 탐색 성공 --> 인덱스 반환
05:              return i
06:      return -1               # 탐색 실패 --> -1 반환
```

알고리즘의 복잡도를 분석해 보겠습니다. 이 알고리즘에서도 입력의 크기는 리스트의 크기이고, 가장 많이 처리되는 문장은 4행입니다. 그런데 이 알고리즘은 최댓값 알고리즘과는 달리 입력의 구성에 따라 검사 횟수가 달라집니다. 즉, 최선, 최악, 평균을 나누어 분석해야 합니다.

- 최선의 경우: A의 첫 번째 요소가 *key*와 같은 경우가 최선입니다. 4행을 한번 처리하면 조건을 만족하여 바로 5행에서 함수를 종료합니다. 즉, 4행은 한 번만 처리되고, 따라서 복잡도 함수 $T_{best}(n) = 1$이고, $O(1)$입니다.

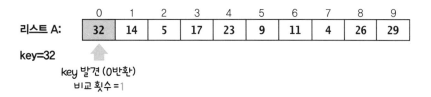

리스트 A: | 0 | 1 | 2 | 3 | 4 | 5 | 6 | 7 | 8 | 9 |

key=32

key 발견 (0반환)
비교 횟수 = 1

- 최악의 경우: key가 리스트에 없거나 맨 뒤에 있는 경우가 최악의 입력입니다. 항상 모든 요소를 검사해야 하므로 n번의 비교가 필요하고, 따라서 복잡도 함수 $T_{worst}(n)$ = n이고, $O(n)$입니다.

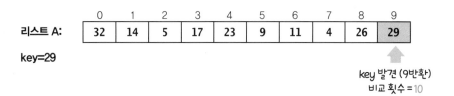

리스트 A: | 0 | 1 | 2 | 3 | 4 | 5 | 6 | 7 | 8 | 9 |

key=29

key 발견 (9반환)
비교 횟수 = 10

- 평균적인 경우: 평균적인 경우를 계산하려면 먼저 '평균'의 의미를 정해야 하는데, 이것이 간단하지 않습니다. 무엇이 평균일까요? 여기서는 모든 숫자가 균일하게 탐색되는 상황을 '평균'이라고 가정해 보겠습니다. 즉, 각 숫자가 key로 사용될 가능성이 $1/n$로 모두 같다고 가정하는 것입니다. 이제 모든 숫자를 탐색했을 때 비교 연산의 횟수를 모두 더한 다음, 이것을 전체 숫자의 개수로 나누어주면 평균적인 경우의 비교 연산 수행 횟수를 계산할 수 있습니다.

$$T_{avg}(n) = \frac{1 + 2 + \cdots + n}{n} = \frac{n\,(n+1)/2}{n} = \frac{n+1}{2} \in O(n)$$

평균적인 경우가 멋있어 보이지만 계산하기 어려운 경우가 많고, 특히 최악의 상황에 대한 시간을 보장하지 못한다는 점에서 문제가 있습니다. 따라서 대부분은 최대한 불리한 입력 데이터를 사용하는 <u>최악의 경우에 대한 복잡도가 가장 중요합니다</u>. 예를 들어, 비행기 관제 업무에서 사용되는 알고리즘은 어떤 입력에 대해서도 정해진 시간 안에는 반드시 처리가 끝나야 공항을 안전하게 관리하고 중대한 사고들을 방지할 수 있기 때문입니다.

1. 다음 시간 복삽노 함수들의 증가 속도를 비교하고, =, >, < 기호로 표시하세요.

(a) $n(n-100)(n-2000)$과 $50000n^3$

(b) $0.00001n^2$과 $100000n$

(c) 1000^n과 $n!$

연습 문제

01 입력 리스트에서 가장 큰 값을 찾아 반환하는 알고리즘을 자연어, 흐름도, 유사코드 및 파이썬 코드로 기술해보세요.

02 다음의 빅오 표기법들을 실행시간이 적게 걸리는 것부터 순서대로 나열해 보세요.
$$O(1), O(n), O(n^2), O(n^3), O(\log n), O(n \log n), O(n!), O(2^n)$$

03 다음 알고리즘의 시간 복잡도를 빅오 표기법으로 나타내 보세요.

```
def algorithm(n) :
    k = 0
    while n > 1 :
        n = n / 2
        k++
    return k
```

04 4장에서 공부한 모스 코드 디코딩의 2가지 알고리즘(코드 4.11과 4.13)을 비교해봅시다. 입력의 크기를 모스 코드 표의 전체 문자 개수라고 한다면, 각 알고리즘의 시간 복잡도는 어떻게 될까요? 빅오 표기법으로 나타내 보세요.

Chapter

06

정렬

📘 학습목표

여러분은 물건을 사기 위해 인터넷 가격 비교 사이트에서 제품을 가격순이나 리뷰가 많은 순으로 나열해 본 적이 있을 것입니다. 또한 엑셀과 같은 스프레드시트(spread sheet) 프로그램에서 정렬 기능을 이용해 자료를 순서대로 배열해 본 적이 있을 것입니다. 이러한 정렬은 컴퓨터 공학에서 가장 기본적이고 중요한 알고리즘의 하나입니다.

정렬을 위해서는 사물들을 서로 비교할 수 있어야 하는데, 비교할 수 있는 모든 속성이 정렬의 기준이 될 수 있습니다. 예를 들어, 강아지들은 키 순서로도 정렬할 수도 있고, 나이순으로 정렬할 수도 있습니다. 이때 순서에는 오름차순과 내림차순이 있습니다.

이번 강의에서는 다양한 정렬 알고리즘을 살펴보고 이들이 어떤 전략을 사용하는지를 학습해 보겠습니다.

06-1 정렬이란?

정렬(sorting)은 순서가 없는 사물들을 순서대로 나열하는 것을 말합니다. 예를 들어, 사전에는 단어들이 알파벳 순서대로 나열되어 있고, 교수님은 학생들의 성적을 순서대로 정렬하여 학점을 부여합니다. 인터넷 쇼핑몰에서는 상품들을 '평점순'이나 '낮은 가격순' 등으로 나열하여 구매할 물건을 선택합니다. 이러한 정렬은 컴퓨터 공학에서 가장 기본적이고 중요한 알고리즘의 하나입니다.

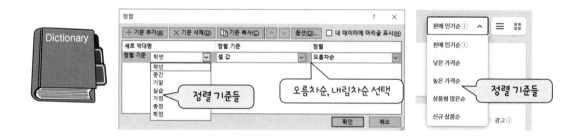

그렇다면 우리는 왜 정렬을 사용할까요? 만약 영어 사전이 정렬되어 있지 않다면 단어 하나를 찾는 데 엄청난 시간이 걸릴 것입니다. 학생들의 성적은 내림차순으로 정렬되어 있어야 공정하게 학점을 부여할 수 있습니다. 인터넷 쇼핑몰에서도 정렬 기능을 이용해야 원하는 상품을 쉽게 찾을 수 있습니다. 이처럼 많은 경우 정렬은 무언가를 찾을 때, 즉 효율적인 탐색을 위해 사용됩니다.

정렬을 위해서는 사물들을 서로 비교할 수 있어야 합니다. 또한, 비교할 수 있는 모든 속성은 정렬의 기준이 될 수 있습니다. 예를 들어, 영어 사전은 사전식 순서(lexicographical order)로 단어들을 나열하는데, d로 시작하는 'data'는 s로 시작하는 'sort'보다 앞에 있어야 합니다. 학생들의 성적은 '총점'을 기준으로 비교할 수 있고, 인터넷 쇼핑몰의 상품들은 '가격'이나 '평점' 등을 기준으로 비교하여 정렬할 수 있습니다. 물론 정렬의 기준이 달라지면 자료가 나열되는 순서도 달라집니다. 같은 정렬 기준을 사용하더라도 오름차순(ascending order)과 내림차순(descending order)으로 나열할 수 있습니다.

정렬 관련 용어

정렬시켜야 할 대상을 보통 레코드(record)라고 부르는데, 레코드는 여러 개의 필드 (field)로 이루어집니다. 예를 들어, 쇼핑몰에서 '상품'이란 레코드는 '이름', '가격', '제조 연도', '제조회사', '평점' 등 다양한 필드를 갖습니다. 이들 중에서 정렬의 기준이 되는 필드를 키(key) 또는 정렬 키(sort key)라고 부릅니다. 결국 정렬이란 레코드들을 키(key) 의 순서로 재배열하는 것을 말합니다.

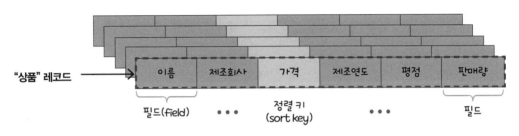

그림 6.1 | 레코드와 필드, 키의 개념

과학자들이 지금까지 개발한 정렬 알고리즘은 매우 다양하지만 모든 상황에서 최상의 성능을 보여주는 알고리즘은 없습니다. 따라서 주어진 문제의 상황과 실행 환경에서 가장 효율적인 정렬 알고리즘을 선택해야 합니다.

- 알고리즘이 단순하면 일반적으로 비효율적입니다. 삽입 정렬, 선택 정렬, 버블 정렬 등이 대표적인 예입니다.
- 효율을 높이기 위해서는 복잡한 알고리즘을 사용해야 합니다. 대표적인 방법으로 퀵 정렬, 힙 정렬, 병합 정렬, 기수 정렬, 팀 정렬 등이 있습니다.

효율성 외에도 정렬 알고리즘들을 분류하는 중요한 특성들이 있습니다. 먼저 안정성 (stability)은 입력 데이터에 같은 킷값을 갖는 레코드가 여러 개 있을 때, 정렬 후에도 이들의 상대적인 위치가 바뀌지 않는 것을 말합니다. 예를 들어, 그림 6.2는 킷값 5를 갖는 두 레코드의 위치가 정렬 후에 바뀌었으므로 안정성을 갖지 않는 정렬 방법입니다.

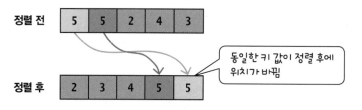

그림 6.2 | 안정성을 충족하지 않는 정렬의 예

제자리 정렬(in-place sorting)은 입력 배열 이외에 추가적인 배열을 사용하지 않는 정렬을 말합니다. 효율성이 같다면 안정성을 갖고 제자리 정렬 특성이 있는 알고리즘이 더 우월합니다.

지금부터 여러 가지 정렬 알고리즘들을 살펴보겠습니다. 설명의 단순화를 위해 레코드 자체가 하나의 숫자라고 가정하겠습니다. 즉, 제멋대로 나열된 숫자 리스트를 오름차순으로 정렬하는 것입니다. 물론 그림 6.1과 같이 필드가 많은 복잡한 레코드를 정렬하거나, 내림차순으로 정렬하더라도 알고리즘이 달라지는 것은 아닙니다.

잠깐만 **내부 정렬과 외부 정렬**

정렬할 자료들이 어디에 있는지에 따라 정렬 알고리즘을 내부 정렬과 외부 정렬로 나눌 수 있습니다. 내부(internal) 정렬은 모든 데이터가 메인 메모리에 올라와 있는 정렬을 의미하고, 외부(external) 정렬은 데이터가 대부분 외부 기억장치에 있고 일부만 메모리에 올려 정렬하는 방법으로 대용량 자료를 정렬하기 위해 사용합니다. 이 책에서는 내부 정렬만 다룹니다.

06-2 선택 정렬

선택 정렬(selection sort)은 가장 단순하고 확실한 방법을 사용합니다. 리스트에서 가장 작은 숫자를 하나씩 찾아 순서대로 저장하는 것입니다. 즉, 정렬이 작은 값부터 순서 대로 나열하는 작업이므로, 리스트에서 가장 작은 값을 찾아 출력하고, 남은 항목 중 에서 다시 가장 작은 값을 찾아 출력하는 과정을 반복하면 당연히 정렬된 결과를 얻을 수 있습니다.

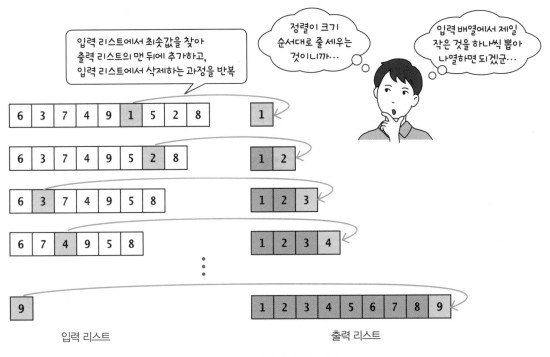

그림 6.3 │ 선택 정렬의 기본 전략

그림 6.3은 선택 정렬의 기본 전략을 보여줍니다. 왼쪽이 입력 리스트, 오른쪽이 정렬 된 출력 리스트입니다. 맨 처음에는 모든 숫자가 왼쪽 리스트에 들어 있는데, 왼쪽 리 스트에서 가장 작은 숫자인 1을 찾아 오른쪽 리스트의 맨 뒤에 추가합니다. 이제 입력 리스트의 1이 오른쪽 리스트로 이동했습니다. 다음으로 왼쪽 리스트에서 가장 작은 2 를 찾아 꺼내고, 오른쪽 리스트에 넣습니다. 이 과정을 입력 리스트가 공백 상태가 될 때까지 반복하면 최종적으로 정렬된 출력 리스트를 구하게 됩니다.

이 알고리즘은 단순하지만 한 가지 문제가 있습니다. 정렬을 위해 입력 리스트 외에 추가적인 리스트(오른쪽 리스트)가 필요한 것입니다. 그런데 약간의 아이디어를 추가하면 이 알고리즘을 입력 리스트 이외에 추가적인 메모리를 사용하지 않는 제자리 정렬로 개선할 수 있습니다. 아이디어는 <u>최솟값이 선택되면 이 값을 출력 리스트에 저장하는 것이 아니라 입력 리스트의 첫 번째 요소와 교환하는 것</u>입니다.

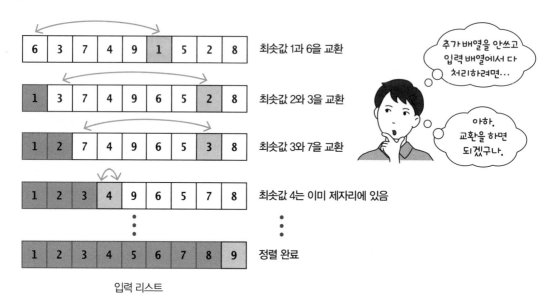

그림 6.4 | 제자리 정렬로 개선한 선택 정렬

예를 들어, 그림 6.4에서 맨 처음에 입력 리스트의 최솟값 1을 찾고, 이를 첫 번째 요소 6과 교환합니다. 이제 리스트의 첫 번째 요소(1)는 제자리를 찾았고, 전체 리스트는 왼쪽의 정렬된 부분(회색 셀)과 그렇지 않은 부분으로 나뉩니다. 다음 단계는 정렬되지 않은 부분에 대해서만 처리됩니다. 즉, 두 번째 요소부터 나머지 중에서 가장 작은 값인 2를 선택하고 두 번째 요소 3과 교환합니다. 이러한 과정을 n−1번 반복하면 전체 리스트가 정렬됩니다. 그림 6.3에서와는 달리 정렬 과정에 추가적인 메모리(리스트)가 사용되지 않습니다.

선택 정렬 알고리즘

다음은 제자리 정렬로 개선된 선택 정렬 알고리즘입니다. 외부 루프(3행)의 i는 정렬되지 않은 부분의 시작 인덱스로 0부터 n−2까지 순서대로 대입됩니다. 내부 루프(5행)의 최솟값을 찾는 범위는 i+1부터 n−1까지가 되어야 합니다.

완성파일 ch06/simpleSort.py

```
01:  def selection_sort(A) :
02:      n = len(A)                              # 리스트의 크기
03:      for i in range(n-1) :       ←  i는 정렬되지 않은 부분의 시작 인덱스
04:          least = i                  0부터 n-2까지 순서대로 대입
05:          for j in range(i+1, n) :
06:              if (A[j]<A[least]) :   ←  i+1부터 n-1까지의 요소 중에서 최솟값의
07:                  least = j             인덱스 least를 구함
08:          A[i], A[least] = A[least], A[i]     # A[i]와 A[least] 교환
```

헬로 파이썬 **튜플을 이용한 두 변수의 교환**

a와 b를 서로 교환하기 위해 기존 언어에서는 새로운 변수 t를 사용하여 t=a; a=b; b=t;와 같은 코드를
사용합니다. 그러나 파이썬은 더 편리한 방법을 제공합니다.

```
a, b = b, a                    # a와 b를 서로 교환한다.
```

파이썬에서 이를 위해 튜플을 이용하는데, b와 a를 순서대로 튜플로 묶은 다음 튜플을 다시 풀어 a와 b에
넣는 방식입니다.

각 단계에서 리스트가 어떻게 변화되고 있는지를 확인하기 위해 다음 코드를 알고리즘
의 9행에 추가합니다.

```
print("Step %2d = "%(i+1), A)      # 단계별 리스트 변화 출력
```

그림 6.4의 입력 리스트에 대한 테스트 프로그램과 처리 결과는 다음과 같습니다.

●●● **코드 6.2: 선택 정렬 테스트 프로그램** 완성파일 ch06/simpleSort.py

```
01:  data = [6,3,7,4,9,1,5,2,8]
02:  print("Original  :", data)
03:  selection_sort(data)
04:  print("Selection :", data)
```

```
Original  : [6, 3, 7, 4, 9, 1, 5, 2, 8]
   Step  1 = [1, 3, 7, 4, 9, 6, 5, 2, 8]        정렬 안된 부분
   Step  2 = [1, 2, 7, 4, 9, 6, 5, 3, 8]
   Step  3 = [1, 2, 3, 4, 9, 6, 5, 7, 8]
   Step  4 = [1, 2, 3, 4, 9, 6, 5, 7, 8]
   Step  5 = [1, 2, 3, 4, 5, 6, 9, 7, 8]
   Step  6 = [1, 2, 3, 4, 5, 6, 9, 7, 8]
   Step  7 = [1, 2, 3, 4, 5, 6, 7, 9, 8]
   Step  8 = [1, 2, 3, 4, 5, 6, 7, 8, 9]        정렬된 부분
Selection : [1, 2, 3, 4, 5, 6, 7, 8, 9]
```

선택 정렬은 얼마나 빠를까?

선택 정렬 알고리즘에서 가장 많이 반복되는 문장을 찾아보겠습니다. 코드 6.1의 3행에 외부 루프(반복문)가 있고, 5행에 다시 내부 루프가 있으므로 6~7행이 가장 많이 반복되는 후보입니다. 그런데 7행은 6행의 조건에 따라 실행되지 않을 수도 있습니다. 결국 조건을 검사하는 6행이 이 알고리즘에서 가장 많이 반복되는 문장입니다. 그렇다면 6행의 비교 연산(A[j]<A[least])이 몇 번이나 실행되는지를 계산해 보겠습니다.

일단, 3행의 외부 루프는 i가 0부터 n-2까지 나열됩니다. 5행의 내부 루프는 j가 i+1부터 n-1까지 나열되므로 총 n-i-1번 반복됩니다. 따라서 6행의 비교 연산은 i=0일 때 n-1번 실행되고, i=1일 때 n-2번, i=3일 때 n-3번 실행되고, 이 과정은 i=n-2까지 이어져야 합니다. 따라서 선택 정렬의 비교 횟수는 다음과 같습니다.

$$선택\ 정렬의\ 비교\ 횟수 = (n-1) + (n-2) + (n-3) + \cdots + (n-(n-2)) + (n-(n-1))$$
$$= (n-1) + (n-2) + (n-3) + \cdots + 2 + 1$$

이 식은 뭔가 익숙합니다. 1부터 n-1까지의 합을 구하는 것으로, 코드 6.7에서 사용한 합 공식(1부터 n까지의 합은 $n(n+1)/2$)을 적용하면 됩니다. 결국 선택 정렬의 비교 횟수는 다음과 같이 정리되고, 빅오 표기로 $O(n^2)$입니다.

$$선택\ 정렬의\ 비교\ 횟수 = \frac{n(n-1)}{2} \in O(n^2)$$

선택 정렬의 특징

- 알고리즘은 간단하지만, 시간 복잡도가 $O(n^2)$으로 효율적이지는 않습니다.
- 안정성을 만족하지도 않습니다.
- 제자리 정렬로 추가적인 리스트가 필요하지 않습니다.
- 자료의 구성에 상관없이 연산의 횟수가 결정된다는 장점이 있습니다. 이것은 정렬할 리스트의 크기가 정해지면 리스트에 어떤 숫자가 어떻게 들어가 있는지와 무관하게 정렬에 걸릴 시간을 예측할 수 있는 것입니다.
- 리스트가 크지 않은 문제라면 충분히 사용할 수 있는 알고리즘입니다.

> 💬 **Quiz**
>
> 1. 입력 리스트 [8, 3, 4, 9, 7]을 선택 정렬을 이용해 오름차순으로 정렬하는 경우 3단계 후의 처리 결과는?
> 2. 선택 정렬이 안정성을 만족하지 않는 예를 제시해 보세요.

06-3 삽입 정렬

삽입 정렬(insertion sort)은 카드를 정렬하는 방법과 유사합니다. 카드를 한 장씩 받아 손에서 정렬하는 상황을 생각해봅시다. 손안에 정렬된 카드가 있고, 카드를 추가로 한 장씩 받을 때마다 적절한 위치에 끼워 넣는 것입니다. 물론 새로 받은 카드를 넣고도 전체 카드는 정렬된 상태이어야 합니다. 이 과정을 모든 카드에 대해 수행하면 전체 카드가 정렬됩니다.

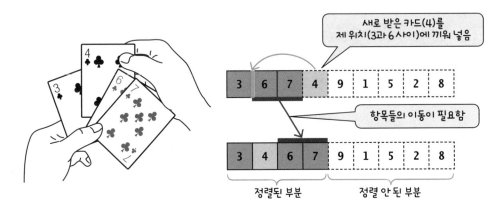

그림 6.5 | 삽입 정렬의 원리

리스트의 정렬도 마찬가지인데, 그림 6.5와 같이 정렬이 안 된 부분의 맨 앞의 숫자(4)를 정렬된 부분의 적절한 위치(3과 6 사이)에 끼워 넣는 과정을 반복합니다. 이때 끼워 넣는다는 것은 넣을 자리 이후의 숫자들(6과 7)을 한 칸씩 뒤로 밀고 그 자리에 복사하는 것을 말합니다. 이러한 삽입 과정이 한 번 처리되면 정렬된 부분이 하나 늘어나고 그렇지 않은 부분이 하나 줄어드는데, 이것을 정렬되지 않은 요소가 하나도 없을 때까지 반복하면 정렬이 완료됩니다. 그림 6.6은 리스트 [6,3,7,4,9,1,5,2,8]을 정렬하는 과정을 보여줍니다.

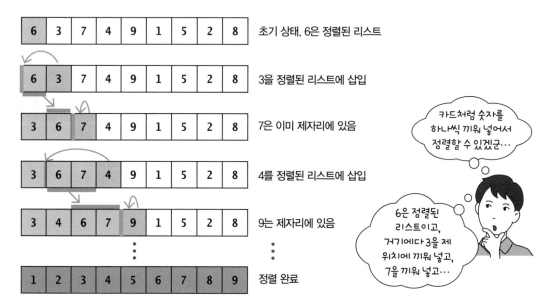

그림 6.6 | 삽입 정렬 과정

삽입 정렬 알고리즘

먼저 확실히 해 두어야 하는 것이 있습니다. 정렬된 부분 리스트에 요소를 끼워 넣는 작업입니다. 예를 들어, 그림 6.7과 같이 [3,6,7]이 정렬된 상태에서 4를 끼워 넣으려면 먼저 4가 들어가야 할 정확한 위치를 찾아야 합니다. 어떻게 할까요? 하나의 방법은 맨 앞의 요소인 3부터 시작하여 오른쪽으로 순서대로 움직이며 찾는 것입니다. 다른 방법도 있습니다. 맨 뒤에서부터 앞으로 움직이며 찾는 것입니다.

두 방법 모두 같은 위치가 나오지만 두 번째 방법을 사용하면 약간의 장점이 있습니다. 그것은 비교할 때마다 정렬된 부분의 요소가 크면 그것을 한 칸 뒤로 미리 옮겨 놓을 수 있다는 것입니다. 예를 들어, 그림 6.7에서 먼저 맨 뒤의 항목인 7을 비교합니다. 이 값이 4보다 크므로 7과 4를 교환합니다. 다음으로 6과 비교하는데, 마찬가지로 4보다 크므로 교환합니다. 다음으로 3이 4보다 작으므로 4는 이미 제자리를 찾았으므로 진행을 멈춥니다. 끼워 넣기가 완료되었습니다.

그림 6.7 | 정렬된 부분 리스트에 항목을 끼워 넣는 과정

사실 이를 위해 실제로 요소들을 매번 교환할 필요는 없습니다. 앞의 요소만 뒤로 복사하고, 맨 마지막에 삽입할 요소(4)를 찾은 위치에 복사하면 되기 때문입니다. 이를 위해, 삽입할 요소(4)를 미리 다른 변수에 저장해 두어야 합니다. 이제 전체 알고리즘은 다음과 같이 기술할 수 있습니다.

●●● **코드 6.3: 삽입 정렬 알고리즘**   완성파일 ch06/simpleSort.py

```
01:  def insertion_sort(A) :
02:      n = len(A)
03:      for i in range(1, n) :          # i범위: 1~n-1
04:          key = A[i]                  ← 삽입할 요소를 미리 key에 저장해 둠
05:          j = i-1
06:          while j>=0 and A[j] > key :  ← i-1요소부터 비교하여 앞으로 진행하는데,
07:              A[j + 1] = A[j]              이 요소가 key보다 크면 뒤로 한 칸 옮김
08:              j -= 1
09:          A[j + 1] = key              # j+1이 A[i]가 삽입될 위치임
```

단계별 리스트의 변화를 출력하기 위한 문장을 10행에 추가하고, 같은 데이터에 대해 처리한 결과는 다음과 같습니다.

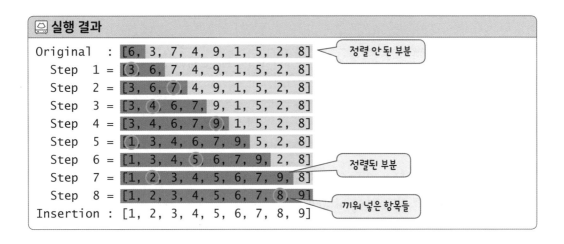

```
💬 실행 결과
Original  : [6, 3, 7, 4, 9, 1, 5, 2, 8]     정렬 안된 부분
  Step  1 = [3, 6, 7, 4, 9, 1, 5, 2, 8]
  Step  2 = [3, 6, 7, 4, 9, 1, 5, 2, 8]
  Step  3 = [3, 4, 6, 7, 9, 1, 5, 2, 8]
  Step  4 = [3, 4, 6, 7, 9, 1, 5, 2, 8]
  Step  5 = [1, 3, 4, 6, 7, 9, 5, 2, 8]
  Step  6 = [1, 3, 4, 5, 6, 7, 9, 2, 8]     정렬된 부분
  Step  7 = [1, 2, 3, 4, 5, 6, 7, 9, 8]
  Step  8 = [1, 2, 3, 4, 5, 6, 7, 8, 9]     끼워 넣은 항목들
Insertion : [1, 2, 3, 4, 5, 6, 7, 8, 9]
```

삽입 정렬은 얼마나 빠를까요?

코드 6.3에서는 어떤 문장이 가장 많이 반복될까요? 3행에서 외부 루프가 시작되고, 6행에서 내부 반복문 while이 시작됩니다. while 문은 반복할 때마다 조건을 검사해야 하므로 조건 검사 문장이 가장 많이 반복될 것입니다. 따라서 삽입 정렬에서도 6행의 비교 연산(A[j] > key)이 실행되는 횟수를 계산해 보겠습니다.

먼저 3행의 외부 루프는 항상 1에서 n−1까지 총 n−1번 반복됩니다. 그런데 내부 루프가 문제입니다. 입력 리스트의 자료가 어떤가에 따라 while 문이 한 번만에 끝날 수도 있고 여러 번 반복될 수도 있습니다. 즉, 삽입 정렬은 선택 정렬과는 달리 입력 리스트의 크기가 같더라도 그 안에 어떤 값이 들어 있는가에 따라 처리시간이 달라지는 알고리즘입니다. 가장 운이 좋은 경우(최선의 입력)와 가장 운이 나쁜 경우(최악의 입력)를 나누어 생각해 봅시다.

최선의 경우

입력 리스트가 이미 오름차순으로 정렬된 경우입니다. 물론 알고리즘은 이 사실을 모르고 단지 절차에 따라 처리할 뿐입니다. 이 경우 6행의 반복문은 몇 번 수행될까요? 예를 들어, 그림 6.8은 정렬된 리스트 [1,2,3,4]에 5를 삽입하는 과정을 보여주는데, 첫 번째 비교부터 (A[j] > key)의 조건을 만족하지 않게 되고, 따라서 while 문은 한 번 만에 빠져나옵니다. 이것은 이후의 모든 요소를 삽입할 때도 마찬가지입니다. 결국 외부 루프(for)가 $n-1$번 반복되는데, ㄱ 안에서 내부 루프(while)는 한 번만 처리되고, 따라서 전체 비교 연산은 n−1 번 수행됩니다. 이것은 $O(n)$ 알고리즘으로 매우 효율적이지만, 운이 아주 좋은 특별한 경우로 실제 상황에서 자주 나타나지 않습니다.

그림 6.8 | 삽입 정렬을 위한 최선의 입력 예: 오름차순으로 정렬된 리스트

최악의 경우

역순으로 정렬된 리스트가 최악의 입력입니다. 끼워 넣을 위치가 항상 맨 앞이 되기 때문에 while 문의 조건 검사를 항상 맨 앞까지 진행해야 합니다. 즉, A[i]를 삽입하기 위해 A[i−1]부터 A[0]까지 i개의 요소를 모두 비교해야 합니다.

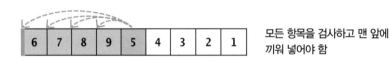

그림 6.9 | 선택 정렬을 위한 최악의 입력 예시: 역순으로 정렬된 리스트

비교 연산은 몇 번 수행될까요? 외부 루프는 i가 1부터 n−1까지 나열되는데, 내부 루프는 i가 1이면 1번, 2이면 2번, 3이면 3번 등으로 반복됩니다. 따라서 내부 루프 안의 비교 연산의 전체 횟수는 다음과 같습니다.

$$삽입\ 정렬의\ 비교\ 횟수 = 1 + 2 + 3 + \cdots + (n-2) + (n-1) = \frac{n(n-1)}{2} \in O(n^2)$$

삽입 정렬의 특징

- 입력의 구성에 따라 처리시간이 달라지는데, 최악의 상황에 대한 시간 복잡도가 $O(n^2)$으로 효율적이지 않은 알고리즘입니다.
- 끼워 넣기를 위해 많은 레코드의 이동이 필요하므로 레코드의 크기가 큰 경우 선택 정렬보다도 효율적이지 않습니다.
- 제자리 정렬이고, 안정성도 충족합니다.
- 레코드 대부분이 이미 정렬된 경우라면 효율적으로 사용될 수 있습니다. 왜냐하면,

최선의 경우에 대한 효율성이 매우 뛰어나기 때문입니다. 실제로 이러한 장점에 착안해 다른 정렬 알고리즘에서 사용되기도 합니다.

> **Quiz**
>
> 1. 입력 리스트 [8, 3, 4, 9, 7]을 삽입 정렬을 적용하여 오름차순으로 정렬하는 경우 3단계 처리 결과는?
> 2. 삽입 정렬이 안정성을 만족하는 이유를 설명해보세요.

06-4 퀵 정렬

퀵 정렬(quick sort)은 이름에서 예상할 수 있듯이 평균적으로 매우 빠른 수행 속도를 자랑하는 정렬 방법으로 10장에서 공부할 분할 정복 전략을 이용합니다. 분할 정복은 하나의 문제를 둘 또는 여러 개의 작은 부분 문제로 나누고, 부분 문제들을 각각 해결한 다음 결과를 모아서 원래의 문제를 해결하는 전략입니다.

그림 6.10은 퀵 정렬의 아이디어를 보여줍니다. 8명의 학생을 키순으로 정렬하려고 할 때, 먼저 기준이 되는 학생을 선택하고 이 학생보다 작은 학생은 왼쪽으로 큰 학생은 오른쪽으로 이동시킵니다. 이때 기준을 피벗(pivot)이라 부릅니다. 피벗은 누가 되어도 상관없는데, 그림 6.10에서는 맨 앞의 학생을 선택했습니다. 퀵 정렬의 '분할'은 기준보다 작은 학생을 왼쪽으로 큰 학생을 오른쪽으로 이동시키는 작업입니다. 한 번의 분할이 끝나면 원래의 정렬 문제는 두 개의 문제로 나누어집니다. 그림 6.10을 보면 원래의 문제(8명 정렬)가 이제 각각 5명과 2명을 정렬하는 두 개의 작은 문제로 나누어진 것을 알 수 있습니다. 피벗(173)은 이미 제 자리를 찾았고, 이제 작아진 두 문제만 각각 해결하면 정렬이 끝납니다.

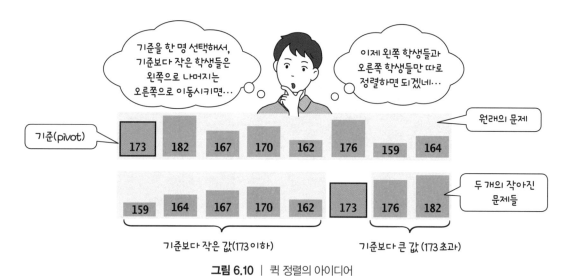

그림 6.10 | 퀵 정렬의 아이디어

다음 단계는 어떻게 될까요? 작아진 문제들에 같은 분할과정을 적용하면 됩니다. 계속 분할을 하다가 크기가 1이 되면 그 리스트는 이미 정렬된 것이므로 분할이 종료됩니다. 그림 6.11는 그림 6.10 이후의 나머지 정렬 과정을 보여줍니다.

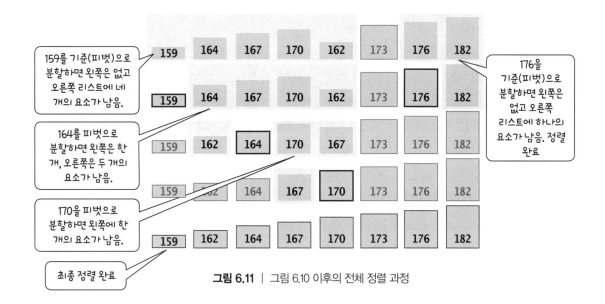

그림 6.11 | 그림 6.10 이후의 전체 정렬 과정

퀵 정렬 알고리즘을 적어봅시다. 순환구조를 이용하면 다음과 같이 간략하게 나타낼 수 있습니다. 만약 입력 리스트를 임의의 기준으로 나누고 그 기준(피벗, 그림 6.10에서 요소 173)의 위치(인덱스)를 반환하는 함수 partition()이 있다고 가정하면 퀵 정렬 알고리즘은 다음과 같습니다.

●●● **코드 6.4: 퀵 정렬 알고리즘**   완성파일 ch06/quickSort.py

```
01:  def quick_sort(A, left, right) :
02:      if left<right :                # 정렬 범위가 2개 이상인 경우
03:          q = partition(A, left, right)
04:          quick_sort(A, left, q - 1)
05:          quick_sort(A, q + 1, right)
```

피벗을 중심으로 리스트를 두 부분으로 분할하고, 피벗의 위치 q를 구함. 이제 왼쪽(left~q-1)과 오른쪽(q+1~right) 부분 리스트를 각각 정렬하면 전체 정렬 완료.

2행은 리스트가 2개 이상의 요소를 갖는 경우만 처리하도록 하는데, 요소가 하나 이하라면 이미 정렬된 것입니다.

복잡할 것 같았는데 알고리즘이 매우 간단합니다. 물론 리스트를 피벗을 기준으로 두 개의 부분 리스트로 분할하는 작업 partition()이 남았습니다.

분할은 어떻게 할까?

퀵 정렬에서 사실 복잡한 부분은 정렬이 아니라 분할입니다. 그림 6.10과 같이 입력 리스트를 피벗을 중심으로 왼쪽과 오른쪽의 부분 리스트로 나누어야 하는데, 피벗보다 작은 항목들은 모두 왼쪽 부분 리스트로 이동하고, 큰 항목들은 오른쪽으로 이동해야 합니다. 이때 부분 리스트들의 내부가 정렬될 필요는 없습니다. 단지 피벗을 중심으로 분리만 하는 것입니다.

분할의 아이디어는 탐색-교환 과정을 반복하는 것입니다. 그림 6.12와 같이 정렬할 리스트 A의 시작과 마지막 인덱스 left, right가 주어지면, 피벗을 선택하고 탐색-교환 과정을 위한 두 인덱스 low와 high를 준비합니다. 이들은 각각 왼쪽과 오른쪽 부분 리스트를 만드는 데 사용되는데, 그림 6.12와 같이 low=left+1, high=right로 초기화됩니다.

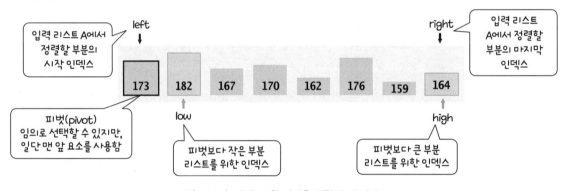

그림 6.12 | 탐색-교환 과정을 위한 준비 단계

탐색은 low를 오른쪽으로 high를 왼쪽으로 진행하면서 조건에 맞지 않는 요소를 찾는 과정입니다.

- 왼쪽 부분 리스트 : A[low]가 피벗 이하이면 왼쪽 부분 리스트에 적합하므로 low를 오른쪽으로 전진시키다가, A[low]가 피벗보다 클 때 멈춥니다.
- 오른쪽 부분 리스트 : A[high]가 피벗보다 크면 high를 왼쪽으로 전진시키다가 [high]가 피벗보다 작으면 멈춥니다.

그림 6.12에서는 low와 high 모두 첫 번째 위치에서 조건이 맞지 않아 탐색이 중지됩니다. 이제 양쪽에서 조건이 맞지 않는 A[low]와 A[high]를 찾았으니 이들을 교환합니다.

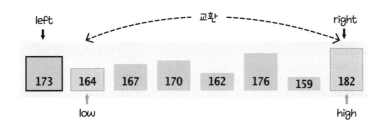

다시 탐색을 진행합니다. low는 164, 167, 170, 162를 지나 176에서 멈춥니다. high는 182를 지나 159에서 멈춥니다.

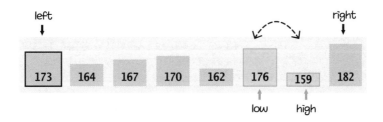

다시 조건이 맞지 않는 A[low]와 A[high]를 찾았으니 이들을 교환하고, 탐색을 진행합니다. low는 176에서 멈추고 high는 159에서 멈춥니다.

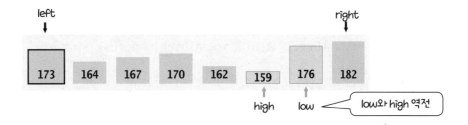

그런데 이제 low가 high보다 더 큰 상황이 되었습니다. low와 high가 역전되면 탐색-교환 과정은 종료됩니다. 이제 high 이하의 항목들은 피벗 이하의 값을 갖고, low 이상의 항목들은 피벗보다 큰 값을 갖습니다. 마지막으로 한 가지 작업이 남았습니다. 피벗을 두 부분 리스트의 중앙으로 옮기는 것입니다. 이것은 피벗과 high의 항목을 교환하면 됩니다.

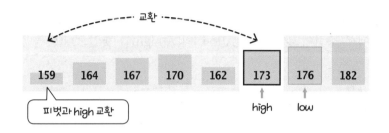

이제 리스트의 분할이 끝났고, 피벗을 중심으로 리스트가 2개로 나누어졌습니다. 마지막으로, 피벗의 위치인 high를 반환합니다. 이 과정을 파이썬으로 기술하면 다음과 같습니다.

●●● 코드 6.5: 분할 알고리즘   완성파일 ch06/quickSort.py

```
01:  def partition(A, left, right) :
02:      pivot = A[left]          왼쪽(left) 요소를 피벗으로 사용하면, low는 left+1이 되고,
03:      low = left + 1      ←    high는 right가 됨.
04:      high = right
05:
06:      while (low < high) :      # low와 high가 역전되지 않는 한 반복
07:          while low <= right and A[low] <= pivot :
08:              low += 1          # A[low]<=피벗이면 low를 오른쪽으로 진행
09:
10:          while high >= left and A[high] > pivot :
11:              high-= 1          # A[high]>피벗이면 high를 왼쪽으로 진행
12:                          ←     양쪽에서 조건에 맞지 않는 요소를 찾는 과정
13:          if low < high :       # 역전이 아니면 두 레코드 교환
14:              A[low], A[high] = A[high], A[low]
15:
16:      A[left], A[high] = A[high], A[left]    마지막으로 피벗과 high를 교환하고,
17:      return high                     ←      피벗의 인덱스 high를 반환
```

partition() 함수는 반드시 피벗의 인덱스를 반환해야 하는 것에 유의하세요. 분할 함수가 완성되면 퀵 정렬 알고리즘을 다음과 같이 실행할 수 있습니다. 길이가 n인 리스트 A를 정렬하기 위해서는 quick_sort(A, 0, n−1)과 같이 퀵 정렬 함수를 호출해야 하는 것에 유의하세요.

```
data = [ 5, 3, 8, 4, 9, 1, 6, 2, 7 ]      # 입력 리스트
quick_sort(data, 0, len(data)-1)          # 퀵 정렬
```

> **💻 실행 결과**
>
> ```
> Original  :  [5, 3, 8, 4, 9, 1, 6, 2, 7]
> QuickSort :  [1, 2, 3, 4, 5, 6, 7, 8, 9]
> ```

퀵 정렬은 정말 그렇게 빠를까요?

퀵 정렬이 얼마나 빠른지를 알기 위해서는 먼저 퀵 정렬 안에서 사용되는 partition()이 얼마나 빠른지를 알아야 합니다. 코드 6.5에서 외부 반복문(6행) 안에 있는 내부 반복문 7행과 10행에서 사용된 비교 연산(피벗과 항목의 비교)이 가장 많이 반복될 것입니다. 이 연산은 몇 번 실행될까요? 피벗을 제외한 모든 요소는 피벗과 반드시 한 번씩 비교되어야 합니다. 따라서 전체 요소의 수가 n이라면 n−1번의 비교가 필요합니다.

이제 퀵 정렬의 효율성을 따져보겠습니다. 퀵 정렬은 입력의 구성에 따라 효율이 달라지는 알고리즘입니다. 최선과 최악의 경우는 분할이 어떻게 이루어지는가에 달려 있습니다.

최선의 경우

최선의 경우는 그림 6.13과 같이 분할이 항상 리스트의 중앙에서 이루어질 때입니다. 만약 n이 2의 거듭제곱이라고 가정하면, 부분 리스트의 크기는 레벨에 따라 $n/2$, $n/4$, $n/8$, $\cdots$, $n/2^k$처럼 절반으로 줄어듭니다. 이러한 분할은 리스트의 크기가 1이 될 때, 즉 $n/2^k = 1$일 때까지 진행됩니다.

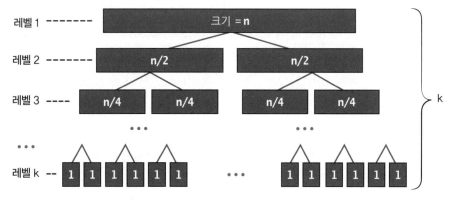

그림 6.13 | 최선의 분할에서의 순환 호출 트리

따라서 그림과 같은 순환 호출 트리의 높이는 $k = \log_2 n$이 됩니다. 트리의 각 레벨에서 여러 번의 partition() 함수가 실행되는데, 하나의 레벨에서 피벗을 제외한 모든 요소를 비교해야 하므로 최대 n번의 비교가 필요합니다. 따라서 전체 비교 연산은 n과 레벨 수의 곱, 즉 n*k가 됩니다. 여기서 $k = \log_2 n$이므로 전체 연산의 수는 $n\log_2 n$이고, 따라서 퀵 정렬은 최선의 경우 복잡도가 $O(n\log_2 n)$인 효율적인 알고리즘입니다. 요소들을 교환하거나 역전 상태 검사 등을 위해 여러 연산이 코드에서 사용되었지만, 피벗과의 비교 연산보다는 훨씬 적기 때문에 이들은 무시할 수 있습니다.

최악의 경우

최악의 입력은 그림 6.14와 같이 리스트가 계속 불균형하게 나누어지는 경우입니다. 이미 정렬된 리스트는 퀵 정렬에서 최악의 입력인데 분할을 할 때마다 남은 요소들이 한쪽에 몰리기 때문입니다.

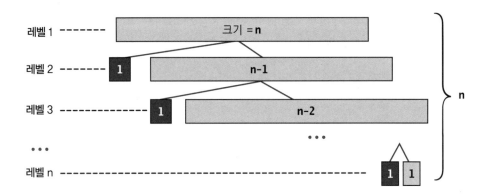

그림 6.14 | 최악의 분할에서의 순환 호출 트리

 예를 들어, 이미 정렬된 리스트인 [1,2,3,4,5,6,7,8,9]를 정렬하고 피벗으로 부분 리스트의 첫 번째 요소를 사용한다고 가정해 봅시다. 분할 과정에서 피벗이 항상 최솟값이 되고, 왼쪽 부분 리스트는 항상 비게 됩니다. 이렇게 되면 그림 6.14와 같이 정렬을 위한 순환 호출의 깊이가 n이 되므로 결국 전체 비교 연산의 수는 n^2에 비례하게 됩니다. 즉, 퀵 정렬의 최악의 복잡도는 $O(n^2)$으로 선택 정렬이나 삽입 정렬과 같습니다.

```
[1 2 3 4 5 6 7 8 9]
1 [2 3 4 5 6 7 8 9]
1 2 [3 4 5 6 7 8 9]
1 2 3 [4 5 6 7 8 9]
...
1 2 3 4 5 6 7 8 9
```

그림 6.15 | 최악의 분할 예: 이미 정렬된 리스트 [1,2,3,4,5,6,7,8,9]의 정렬

퀵 정렬의 특징

퀵 정렬은 제자리 정렬이지만 안정성은 만족하지 않고 최악의 경우는 $O(n^2)$인 알고리즘입니다. 그렇다면 어떻게 이 알고리즘이 빠른(quick) 정렬이란 이름을 차지하고, 20세기 과학기술에 가장 큰 영향을 준 10대 알고리즘에 선정되기도 한 것일까요? 그 이유는 다음과 같습니다.

- 최악의 경우는 좋지 않지만, 평균적인 경우는 최선의 경우에 비해 추가적인 연산이 39% 정도만 늘어나는 것으로 알려져 있습니다. 결국 평균적으로는 최선의 입력과 비슷한 속도가 나옵니다.
- 특히 병합 정렬이나 힙 정렬과 같은 다른 알고리즘과 비교해도 매우 빠른 것으로 알려져 있는데, 그 이유는 불필요한 데이터의 이동을 줄이고 먼 거리의 데이터를 교환하며, 한번 결정된 피벗들이 추후 연산에서 제외되는 등의 특징 때문이라고 합니다.
- 퀵 정렬의 성능을 더 개선하려는 방법들이 연구되고 있는데, 불균형 분할을 완화하기 위해 피벗을 리스트의 중앙값에 가깝도록 선택하는 방법이 있습니다. 예를 들어, 리스트 내의 몇 개의 값 중에서 중간값을 피벗으로 사용할 수 있는데, 리스트의 왼쪽, 오른쪽, 중간의 3개의 요소 중에서 중간값을 선택하는 방법(median of three)이 많이 사용됩니다.

1. 다음 중 퀵 정렬이 좋은 성능을 보이는 이유로 적절하지 않은 것은?

    ① 불필요한 데이터의 이동을 줄이기 때문에

    ② 항상 균등하게 리스트를 분할하기 때문에

    ③ 먼 데이터를 교환하기 때문에

    ④ 분할 후 피벗은 추후 연산에서 제외되기 때문에

2. [71, 49, 92, 55, 38, 28, 72, 53]을 퀵 정렬을 사용하여 오름차순으로 정렬할 때, 첫 번째 단계 처리 후의 배열 내용은? 단, 배열의 첫 번째 요소를 피벗으로 선택합니다.

3. 퀵 정렬이 안정성을 만족하지 않는 예를 제시해 보세요.

06-5 기수 정렬

지금까지 다룬 모든 정렬 알고리즘은 리스트의 요소를 '비교'하여 정렬하는데, 이들을 비교 기반 정렬이라고 부릅니다. 그런데 요소들을 '비교'하지 않고도 정렬할 수 있는 색다른 방법이 있습니다. 기수 정렬(radix sort)이라 부르는 이 방법은 킷값을 비교하지 않고도 효율적인 비교 기반 정렬들보다 이론적으로는 더 빨리 정렬할 수 있습니다.

기수(radix)란 숫자의 자릿수를 말합니다. 예를 들면 숫자 42는 4와 2의 두 개의 자릿수를 가지고 이것이 기수가 됩니다. 기수 정렬은 이러한 자릿수의 값에 따라서 정렬하기 때문에 기수 정렬이라는 이름을 얻게 되었습니다. 기수 정렬은 다단계 정렬인데, 단계의 수는 데이터의 전체 자릿수와 같습니다.

그렇다면 비교하지 않고 어떻게 정렬을 할 수 있을까요? 배분을 이용하면 가능합니다. 값들을 적절히 배분해 놓았다가 순서대로 다시 모으는 것입니다. 이를 위해 여러 개의 버킷(bucket)을 사용하는데, 이것은 큐(queue) 구조입니다.

한 자리 자연수의 정렬

간단한 예를 통해 기수 정렬의 아이디어를 살펴봅시다. 그림 6.16과 같이 한자리의 자연수로만 이루어진 리스트 [8, 2, 7, 3, 5]를 정렬하려고 합니다.

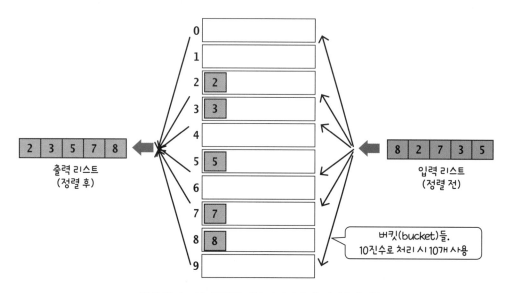

그림 6.16 | 기수 정렬의 기본 아이디어: 한 자릿수의 경우

십진수는 각 자리가 0에서 9까지의 값을 가지므로 먼저 10개의 버킷을 준비해야 합니다. 버킷들이 준비되면 입력 데이터를 값에 따라 버킷에 넣습니다. 8은 8번 버킷에, 2는 2번 버킷에 넣는데, 일단 모든 숫자를 자신이 속한 버킷에 넣습니다. 다음 과정은 버킷에 있는 숫자를 순서대로 출력하는 것입니다. 0번 버킷부터 시작하여 9번 버킷까지 순차적으로 버킷 안의 모든 숫자를 출력합니다. 그러면 정렬된 숫자 리스트 [2, 3, 5, 7, 8]을 얻을 수 있습니다. 이 과정에서 비교 연산은 전혀 사용되지 않았습니다! 레코드의 값에 따라 버킷에 넣고 빼는 동작만 되풀이했을 뿐입니다. 이것이 기수 정렬입니다.

여러 자리 자연수의 정렬

그렇다면 한자리가 아닌 여러 자리로 이루어진 수는 어떻게 정렬할까요? 두 자리 자연수 리스트 [28, 93, 39, 81, 62, 72, 38, 26]을 정렬해 보겠습니다. 가장 간단한 방법은 0에서 99번까지 번호가 매겨진 100개의 버킷을 사용하는 것입니다. 그렇지만 더 적은 버킷을 사용해서 정렬할 수 있는 보다 효과적인 방법이 있습니다. 1의 자리와 10의 자리를 따로따로 정렬하는 것입니다. 이렇게 하면 10개의 버킷만으로도 두 자리 정수를 정렬할 수 있습니다.

그러면 어떤 자릿수를 먼저 정렬할까요? 다음 표를 보면 낮은 자릿수를 먼저 처리하고 다음에 높은 자릿수를 처리해야 성공적으로 정렬되는 것을 알 수 있습니다.

입력 데이터: [28, 93, 39, 81, 62, 72, 38, 26]			
1의 자리로 정렬	[81, 62, 72, 93, 26, 28, 38, 39]	10의 자리로 정렬	[28, 26, 39, 38, 62, 72, 81, 93]
10의 자리로 정렬	[26, 28, 38, 39, 62, 72, 81, 93] 정렬 성공	1의 자리로 정렬	[81, 62, 72, 93, 26, 28, 38, 39] 정렬 실패

그림 6.17은 두 자리의 자연수를 정렬하는 과정을 보여줍니다.

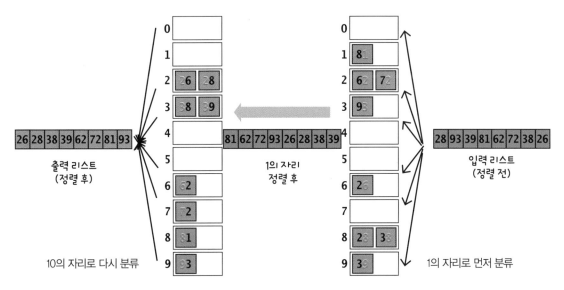

그림 6.17 | 기수 정렬을 이용한 2자릿수의 정렬 구조

여러 자리의 자연수를 정렬하는 일반적인 방법은 다음과 같습니다.

- 십진법을 사용한다면 버킷은 항상 10개가 필요합니다. 만약 같은 입력을 2진수로 생각하고 정렬한다면 버킷은 2개만 있으면 됩니다. 그러나 이 경우 필요한 패스 수는 훨씬 많아지게 됩니다. 자연수의 정렬을 위해 8진법이나 16진법 등 원하는 대로 사용할 수 있는데, 정렬 결과는 당연히 같습니다.
- 버킷에 먼저 들어간 숫자가 먼저 나와야 합니다. 이것은 레코드들의 상대적인 순서가 유지되어야 하기 때문입니다. 따라서 버킷은 큐로 구현됩니다.
- 버킷에 숫자를 넣는 것은 큐의 삽입(enqueue) 연산에 해당하고, 버킷에서 숫자를 읽는 연산은 큐의 삭제(dequeue) 연산에 해당합니다.

기수 정렬 알고리즘

이제 기수 정렬을 구현해 봅시다. 버킷으로는 큐를 사용하는데, 2.2절에서 구현한 원형큐 클래스를 사용할 수도 있고, 2.5절에서 설명한 파이썬 queue 모듈의 Queue 클래스나 collections 모듈의 deque 클래스를 사용할 수도 있습니다. 여기서는 파이썬의 collections 모듈의 deque 클래스를 사용합니다. deque이란 이름을 코드에서 바로 사용할 수 있도록 from ~ import 문장을 이용하였습니다. 전체 알고리즘은 다음과 같습니다.

●●● 코드 6.6: 기수 정렬 알고리즘 완성파일 ch06/radixSort.py

```
01:  from collections import deque      # collections 모듈의 deque을 사용
02:
03:  def radix_sort(A) :
04:      queues = []
05:      for i in range(BUCKETS) :        ← BUCKETS개의 큐(덱)를 만들어 버킷 리스트
06:          queues.append(deque())          queues에 추가. collections 모듈의 deque 사용
07:
08:      n = len(A)
09:      factor = 1                        # 가장 낮은 자리부터 시작
10:      for d in range(DIGITS) :          # 각 자릿수에 대해 처리
11:          for i in range(n) :           # 모든 항목을 따라 큐에 삽입
12:              queues[(A[i]//factor) % BUCKETS].append(A[i])
13:
14:          i = 0
15:          for b in range(BUCKETS):      ← 0번부터 모든 버킷에 저장된
16:              while queues[b] :            요소를 순서대로 꺼내 입력
17:                  A[i] = queues[b].popleft()   리스트 A에 다시 저장
18:                  i += 1
19:          factor *= BUCKETS             # 그다음 자릿수로 간다.
20:          print("step", d+1, A)         # 처리과정 출력용 문장
```

- 11~12행 : 리스트의 각 항목 A[i]에 대해 해당 버킷을 결정하여 추가합니다. 해당 버킷은 A[i]를 factor로 나눈 몫(A[i]//factor)의 1의 자리(%BUCKETS)입니다.
- 19행 : factor에 버킷의 수 BUCKETS를 곱해 다음 자릿수에 대해 처리합니다.

알고리즘을 테스트해 보겠습니다. 1에서 9999 사이의 숫자 10개를 무작위로 생성하고 기수 정렬로 정렬하는 코드는 다음과 같습니다. 10진법을 사용할 것이므로 BUCKETS는 10이 되어야 하고, 최대 4자리의 숫자이므로 DIGITS는 4 이상이면 됩니다. 난수 발생 함수 randint()를 사용하기 위해 random 모듈을 포함하였습니다.

```
01:  import random          # 난수 발생을 위해 random 모듈 포함
02:  BUCKETS = 10           # 10진법 사용
03:  DIGITS  = 4            # 최대 4자릿수 숫자를 정렬함
04:
05:  # 리스트 내포(list comprehension)로 난수 10개로 이루어진 리스트 생성
06:  data = [random.randint(1,9999) for _ in range(10)]
07:  radix_sort(data)
08:  print("Radix:", data)
```

🖥 **실행 결과**

```
step 1 [941, 1233, 1554, 1314, 7044, 7944, 1165, 4376, 2587, 6059]      일, 십, 백,
step 2 [1314, 1233, 941, 7044, 7944, 1554, 6059, 1165, 4376, 2587]      천의 자리
step 3 [7044, 6059, 1165, 1233, 1314, 4376, 1554, 2587, 941, 7944]      순으로 정렬
step 4 [941, 1165, 1233, 1314, 1554, 2587, 4376, 6059, 7044, 7944]
Radix: [941, 1165, 1233, 1314, 1554, 2587, 4376, 6059, 7044, 7944]      최종 정렬 결과
```

기수 정렬은 얼마나 빠를까요?

코드 6.6에서 10행의 외부 루프는 리스트의 크기와 상관없이 최대 자릿수만큼 반복됩니다. 최대 자릿수를 d라 하겠습니다. 11행의 내부 반복문은 입력 리스트의 크기인 n번 반복됩니다. 15~16행의 반복문은 모든 버킷에 들어 있는 요소의 수만큼 반복되는데, 이것도 n과 같습니다. 따라서 이 알고리즘은 dn에 비례하는 시간이 걸립니다.

기수 정렬의 특징

기수 정렬은 비교 기반 정렬의 이론적인 하한선을 깰 수 있습니다. 퀵 정렬과 같이 아무리 좋은 비교 기반 정렬 알고리즘도 $n log_2 n$에 비례하는 시간 이상이 걸리는 것으로 알려져 있는데, 기수 정렬은 $O(dn)$의 복잡도를 갖습니다. 이때 d는 단계의 수인데, 대부분은 크지 않은 값(예 $d < 10$)을 갖습니다. 따라서 시간 복잡도 측면에서 퀵 정렬이나 병합 정렬보다 훨씬 우월합니다. 물론 치명적인 단점이 있습니다.

• 정렬에 사용되는 킷값이 자연수로 표현되어야만 적용할 수 있습니다. 만약 리스트의 요소가 실수이거나 한글, 한자라면 적용이 어렵습니다. 즉, 제한된 응용에만 사용할 수 있는 알고리즘입니다.

- 버킷을 위한 추가적인 메모리가 필요합니다. 많은 공간을 확보해 놓고 처리시간을 줄이는 방법이므로 12장에서 공부할 '공간을 팔아서 시간을 버는' 전략을 사용한 대표적인 알고리즘입니다.

그렇지만 이런 단점을 고려하더라도 다른 방법들보다 빠르므로 상당히 인기 있는 정렬 기법의 하나입니다.

••• Quiz

1. 다음 중 기수 정렬을 이용해 정렬하기 어려운 데이터는?
   ① 정수의 리스트   ② 영어 알파벳(문자) 리스트
   ③ 실수의 리스트   ④ 영어 단어 리스트
2. 다음 중 기수 정렬에 대한 설명으로 적절하지 않은 것은 무엇일까요?
   ① 레코드를 비교하지 않고 분배하여 정렬 수행합니다.
   ② 비교 기반 정렬의 하한인 $O(n\log_2 n)$보다 좋을 수 있습니다.
   ③ 정렬할 수 있는 레코드의 타입이 제한됩니다.
   ④ 여러 자리의 정수를 정렬하는 경우 높은 자릿수부터 분류합니다.
3. 기수 정렬이 안정성을 만족하는 이유를 설명해보세요.

06-6 파이썬의 정렬함수 활용하기

파이썬으로 프로그램을 개발하다가 정렬이 필요하면 어떻게 할까요? 앞에서 설명한 알고리즘들을 구현할 수도 있겠지만 더 쉬운 방법이 있습니다. 파이썬에서 제공하는 정렬함수를 이용하는 것입니다.

리스트의 sort() 메서드

파이썬의 리스트는 지금까지 배열로 사용하고 있지만, 사실 훨씬 더 많은 기능이 있는데, 정렬도 그중의 하나입니다. 리스트는 정렬을 위해 sort() 메서드를 제공하는데, 다음은 리스트 data를 오름차순으로 정렬하는 코드입니다.

```
data = [6,3,7,4,9,1,5,2,8]
data.sort()                  # data: [1,2,3,4,5,6,7,8,9]
```

만약 리스트를 역순으로 정렬하고 싶다면 어떻게 할까요? 다음과 같이 키워드 인수인 reverse를 True로 설정하면 됩니다.

```
data = [6,3,7,4,9,1,5,2,8]
data.sort(reverse=True)      # data: [9,8,7,6,5,4,3,2,1]
```

파이썬의 내장 함수 sorted()

내장 함수를 이용해 정렬할 수도 있습니다. 파이썬에 내장된 함수인 sorted는 오름차순으로 정렬된 새로운 리스트를 반환합니다. 이때 원래의 리스트(data)가 수정되지 않는 것에 유의하세요.

```
data = [6,3,7,4,9,1,5,2,8]
result = sorted(data)        # result: [1,2,3,4,5,6,7,8,9]
                             # data : [6,3,7,4,9,1,5,2,8]
```

키워드 인수 reverse를 사용하여 내림차순으로도 정렬할 수도 있습니다.

```
result = sorted(data, reverse=True) # result: [9,8,7,6,5,4,3,2,1]
```

복잡한 레코드의 정렬은 어떻게 할까요?

만약 정렬해야 하는 대상이 정수나 실수와 같은 단순한 값이 아니라 복잡한 레코드인 경우는 어떻게 정렬할까요? 예를 들어, 다음과 같이 3차원 공간상의 점들의 리스트를 정렬해 봅시다.

```
data = [(62, 88, 81), (50, 3, 31), (86, 53, 42), (73, 47, 4), (89, 9, 8),
(47, 88, 55), (19, 18, 20), (15, 1, 88), (90, 6, 60), (41, 92, 19)]
```

data의 각 항목은 점의 좌표 (x, y, z)를 나타내는데, 파이썬의 튜플(tuple)로 저장되어 있습니다. 하나의 레코드에 3개의 필드가 있으므로, 정렬을 위해서는 기준을 정해야 합니다. 다음은 그 예입니다.

- 기준 1 : x값의 오름차순으로 정렬
- 기준 2 : y값의 내림차순으로 정렬
- 기준 3 : 크기의 오름차순으로 정렬. 이때 크기는 $\sqrt{x^2 + y^2 + z^2}$ 로 계산함.

파이썬의 정렬 함수는 정렬의 기준을 지정하기 위해 키워드 인수 key를 제공합니다. key에 정렬 기준을 반환하는 함수를 지정하는데, 예를 들어, 기준 1과 같이 x값으로 정렬하기 위해서는 다음과 같이 레코드에서 키(해당 필드)를 반환하는 함수를 만들고, 키워드 인수에서 그 함수를 지정하면 됩니다.

```
def keyfunc( p ):          # 레코드 p에서 키를 반환하는 함수. p=(x,y,z)
    return p[0]            # p의 첫 번째 요소(p[0], x값)를 키로 반환

print("data   :", data)
x_inc = sorted(data, key = keyfunc)
print("x_inc :", x_inc )
```

> **🖥 실행 결과**
>
> ```
> data  : [(62, 88, 81), (50, 3, 31), (86, 53, 42), (73, 47, 4), (89, 9,
> 8), (47, 88, 55), (19, 18, 20), (15, 1, 88), (90, 6, 60), (41, 92, 19)]
> x_inc : [(15, 1, 88), (19, 18, 20), (41, 92, 19), (47, 88, 55), (50, 3,
> 31), (62, 88, 81), (73, 47, 4), (86, 53, 42), (89, 9, 8), (90, 6, 60)]
> ```

람다 함수를 이용한 키 지정

좀 더 간편한 방법이 있는데, 람다 함수를 이용하는 것입니다. 람다 함수 또는 람다식은 def 키워드로 작성되지 않고 lambda란 키워드로 만드는 특별한 함수입니다. 특히 이름이 없는 한 줄짜리의 함수를 만들어 함수 호출에서 인수로 전달할 때 매우 유용합니다. 형식은 다음과 같습니다.

```
lambda 인자(argument) : 식(expression)
```

람다 함수는 보통 함수로 저장하지 않고 바로 사용하는데, 기준 1에 대한 람다 함수는 다음과 같습니다.

```
lambda p: p[0]                          # 리스트나 튜플 p에서 0번째 항목 반환
```

이 함수는 리스트나 튜플인 p에서 0번째 항목(x좌표)을 추출하는 것으로, 이를 적용해 기준 1로 정렬하는 코드는 다음과 같습니다. 이 코드는 앞의 keyfunc() 함수를 따로 만들어 사용한 경우와 정확히 같이 동작합니다.

```
x_inc = sorted(data, key = lambda p : p[0])
```

기준 2를 이용해서 정렬하기 위해서는 람다 함수를 이용해 p에서 1번째 항목(y좌표)을 추출하면 되고, 내림차순은 정렬을 위해 reverse를 True로 처리합니다.

```
y_dec = sorted(data, key = lambda p : p[1], reverse=True)
print("data  :", data)
print("y_dec :", y_dec)
```

> **🖥 실행 결과**
>
> ```
> data  : [(62, 88, 81), (50, 3, 31), (86, 53, 42), (73, 47, 4), (89, 9,
> 8), (47, 88, 55), (19, 18, 20), (15, 1, 88), (90, 6, 60), (41, 92, 19)]
> y_dec : [41, 92, 19), (62, 88, 81), (47, 88, 55), (86, 53, 42), (73, 47,
> 4), (19, 18, 20), (89, 9, 8), (90, 6, 60), (50, 3, 31), (15, 1, 88)]
> ```

기준 3을 위해서는 제곱근을 구해야 하는데, 아래처럼 math 모듈의 sqrt( ) 메서드를 이용합니다. 이를 위해 math 모듈을 포함시키고, 람다 함수를 다음과 같이 만들면 모든 점을 크기순으로 정렬할 수 있습니다.

```python
import math
magni = sorted(data, key = lambda p : math.sqrt(p[0]*p[0]+p[1]*p[1]+p[2]*p[2]))
print("data  :", data)
print("magni :", magni)
```

실행 결과

```
data  : [(62, 88, 81), (50, 3, 31), (86, 53, 42), (73, 47, 4), (89, 9, 8),
(47, 88, 55), (19, 18, 20), (15, 1, 88), (90, 6, 60), (41, 92, 19)]
magni : [(19, 18, 20), (50, 3, 31), (73, 47, 4), (15, 1, 88), (89, 9, 8),
(41, 92, 19), (90, 6, 60), (86, 53, 42), (47, 88, 55), (62, 88, 81)]
```

잠깐만 파이썬 정렬 함수가 사용하는 팀 정렬(Timsort)

파이썬의 sorted( ) 함수와 리스트의 sort( ) 메서드에서는 팀 정렬(Timsort)이라는 알고리즘을 사용합니다. 팀 정렬은 삽입 정렬과 병합 정렬에 기반을 둔 하이브리드 알고리즘으로, 1993년 Peter McIlroy의 논문에서 제시된 기법들을 2002년에 팀 피터스(Tim Peters)가 파이썬 언어에서 사용하기 위해 구현한 정렬 방법입니다.

이 알고리즘은 상당히 복잡합니다. 먼저 '런(run)'이란 개념을 사용하는데, 입력 데이터를 순서대로 스캔하면서 오름차순이나 내림차순으로 구성된 데이터 묶음을 찾고, 이들을 스택에 저장합니다. 이때 내림차순의 데이터는 순서를 뒤집어야 합니다. 런이 준비되면 스택의 런에 대해 조건에 따른 병합을 진행합니다. 런이 특정한 크기보다 작으면 삽입 정렬을 사용하고, 그렇지 않으면 병합 정렬을 이용하는데 과정은 최종적으로 스택의 런이 하나가 될 때까지 반복됩니다.

팀 정렬에서는 성능 향상을 위해 다양한 최적화 기법들이 사용됩니다. 예를 들어, 두 개의 런 A와 B를 병합할 때, A의 어떤 원소에 해당하는 위치를 B에서 찾기 위해 이진 탐색을 사용하고, 또한 한쪽 런의 항목이 일정 횟수 이상으로 연속적으로 선택되어 병합되면 데이터를 묶음으로 한꺼번에 옮기는 방법도 이용합니다. 따라서 이 장에서 살펴본 어떤 정렬 알고리즘보다 복잡한 방법입니다. 이러한 노력의 결과로 거의 정렬된 데이터에 대해서는 $O(n)$, 최악의 경우에도 $O(nlog_2n)$의 보장하여 퀵 정렬보다 우수하면서도 안정성을 충족하여 파이썬과 함께 자바의 시스템 정렬과 안드로이드OS에서도 사용되고 있다고 합니다.

Quiz

1. 다음 코드를 람다 함수를 사용하지 않고 처리하려면 어떻게 할까요? 이를 위해 필요한 파이썬 함수를 작성하고, 코드를 수정하세요.

```
magni = sorted(data, key = lambda p : math.sqrt(p[0]*p[0]+p[1]*p[1]))
```

연습 문제

01 리스트 [6, 3, 9, 1, 2, 7]을 선택 정렬로 정렬하는 과정을 설명해보세요.

02 리스트 [6, 3, 9, 1, 2, 7]을 삽입 정렬로 정렬하는 과정을 설명해보세요.

03 리스트 [6, 3, 9, 1, 2, 7]을 퀵 정렬로 정렬하는 과정을 설명해보세요. 피벗으로는 맨 앞의 항목을 사용합니다.

04 다음 중 입력 데이터의 구성과 상관없이 자료의 이동 횟수가 결정되는 정렬 알고리즘은 무엇일까요?
① 삽입 정렬 ② 선택 정렬
③ 퀵 정렬 ④ 버블 정렬

05 0~999의 3자리의 숫자로 이루어진 다음 리스트를 기수 정렬을 이용해 정렬하는 과정을 설명해보세요.
[10, 123, 56, 636, 992, 119, 234, 76, 82, 345, 567, 432]

자료구조와 알고리즘
with 파이썬

Chapter

07

탐색

📙 학습목표

'탐색'또는 '검색'은 '찾는다'란 의미의 단어입니다. 컴퓨터 분야에서도 탐색은 여전히 무언가를 찾는 작업인데, 탐색의 대상이 '자료(data)'로 좁혀질 뿐입니다. 이번 장에서는 여러 가지 탐색 알고리즘을 공부합니다.

자료들이 뒤섞이고 잘 정리되어 있지 않다면 원하는 자료를 빨리 찾기는 쉽지 않을 것입니다. 만약 자료들이 일정한 규칙에 따라 잘 정리되어 있으면 훨씬 효율적인 탐색이 가능할 것입니다. 결국 탐색 알고리즘은 자료들이 어떻게 정리되어 있는가에 많은 영향을 받습니다. 이 장에서는 기본적인 탐색 알고리즘들과 함께 이진 트리를 이용한 탐색 방법을 살펴보겠습니다.

07-1 탐색이란?

사람들이 항상 무언가를 찾아 헤맵니다. 입고 나갈 옷을 찾거나 점심 식사를 위해 맛집을 찾고, 여행에서 찍은 사진을 검색합니다. 이것은 컴퓨터에서도 마찬가지입니다. 탐색은 컴퓨터에서 가장 흔한 작업의 하나이고, 많은 시간이 요구되기 때문에 효율적인 탐색은 매우 중요합니다.

탐색은 데이터의 집합에서 원하는 조건을 만족하는 데이터를 찾는 작업입니다. 탐색을 위한 대상을 보통 레코드(record)라 하고, 이러한 레코드의 집합을 테이블(table)이라 부릅니다. 하나의 레코드는 여러 개의 필드로 이루어지는데, 이 중에서 탐색의 기준이 되는 필드를 키(key) 또는 탐색키(search key)라고 부릅니다. 결국 탐색은 테이블에서 원하는 탐색키를 가진 레코드를 찾는 작업입니다.

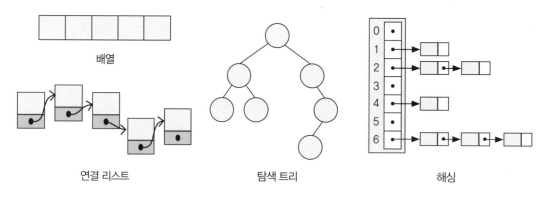

그림 7.1 | 탐색을 위한 테이블은 여러 가지 방법으로 구성할 수 있습니다.

탐색에서는 테이블을 구성하는 방법에 따라 효율이 달라집니다. 가장 간단한 방법은 배열을 사용해 레코드를 저장하고 찾는 것입니다. 만약 성능을 더 높이고 싶다면 이진 탐색 트리나 해싱 같은 더 진보된 방법을 사용해야 합니다. 이 장에서는 배열과 이진 탐색 트리를 이용한 탐색 방법을 다루고, 해싱은 12장에서 다룹니다. 설명의 단순화를 위해 레코드에는 정수만 저장되어 있다고 가정하겠습니다. 물론 레코드가 복잡하더라도 동작 원리는 같습니다.

탐색 방법을 선택할 때는 당연히 탐색 연산의 효율이 가장 중요하겠지만, 테이블에 레코드를 추가하거나 꺼내는 삽입과 삭제 연산도 마찬가지로 중요하게 고려해야 합니다. 만약 테이블이 한번 만들어지면 수정할 필요가 없이 탐색 작업만 반복되는 응용이라면 탐색 연산의 효율만 생각하면 됩니다. 그러나 레코드의 삽입과 삭제가 빈번하게 일어나는 응용이라면 탐색과 함께 삽입과 삭제 연산의 비용을 종합적으로 고려해 알고리즘을 선택해야 할 것입니다.

07-2 순차 탐색

순차 탐색(sequential search) 또는 선형 탐색(linear search)은 일렬로 늘어선 자료(레코드) 중에서 원하는 킷값을 가진 레코드를 찾는 알고리즘입니다. 테이블은 배열이나 연결 리스트로 구성될 수 있습니다.

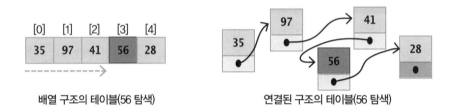

배열 구조의 테이블(56 탐색)   연결된 구조의 테이블(56 탐색)

순차 탐색은 테이블의 각 레코드를 처음부터 하나씩 순서대로 검사하여 원하는 레코드를 찾습니다. 순서대로 모든 레코드를 검사하므로 레코드들이 뒤죽박죽 무질서하게 섞여 있어도 항상 원하는 레코드를 찾을 수 있습니다.

그림 7.2 | 순차 탐색의 아이디어와 탐색 예

그림 7.2를 통해 구체적인 처리 과정을 알아봅시다. 탐색을 위한 레코드는 리스트에 저장되어 있고, 탐색의 범위는 low에서 high까지라고 가정합니다.

순차 탐색은 리스트의 low 위치에서부터 순서대로 레코드를 탐색키와 비교하는데, 만약 같으면 그 레코드의 위치를 반환합니다. 만약 high까지도 원하는 레코드가 나타나지 않으면 탐색 실패이므로 −1(유효한 범위 밖임을 의미)을 반환합니다. 예를 들어, 그림 7.2에서 킷값이 56인 경우는 네 번만에 탐색에 성공하고, 찾은 위치 low+3을 반환합니다. 만약 62를 탐색한다면 high까지도 원하는 레코드가 없으므로 탐색은 실패하고 −1을 반환합니다. 이러한 순차 탐색 알고리즘은 다음과 같습니다.

●●● 코드 7.1: 순차 탐색 알고리즘　　　　　　　　　완성파일 ch07/simpleSearch.py

```
01:  def sequential_search(A, key, low, high) :
02:      for i in range(low, high+1) :          # i : low, low+1, ... high
03:          if A[i] == key :                    # 탐색 성공하면
04:              return i                         # 인덱스 반환
05:      return -1                                # 탐색에 실패하면 -1 반환
```

순차 탐색은 얼마나 빠를까요?

우리는 이미 5.2절에서 순차 탐색의 개념과 시간 복잡도를 살펴보았습니다. 순차 탐색에서 가장 운이 좋은 경우는 찾는 자료가 맨 앞에 있는 경우입니다. 이 경우 1번의 비교만으로 탐색이 완료됩니다. 최악의 경우는 찾는 레코드가 테이블의 맨 뒤에 있거나 리스트에 없는 키를 찾는 경우입니다. 이 경우 항상 모든 레코드를 탐색해야 하므로 탐색 범위만큼 비교가 필요합니다. 즉, 테이블의 크기가 n이라면 시간 복잡도는 $O(n)$ 입니다.

순차 탐색의 특징

• 탐색의 정의를 직접 사용하는 알고리즘으로 간단하고 구현하기 쉽습니다.
• 효율적이지는 않습니다. 탐색 성능은 최선의 경우 $O(1)$이고 최악이나 평균적인 경우가 $O(n)$인데, 최선의 경우는 큰 의미가 없습니다.
• 테이블이 정렬되어 있지 않다면 순차 탐색 이외에 별다른 대안은 없습니다.

순차 탐색을 개선하는 방법은?

순차 탐색을 개선할 방법은 없을까요? 모든 경우에 적용할 수 있는 묘책은 없지만 불가능한 것도 아닙니다. 하나의 전략은 이렇습니다. 레코드 중에서 자주 검색되는 것들을 가능한 한 앞에 두는 것입니다. 앞에 있는 레코드는 더 빨리 찾을 수 있기 때문입니다. 이것은 마트에서 행사 제품을 매장 입구에 진열하는 것과 같은데, 사람들이 많이 찾는 인기 상품을 더 쉽게 찾을 수 있도록 하려는 것입니다.

이러한 방법을 자기 구성(self-organizing) 순차 탐색이라고 합니다. 탐색이 진행될 때마다 자주 사용되는 레코드를 앞쪽으로 옮기는 방법으로 리스트를 재구성하여 탐색의 효율을 끌어올리려는 것입니다. 이런 리스트를 자기 구성 리스트라고 하는데, 그렇다면 어떤 방법으로 리스트를 재구성할 수 있을까요?

맨 앞으로 보내기(move to front)

가장 간단한 방법은 탐색에 성공한 레코드를 리스트의 맨 앞으로 보내는 방법입니다. 그림 7.3에서 28의 탐색이 성공하면 이 레코드를 리스트의 맨 앞으로 옮깁니다.

그림 7.3 | 자기 구성 리스트: 탐색된 레코드를 맨 앞으로 보내기(배열 구조)

배열 구조의 리스트에 이 방법을 적용하는 경우 28 이전의 모든 레코드를 한 칸씩 뒤로 밀어야 합니다. 연결된 구조에서는 어떻게 될까요? 그림 7.4와 같이 28과 바로 앞 노드인 56의 링크만 수정한 다음 시작 노드를 28 노드로 연결하면 됩니다. 연결된 구조가 복잡하기는 하지만 훨씬 효율적으로 처리할 수 있습니다.

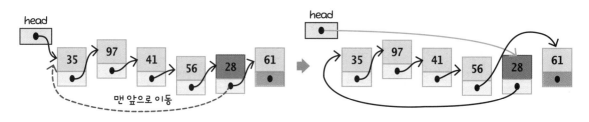

그림 7.4 | 자기 구성 리스트: 탐색된 항목을 맨 앞으로 보내기(연결된 구조)

물론 이 방법이 모든 상황에 적합한 것은 아닙니다. 이 방법은 한번 탐색된 레코드가 바로 이어서 다시 탐색될 가능성이 많은 응용에만 사용해야 합니다.

교환하기(transpose)

탐색된 레코드를 맨 앞이 아니라 바로 앞의 레코드와 교환할 수도 있습니다. 예를 들어, 그림 7.5에서 28이 탐색 되면 위치를 바로 앞의 레코드인 56과 교환합니다. 자주 탐색되는 레코드는 점진적으로 앞으로 이동하고, 그렇지 않은 레코드는 점진적으로 뒤로 밀리는 효과가 있습니다.

그림 7.5 | 자기 구성 리스트: 교환하기 전략

이 전략을 기존의 순차 탐색(코드 7.1)에 적용하면 다음과 같습니다.

●●● **코드 7.2: 교환하기 전략이 추가된 순차 탐색 알고리즘**   완성파일 ch07/simpleSearch.py

```
01:  def sequential_search_transpose(A, key, low, high) :
02:      for i in range(low, high+1) :
03:          if A[i] == key :
04:              if i > low :              # 맨 처음 요소가 아니면
05:                  A[i], A[i-1] = A[i-1], A[i] # 교환하기(transpose)
06:                  i = i-1               # 한 칸 앞으로 왔음
07:              return i                  # 탐색에 성공하면 키 값의 인덱스 반환
08:      return -1                   # 탐색에 실패하면 -1 반환
```

이 외에도 레코드마다 탐색된 횟수를 별도의 공간에 각각 저장해 두고, 탐색된 횟수가 많은 순으로 테이블을 재구성하는 전략(frequency count method)을 사용할 수 있습니다. 이러한 방법들도 모두 '지금까지 더 많이 탐색된 레코드가 앞으로도 더 많이 탐색될 가능성이 큰' 응용에만 적용되어야 할 것입니다.

1. 다음 중 순차 탐색에 대한 설명으로 옳은 것은?

    ① 정렬되지 않은 테이블에서도 동작함

    ② 최선과 최악의 입력에 대해 시간 복잡도 차이가 없음

    ③ 리스트를 균등하게 나누어 탐색

    ④ 탐색 값과 위치가 비례한다고 가정함

2. 자기 구성 리스트에서 탐색에 성공한 레코드를 리스트의 맨 앞으로 보내는 작업을 구현하려 합니다. 이 리스트를 배열 구조와 연결된 구조로 각각 구현했을 때, 이 작업의 시간 복잡도는 각각 어떻게 될까요?

3. 2번 문제에서 '맨 앞으로 보내기'가 아니라 '교환하기' 전략을 사용한다면 배열 구조와 연결된 구조에서 시간 복잡도의 차이가 있을까요?

07-3 이진 탐색

테이블이 킷값을 기준으로 정렬되어 있다면 이진 탐색(binary search)이라는 보다 효율적인 알고리즘을 사용할 수 있습니다. 이것은 한 번 비교할 때마다 탐색 범위가 절반으로 줄어들기 때문에 '이진'이란 이름이 붙었습니다. 테이블의 모든 레코드가 킷값의 오름차순으로 정렬되어 있다고 가정하겠습니다. 이진 탐색은 먼저 테이블의 중앙에 있는 레코드를 탐색 키와 비교합니다.

- 만약 중앙 레코드의 킷값이 탐색 키와 같으면 탐색은 성공한 것이고, 중앙 레코드의 위치(인덱스)를 반환하면 됩니다.
- 중앙 레코드가 탐색 키보다 크면 그보다 오른쪽에 있는 모든 레코드는 탐색 키보다 크므로 더는 탐색할 필요가 없습니다. 따라서 왼쪽의 레코드들만 탐색하면 됩니다.
- 중앙 레코드가 탐색 키보다 작으면 오른쪽만 탐색하면 됩니다.

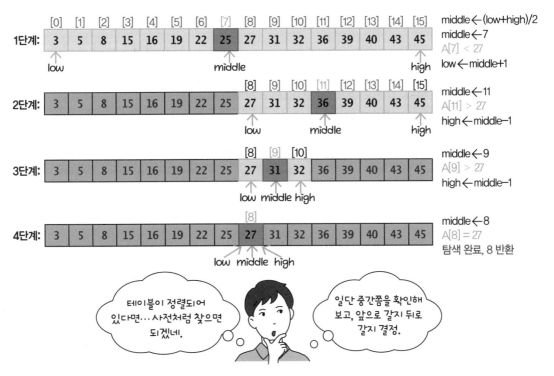

그림 7.6 | 이진 탐색의 예: 정렬된 배열에서 27을 탐색하는 과정

결국 이진 탐색에서는 단계마다 검색해야 할 레코드의 수가 반으로 줄어듭니다. 동작을 좀 더 구체적으로 살펴봅시다. 그림 7.6은 정렬된 배열에서 이진 탐색으로 27을 찾는 과정입니다. 남은 탐색의 범위를 나타내는 low와 high 및 중앙 위치를 나타내는 middle을 사용합니다.

① 최초의 탐색 범위는 low=0, high=15입니다. 중앙 위치 middle=7을 계산하고, 이 위치의 킷값(25)이 탐색 키(27)보다 작으므로 low~middle 사이에는 27이 없는 것이 확실합니다. 이제 low는 middle+1이 되고, 반으로 줄어든 범위(low~high)에 다시 탐색을 진행합니다.
② 새로 계산한 middle 위치의 값(A[11]=36)이 탐색 키보다 큽니다. 따라서 오른쪽인 middle~high 사이에는 탐색 키가 없습니다. 이제 high는 middle−1이고, 반으로 줄어든 범위에서 다시 탐색을 신행합니다.
③ middle 위치의 값(31)이 킷값보다 큽니다. 따라서 high가 middle−1이 됩니다.
④ middle 위치의 값(27)이 탐색 키와 같습니다. 따라서 탐색은 성공이고, middle 위치 8을 반환합니다.

만약 탐색 키가 27이 아니라 28이라면 어떻게 될까요? 4단계에서 low가 middle+1이 됩니다. 그런데 문제가 발생합니다. low와 high가 역전되는 것입니다. 이것은 더 검사해 볼 레코드가 없는 상황으로 탐색 실패이므로 −1을 반환합니다.
우리는 이미 일상생활에서 이진 탐색을 많이 사용하고 있습니다. 예를 들어, 사전에서 단어를 찾는 과정이 이진 탐색인데, 사전을 펼쳐 찾고자 하는 단어가 현재 페이지보다 앞에 있는지 뒤에 있는지를 확인하고 단어가 있는 부분만을 다시 탐색해 탐색 범위를 줄입니다.

이진 탐색 알고리즘

이진 탐색은 알고리즘 자체가 순환적이기 때문에 다음과 같이 순환 호출을 이용하여 기술하는 것이 쉽습니다.

●●● 코드 7.3: 이진 탐색 알고리즘(순환 구조)   완성파일 ch07/simpleSearch.py

```
01:  def binary_search(A, key, low, high) :
02:      if (low <= high) :              # 항목들이 남아 있으면(종료 조건)
03:          middle = (low + high)//2    # middle 계산
04:          if key == A[middle] :       # 탐색 성공
05:              return middle           # 중앙 레코드의 인덱스 반환
06:          elif (key<A[middle]) :      # 왼쪽 부분리스트 탐색 -> 순환호출
07:              return binary_search(A, key, low, middle - 1)
08:          else :                      # 오른쪽 부분리스트 탐색 -> 순환호출
09:              return binary_search(A, key, middle + 1, high)
10:      return -1                       # 탐색 실패 - 1 반환
```

헬로 파이썬 **파이썬의 나눗셈 연산자**

middle은 배열의 인덱스이므로 정수가 되어야 합니다. 파이썬에서는 두 가지 나눗셈 연산자 /와 //를 제공하는데, /연산의 결과는 실수(float)이고, // 연산의 결과는 정수(int)입니다. 따라서 middle을 구하기 위해서는 // 연산자를 사용해야 합니다.

반복 구조로는 다음과 같이 구현할 수 있습니다.

●●● 코드 7.4: 이진 탐색 알고리즘(반복 구조)   완성파일 ch07/simpleSearch.py

```
01:  def binary_search_iter(A, key, low, high) :
02:      while (low <= high) :           # 항목들이 남아 있으면(종료 조건)
03:          middle = (low + high)//2    # middle 계산
04:          if key == A[middle]:        # 탐색 성공
05:              return middle
06:          elif (key > A[middle]):     # key가 middle의 값보다 크면
07:              low = middle + 1        # middle+1 ~ high 사이 검색
08:          else:                       # key가 middle의 값보다 작으면
09:              high = middle - 1       # low ~ middle-1 사이 검색
10:      return -1                       # 탐색 실패 - 1 반환
```

이진 탐색은 얼마나 빠를까요?

그림 7.6을 보면 이진 탐색은 매 단계에서 탐색 범위가 반으로 줄어드는 것을 알 수 있습니다. 만약 테이블의 크기 n이 2의 거듭제곱인 2^k라고 가정하면, 순환 호출을 한번 할 때마다 탐색 범위가 다음과 같이 줄어듭니다.

$$2^k \rightarrow 2^{k-1} \rightarrow 2^{k-2} \rightarrow \cdots \rightarrow 2^1 \rightarrow 2^0$$

그렇다면 단계의 수는 얼마일까요? k에서 0까지 k+1번의 단계를 거치게 됩니다. 이때 n은 2^k이므로 $k = \log_2 n$입니다. 따라서, 이진 탐색은 $\log_2 n$에 비례하는 시간이 걸리는 $O(\log_2 n)$ 알고리즘입니다. 이것은 매우 효율적인데, 예를 들어, 10억 명이 정렬된 배열에서 순차 탐색으로 특정한 이름을 찾는다면 평균 5억 번의 비교가 필요하지만, 이진 탐색은 단지 30여 번의 비교 만에 탐색이 완료됩니다!

이진 탐색의 특징

- $O(\log_2 n)$의 매우 효율적인 탐색 방법입니다.
- 반드시 배열이 정렬되어 있어야 사용할 수 있습니다.
- 테이블이 한번 만들어지면 이후로 변경되지 않고 탐색 연산만 처리한다면 이진 탐색이 최고의 선택 중 하나입니다.

만약 테이블에 레코드를 삽입하거나 삭제하는 일이 빈번하게 일어나는 응용이라면 이야기가 약간 달라집니다.

먼저 삽입을 생각해 보겠습니다. 크기가 n인 테이블에 새로운 레코드를 삽입하려면 어떻게 할까요? 당연히 삽입 후에도 테이블의 정렬 상태가 유지되어야 하므로 삽입은 정확한 위치에서 이루어져야 합니다. 따라서 먼저 레코드가 들어가야 할 위치를 찾아야 합니다. 다음으로 그 위치에 레코드를 끼워 넣어야 하는데, 여기에도 문제가 있습니다. 테이블이 배열 구조라면 삽입할 위치부터 이후의 모든 레코드를 한 칸씩 뒤로 밀어야 하기 때문입니다. 그리고 최악의 경우 이동해야 하는 레코드의 수는 테이블의 크기와 같은 n입니다. 결국 정렬된 테이블에 레코드를 삽입하기 위해서는 n에 비례하는 시간, 즉 $O(n)$이 소요되는 것입니다. 이것은 삭제 연산도 마찬가지입니다. 삭제할 위치를 찾고, 그 위치의 레코드를 삭제하면 이후의 모든 레코드를 한 칸씩 앞으로 이동해야 합니다.

- 데이터의 삽입이나 삭제가 빈번한 응용에는 이진 탐색이 좋지 않습니다. 탐색은 효율적이지만 비효율적인 삽입과 삭제 연산이 더 많이 처리된다면 전체적으로는 불리할 수 있기 때문입니다. 이런 응용에서는 이진 탐색 트리와 같은 다른 방법을 사용하는 것이 좋습니다.

잠깐만 **연결된 구조(연결 리스트)에서의 이진 탐색**

이진 탐색은 주로 테이블이 배열 구조인 경우에만 사용합니다. 이것은 탐색 과정에 중앙 요소를 찾아야 하는데, 배열 구조에서는 중앙 요소의 위치를 바로 계산할 수 있기 때문입니다. 이에 비해 연결된 구조에서는 시작 노드와 마지막 노드는 알고 있더라도 중앙에 있는 노드를 찾기가 쉽지 않습니다. 물론 찾을 수는 있지만 바로 알 수 없고 시간이 걸리는 것이지요. 그리고 이것은 이진 탐색 알고리즘의 장점을 상쇄시켜 버립니다.

보간 탐색

보간 탐색(interpolation search)은 이진 탐색의 일종으로 우리가 사전에서 단어를 찾을 때와 같이 탐색 키가 존재할 위치를 예측하여 탐색하는 방법입니다. 예를 들어, 'ㅎ'으로 시작하는 단어는 사전의 뒷부분에서 찾고 'ㄱ'으로 시작하는 단어는 앞부분에서 찾는 것과 같은 원리입니다.

이진 탐색에서 탐색 위치 middle은 (low+high)/2로 계산되므로 항상 탐색 범위의 중앙에 있는 레코드가 선택됩니다. 그러나 보간 탐색에서는 탐색 범위 가장자리(low, high)에 있는 레코드의 킷값과 탐색 키의 비율을 고려하여 다음과 같이 탐색 위치를 계산합니다.

$$\text{탐색위치} = low + (high - low) \times \frac{key - A[low]}{A[high] - A[low]}$$

보간 탐색은 그림 7.7과 같이 레코드의 위치와 그 레코드의 킷값이 비례한다는 가정을 사용합니다. 결국 탐색 위치를 결정할 때 탐색 키가 있는 곳에 좀 더 근접하도록 가중치를 주겠다는 것이 핵심입니다.

$$(A[high] - A[low]) : (key - A[low]) = (high - low) : (\text{탐색위치} - low)$$

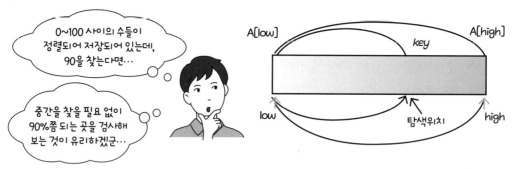

그림 7.7 | 보간 탐색은 찾는 값과 위치가 비례한다고 가정합니다.

코드는 이진 탐색 함수에서 middle 계산만 다음과 같이 수정하면 됩니다.

```
middle = int(low + (high-low) * (key-A[low]) / (A[high]-A[low]))
```

위치의 비율을 계산하기 위해 실수를 사용하지만, 마지막에 인덱스로 변경할 때에는 반드시 다시 정수로 변환해야 합니다. 보간 탐색은 이진 탐색과 같은 $O(\log_2 n)$의 시간 복잡도를 갖지만 많은 데이터가 비교적 균등하게 분포된 자료의 경우 훨씬 효율적으로 사용될 수 있습니다.

헬로 파이썬 **파이썬의 형변환**

> 파이썬에서 실수나 문자열을 정수로 바꾸기 위해 정수 클래스의 생성자를 사용합니다. 예를 들어, int(1004.0)나 int("1004")는 각각 실수와 문자열로부터 정수 객체를 생성하는 문장입니다. 클래스의 생성자를 이용하지만, 자료형을 변환하는 일반 함수처럼 생각해도 문제는 없습니다. 파이썬에는 정수나 실수 등 모든 것이 클래스임을 기억하세요.

Quiz

1. 이진 탐색의 최선과 최악의 입력에 대한 시간 복잡도는 각각 얼마일까요?
2. 다음 중 이진 탐색의 응용 분야로 적절하지 않은 경우는 무엇일까요?
   ① 효율적인 탐색이 필요한 응용
   ② 테이블이 정렬된 응용
   ③ 데이터의 입력과 삭제가 빈번한 응용
   ④ 탐색 연산이 매우 빈번하게 발생하는 응용
3. 다음 중 보간 탐색에 대한 설명으로 적절하지 않은 것은?
   ① 이진 탐색의 개선된 알고리즘
   ② 탐색 키가 존재할 위치를 예측하여 탐색
   ③ 리스트를 균등하게 나누어 탐색
   ④ 탐색 값과 위치가 비례한다고 가정

07-4 이진 탐색 트리

탐색에 트리구조를 이용할 수도 있습니다. 이진 탐색 트리(BST : Binary Search Tree)는 효율적인 탐색을 위한 이진 트리인데, 이름 그대로 '이진 탐색'을 위한 '트리'라고 이해해도 무방합니다. 그런데 이진 탐색이 있는데 왜 또 이진 탐색 트리가 필요할까요? 해답은 '탐색'이 아니라 '삽입'과 '삭제'에 있습니다. 이진 탐색은 주로 배열 구조의 테이블에서 이루어지는데, 레코드의 삽입과 삭제가 빈번한 응용에서는 비효율적입니다. 이를 해결하기 위한 것이 이진 탐색 트리입니다. '탐색'의 성능은 유지하면서 '삽입'과 '삭제'도 효율적으로 처리하려고 하는 것입니다.

이진 탐색 트리의 조건

이진 탐색 트리는 모든 노드가 '왼쪽 자식 노드는 나보다 작고, 오른쪽 자식 노드는 나보다 크다'라는 규칙을 따르는 이진 트리입니다. 그림 7.8은 이진 탐색 트리의 조건을 보여줍니다. 만약 킷값이 같은 노드가 있으면 어떻게 될까요? 이진 탐색 트리에서는 연산들을 보다 단순하게 설계하기 위해 보통 킷값의 중복을 허용하지 않습니다. 그림 7.8이 이진 탐색 트리의 조건을 만족하는지 살펴봅시다.

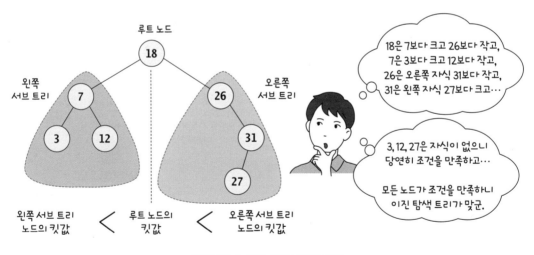

그림 7.8 | 이진 탐색 트리의 조건

- 이 트리는 모든 노드의 자식이 2개 이하이므로 이진 트리인 것은 확실합니다.
- 자식이 둘인 18, 7은 모두 왼쪽 자식보다 크고 오른쪽 자식보다 작습니다.

- 26은 오른쪽 자식 31보다 작고, 31은 왼쪽 자식 27보다 큽니다.
- 단말노드 3, 12, 27은 자식이 없으니 비교할 필요도 없이 조건을 만족합니다. 결국 모든 노드가 조건을 만족하므로 이 트리는 이진 탐색 트리입니다.

4장에서 배웠던 트리의 중위순회가 기억나나요? 그림 7.8의 트리를 중위순회로 방문해 보세요. 3, 7, 12, 18, 26, 27, 31과 같이 오름차순으로 노드를 방문하는데, 모든 이진 탐색 트리가 이러한 성질을 갖습니다. 따라서 이진 탐색 트리는 어느 정도 정렬된 상태를 유지하고 있다고 볼 수 있습니다.

이진 탐색 트리는 이진 트리의 한 종류이므로 공백검사, 순회, 노드의 수 등 4장에서 공부한 기본적인 연산을 그대로 사용할 수 있습니다. 여기서 추가로 살펴봐야 하는 연산은 탐색, 삽입, 삭제입니다. 특히, 이러한 연산들은 반드시 이진 탐색 트리의 조건을 유지하면서 처리되어야 합니다.

이진 탐색 트리의 탐색 연산

이진 탐색 트리도 '탐색'이 목적이므로 탐색 연산이 가장 중요합니다. 그림 7.8에서 킷값으로 key를 가진 노드를 찾는 과정을 살펴봅시다. 탐색은 항상 루트 노드에서 시작해서 아래로 내려갑니다.

- 키가 12인 노드를 찾아봅시다. 먼저 탐색 키가 루트(18)보다는 작으므로 왼쪽 자식으로 내려갑니다. 12가 왼쪽 자식(7)보다는 크므로 이번에는 오른쪽 자식으로 내려갑니다. 오른쪽 자식(12)과 탐색 키와 같으므로 탐색 성공입니다. 탐색 과정은 18→7→12로 진행되었고, 3개의 노드만 비교하고 종료되었습니다.

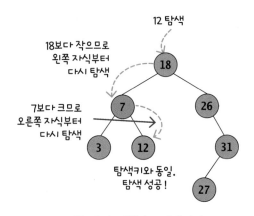

그림 7.9 | 탐색키 12 탐색 과정

- 같은 트리에서 32를 찾아봅시다. 32는 루트(18)보다 크므로 오른쪽 자식으로 진행하고, 오른쪽 자식(26)보다도 크므로 다시 오른쪽(31)으로 진행합니다. 노드 31보다도 크므로 다시 오른쪽으로 탐색을 진행해야 하는데 31은 오른쪽 자식이 없습니다. 이것은 탐색 실패를 의미합니다. 탐색 과정에서 18→26→31의 3개의 노드를 방문하고 탐색은 실패로 종료되었습니다.

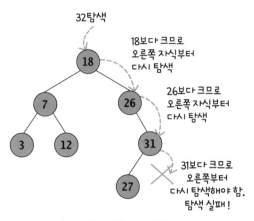

그림 7.10 | 탐색키 32 탐색 과정

이진 탐색 트리의 탐색 과정이 이해되시나요? 이제 이 과정을 알고리즘으로 옮겨보겠습니다.

노드 클래스 BSTNode

이진 탐색 트리를 위한 노드는 코드 4.1의 일반적인 이진 트리 노드 BTNode와 비슷하게 데이터와 두 개의 링크를 갖도록 정의할 수 있지만, 데이터는 좀 세분하는 것이 편리합니다. 즉, 탐색을 위한 키(key)와 나머지 데이터 부분(value)으로 나누는 것입니다. 이것을 반영한 노드 클래스 BSTNode는 다음과 같습니다.

●●● **코드 7.5: 이진 탐색 트리를 위한 노드 클래스**　　　　완성파일 ch07/BinSrchTree.py

```
01:    class BSTNode:                            # 이진 탐색 트리를 위한 노드 클래스
02:        def __init__(self, key, value):# 생성자: 키와 값을 받음
03:            self.key = key        # 키(key)
04:            self.value = value    # 값(value): 키를 제외한 데이터 부분
05:            self.left = None      # 왼쪽 자식에 대한 링크
06:            self.right = None     # 오른쪽 자식에 대한 링크
```

탐색 알고리즘: 키를 이용한 탐색

탐색은 다음과 같이 순환 구조로 나타낼 수 있습니다.

●●● 코드 7.6: 이진 탐색 트리의 탐색 연산(순환 구조)　　　완성파일 ch07/BinSrchTree.py

```
01:   def search_bst(n, key) :        ← n을 루트로 갖는 이진 탐색 트리에서 킷값이
02:       if n == None :                  key인 노드를 찾는 순환 함수
03:           return None             ← n이 None이면 공백 트리이므로 None 반환
04:       elif key == n.key:            n의 key가 탐색키와 같으면 n 반환
05:           return n
06:       elif key < n.key:           탐색키가 n의 key보다 작으면
07:           return search_bst(n.left, key)   ← 왼쪽 서브트리 탐색
08:       else:                           아니면
09:           return search_bst(n.right, key)   오른쪽 서브트리 탐색
```

이러한 탐색 연산은 반복 구조를 이용해서도 구현할 수도 있습니다. 방문하는 노드는 순환 구조와 정확히 같지만, 실행의 효율성만 보면 반복 구조가 더 우수할 것입니다.

탐색 알고리즘: 값을 이용한 탐색

이진 탐색 트리는 킷값을 기준으로 정렬되어 있습니다. 그렇다면 키가 아닌 다른 필드를 이용한 탐색도 가능할까요? 물론 가능합니다. 트리의 모든 노드를 하나씩 검사하면 됩니다. 이때 모든 노드를 방문하는 방법에는 제한이 없습니다. 전위, 중위, 후위, 레벨 순회 등 트리의 모든 노드를 방문할 수 있다면 어떤 순회도 상관없습니다. 그렇지만 최악의 경우 트리의 모든 노드를 검사해야 하므로 탐색 성능은 키를 이용한 탐색에 비해 떨어집니다. 다음은 값을 이용한 탐색 알고리즘의 구현 예인데, 전위순회를 사용하였습니다.

●●● 코드 7.7: 이진 탐색 트리의 값을 이용한 탐색(전위 순회)　　　완성파일 ch07/BinSrchTree.py

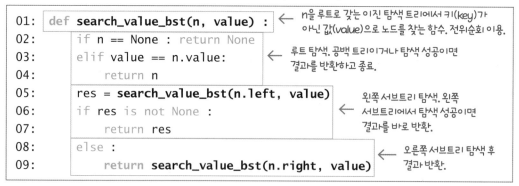

```
01:   def search_value_bst(n, value) :   ← n을 루트로 갖는 이진 탐색 트리에서 키(key)가
02:       if n == None : return None        아닌 값(value)으로 노드를 찾는 함수. 전위순회 이용.
03:       elif value == n.value:         ← 루트 탐색. 공백 트리이거나 탐색 성공이면
04:           return n                      결과를 반환하고 종료.
05:       res = search_value_bst(n.left, value)   왼쪽 서브트리 탐색. 왼쪽
06:       if res is not None :          ← 서브트리에서 탐색 성공이면
07:           return res                    결과를 바로 반환.
08:       else :                        ← 오른쪽 서브트리 탐색 후
09:           return search_value_bst(n.right, value)   결과 반환.
```

이진 탐색 트리의 삽입 연산

삽입을 위해서는 먼저 삽입할 노드의 키를 이용한 탐색 과정을 수행해야 합니다. 왜냐하면, 탐색에 실패한 위치에 새로운 노드를 삽입해야 하기 때문입니다. 예를 들어, 그림 7.11의 왼쪽 트리에 새로운 노드 9를 삽입해 봅시다.

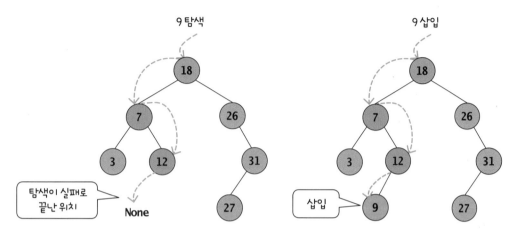

그림 7.11 | 이진 탐색 트리에서의 삽입연산

루트 노드를 시작으로 키가 9인 노드를 탐색합니다. 루트 노드 → 7 → 12를 거쳐 노드 12의 왼쪽 자식에서 탐색이 실패로 끝납니다. 이곳이 9를 삽입할 수 있는 위치입니다. 만약 탐색이 성공하면 어떻게 될까요? 이것은 중복된 킷값을 가진 노드가 이미 있는 상태입니다. 여기서는 중복을 허용하지 않으므로, 노드를 삽입하지 않습니다.

삽입 연산도 순환으로 구현하는 것이 가장 자연스럽습니다. 다음은 루트가 root인 트리에 새로운 노드 node를 삽입하는 연산을 순환 구조로 나타낸 알고리즘입니다. 이 함수가 root 위치에 오게 될 노드를 반환하는 것에 유의하세요.코드 7.10의 13행처럼 사용하려고 합니다.

```
01:  def insert_bst(root, node):
02:      if root == None :              # 공백 노드에 도달하면, 이 위치에 삽입
03:          return node                # node를 반환(이 노드가 현재 root 위치에 감)
04:
05:      if node.key == root.key :      # 동일한 키는 허용하지 않음
06:          return root                # root를 반환(root는 변화 없음)
07:
08:      # root의 서브 트리에 node 삽입
09:      if node.key < root.key :
10:          root.left = insert_bst(root.left, node)
11:
12:      else :
13:          root.right= insert_bst(root.right, node)
14:
15:      return root        # root를 반환(root는 변화 없음)
```

왼쪽 서브 트리에 넣어야
하는 경우.
← 왼쪽 자식을 루트로 삽입
연산을 순환 호출하고,
왼쪽 자식 갱신

오른쪽 서브 트리에
← 넣어야 하는 경우.
오른쪽 자식을 루트로 삽입
연산을 순환 호출하고,
오른쪽 자식 갱신

삭제 연산

노드를 삭제하는 것은 이진 탐색 트리에서 가장 복잡한 연산입니다. 노드를 삭제한 후에도 이진 탐색 트리의 특성이 반드시 유지되어야 하기 때문입니다. 이 연산은 삭제할 노드의 자식 수에 따라 3가지 경우로 구분됩니다.

Case 1: 단말 노드의 삭제

삭제할 노드가 자식이 없는 단말 노드이면 그 노드만 없애면 되기 때문에 가장 간단합니다. 예를 들어, 그림 7.12에서 단말 노드 30을 삭제해 봅시다.

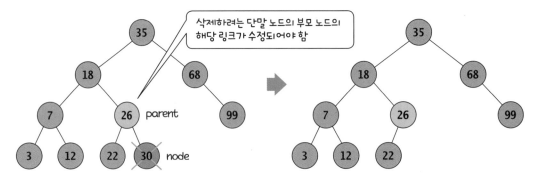

그림 7.12 | 삭제 연산의 예: Case 1

30은 자식이 없으므로 부모 노드(26)의 오른쪽 링크를 None으로 변경하면 됩니다. 이 때 실제로 변경되는 것은 부모의 링크 필드인 것에 유의하세요.

Case 2: 자식이 하나인 노드의 삭제

삭제할 노드가 하나의 자식을 갖는다면 그 자식을 부모 노드에 연결해주면 됩니다. 예를 들어, 다음 그림에서 68을 삭제하는 경우, 삭제할 노드 68의 유일한 자식인 99를 자신을 대신해 부모인 35의 오른쪽 자식으로 연결합니다. 이렇게 하면 트리 전체에서 이진 탐색 트리 조건은 계속 유지됩니다.

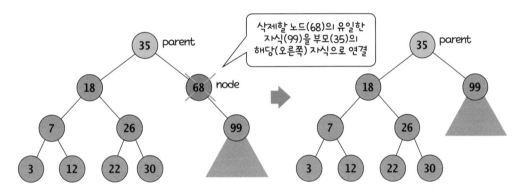

그림 7.13 │ 삭제 연산의 예: Case2

Case 3: 2개의 자식을 모두 갖는 노드의 삭제

그림 7.14에서 2개의 자식을 모두 갖는 노드 18은 어떻게 없앨 수 있을까요? 일단 단순하게 자식인 7이나 26을 18 위치로 끌어올 수는 없습니다. 만약 7을 끌어오면 7의 자식이 셋으로 늘어나고, 따라서 이진 트리가 아니기 때문입니다.

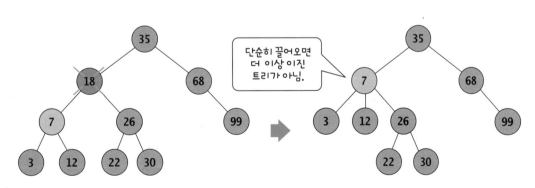

그림 7.14 │ 삭제 연산의 예: Case3의 잘못된 처리

그러면 어떻게 할까요? 하나의 아이디어는 희생양을 찾아 대신 삭제하는 것입니다. 즉, 적절한 노드(후계자)를 찾고, 후계자의 데이터를 삭제할 노드에 복사한 다음, 실제로는 후계자를 삭제하는 것입니다.

그럼 어떤 노드를 후계자로 선택할까요? 삭제할 노드 위치에 오더라도 이진 탐색 트리의 조건을 계속 유지할 수 있으려면 삭제할 노드와 킷값이 최대한 비슷한 노드가 좋을 것입니다. 이를 위해 가장 적합한 후보는 딱 두 개가 있습니다.

- 삭제할 노드의 왼쪽 서브 트리에서 가장 큰 노드
- 삭제할 노드의 오른쪽 서브 트리에서 가장 작은 노드

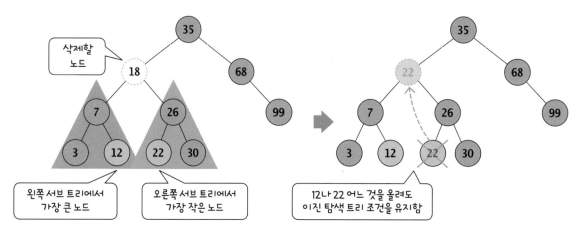

그림 7.15 | 후계자를 선택해 삭제할 노드에 복사하는 방법

예를 들어, 그림 7.15에서 18의 후계자로 적절한 노드는 12나 22뿐입니다. 왜냐하면, 이들은 삭제할 위치(18)에 오더라도 전체 트리가 이진 탐색 트리의 조건을 계속 만족시키기 때문입니다. 다른 노드는 그렇지 못합니다.

특히 이러한 후계자 후보 노드 12와 22는 자식이 1개 이하일 수밖에 없습니다. 왜냐하면, 서브 트리에서 가장 큰 노드(12)는 오른쪽 자식이 없어야 하고, 가장 작은 노드(22)는 왼쪽 자식이 없어야 하기 때문입니다. 또한, 이들은 이진 탐색 트리를 중위 순회했을 때, 삭제할 노드의 바로 앞과 뒤에 있는 노드입니다. 따라서 삭제 노드 위치로 가져오더라도 이진 탐색 트리의 다른 부분들을 변경할 필요가 없는 아주 훌륭한 '후계자' 조건을 가졌습니다.

그렇다면 두 개의 후보 중에서 어느 것을 선택할까요? 어떤 것을 선택해도 문제는 없

습니다. 여기서는 오른쪽 서브 트리의 제일 작은 노드(22)를 후계자로 사용합니다. 이 경우 후계자(22)는 왼쪽 자식을 절대 가질 수 없습니다. 그림 7.16을 통해 노드 18을 삭제하는 과정을 구체적으로 살펴봅시다.

❶ 삭제할 노드의 후계자(succ, 22)를 찾습니다.
❷ 후계자(succ)의 데이터(키와 값)를 모두 삭제할 노드(root, 18)에 복사합니다.
❸ 후계자 노드를 삭제합니다. 이것은 삭제할 노드의 오른쪽 서브트리(26)에서 후계자의 킷값(22)을 가진 노드를 삭제하는 작업입니다.

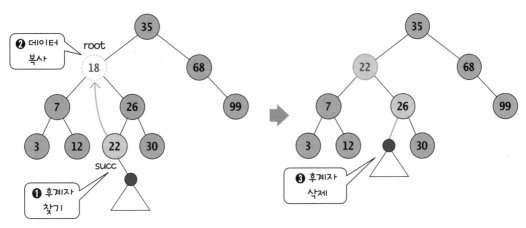

그림 7.16 | Case 3의 삭제 과정

모든 경우를 반영한 이진 탐색 트리의 삭제 연산은 코드 7.9와 같이 순환 구조로 구현할 수 있습니다. 삽입 연산과 비슷하게 킷값에 따라 이진 탐색을 진행하고(5~8행), 삭제할 노드를 찾으면(11~24행) 각 경우에 따라 삭제를 진행합니다. 이때, 항상 삭제할 노드(root)를 대신할 노드가 반환되어야 하는 것에 유의하세요. 코드 7.10의 24~27행처럼 사용하려고 합니다.

보통 순환 호출의 동작을 따라가는 것은 좀 어렵습니다. 코드 7.9의 삭제 함수가 어떻게 순환적으로 호출되고 반환하는지를 몇 가지 삭제 예를 통해 살펴보겠습니다. 코드에서 순환 호출은 6, 8, 27행에서, 반환은 3, 14, 18, 29행에서 이루어집니다.

```
01:     def delete_bst (root, key) :
02:         if root == None :  # 공백 트리
03:             return root
04:
05:         if key < root.key :
06:             root.left = delete_bst(root.left, key)
07:         elif key > root.key :
08:             root.right= delete_bst(root.right, key)
09:
10:         # key가 루트의 키와 같으면 root를 삭제
11:         else :
12:             # case1(단말 노드) 또는 case2(오른쪽 자식만 있는 경우)
13:             if root.left== None :
14:                 return root.right
15:
16:             # case2(왼쪽 자식만 있는 경우)
17:             if root.right== None :
18:                 return root.left
19:
20:             # case3(두 자식이 모두 있는 경우)
21:             succ = root.right
22:             while succ.left != None:
23:                 succ = succ.left
24:
25:             root.key = succ.key
26:             root.value = succ.value
27:             root.right = delete_bst(root.right, succ.key)
28:
29:         return root
```

(손글씨 주석)
- key가 루트보다 작거나 크면, 해당 자식이 루트인 서브트리에서 삭제를 계속 진행함(순환호출 이용) 이때, 자식이 변경될 수도 있으므로 반환된 값으로 자식을 갱신해야함
- 삭제할 노드 위치에 오른쪽 자식을 끌어올림. 즉, 오른쪽 자식을 반환
- 삭제할 노드 위치에 왼쪽 자식을 끌어올림. 즉, 왼쪽 자식을 반환
- ① 후계자를 찾고(오른쪽 서브트리 최소노드) ② 후계자의 데이터(key와 value)를 복사하고
- ③ 마지막으로, 후계자 삭제(오른쪽 서브 트리에서 후계자 킷값을 가진 노드를 순환 호출로 삭제)

순환호출 과정 분석: 단말 노드 30 삭제(Case 1)

①이 호출되면 킷값이 30인 노드는 왼쪽에 있으므로 ②가 호출됩니다. 다음으로 오른쪽인 ③이 호출되고, 왼쪽인 ④가 호출되어, 드디어 root가 30이 되었습니다. root(30)의 왼쪽 자식이 None이므로 13행의 조건이 만족하고, 30의 오른쪽 노드 None을 반환하는데(❶), 이것이 26의 오른쪽 자식이 됩니다. 이후로는 29행에 의해 ❷, ❸, ❹와 같이 순환호출에서 입력된 루트 노드가 그대로 반환됩니다.

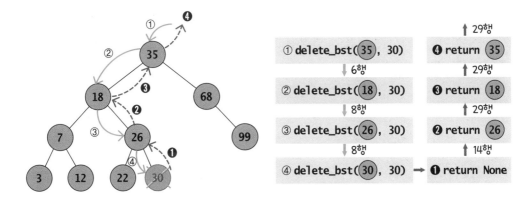

그림 7.17 | Case 1: 노드 30의 삭제를 위한 코드 7.9의 순환호출과 반환 과정

순환호출 과정 분석: 단말 노드 68 삭제(case2)

①이 호출되면 킷값이 68인 노드는 오른쪽에 있으므로 ②가 호출됩니다. 이제 root가 68이므로 삭제하는데, 왼쪽 자식이 None인 13행의 조건을 만족하므로 68의 오른쪽 노드 99가 반환되고(❶), 이것이 35의 오른쪽 자식이 됩니다. 마지막으로 ❷와 같이 원래의 루트 35를 반환합니다.

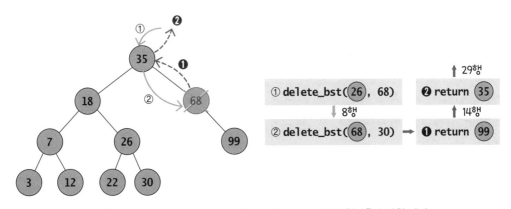

그림 7.18 | Case 2: 노드 68의 삭제를 위한 코드 7.9의 순환호출과 반환 과정

순환호출 과정 분석: 두 개의 자식을 모두 갖는 18 삭제(case3)

①이 호출되면 킷값이 18인 노드는 왼쪽에 있으므로 ②가 호출됩니다. 이제 root가 18이므로 삭제해야 하는데, 먼저 후계자 노드 22를 찾아 이 노드의 데이터를 18노드에 복사합니다. 이제 후계자 노드를 없애야 하는데, 이를 위해 오른쪽 서브트리에서 킷값이 22인 노드를 삭제하는 ③이 호출됩니다. ③에서는 22가 루트보다 작으므로 ④가 호출되고, 이제 root가 삭제할 노드입니다. 22의 오른쪽 자식(None)이 반환되고(❶),

6행에 의해 이것이 26의 왼쪽 자식이 됩니다. 이제부터는 원래의 root가 반환되는데, ❷에서는 26이, ❸에서는 내용이 변경된 원래의 노드가 반환되고, 마지막으로 ❹에서 원래의 노드 35가 반환됩니다.

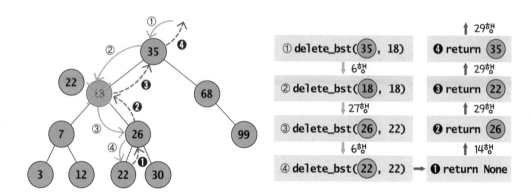

그림 7.19 | Case 3: 노드 18의 삭제를 위한 코드 7.9의 순환호출과 반환 과정

이진 탐색 트리의 성능은 어떨까요?

트리의 높이를 h라 하면 이진 탐색 트리의 탐색, 삽입, 삭제 연산은 모두 h에 비례하는 시간이 걸립니다. 그렇다면 h는 전체 노드의 수 n과 어떤 관계에 있을까요?

- 최선의 경우는 이진 탐색 트리가 그림 7.20(a)와 같은 포화 이진 트리일 때입니다. 이 경우 $h = \log_2 n$로 가장 낮은 트리가 만들어지고, 탐색과 삽입, 삭제 연산이 모두 $O(\log_2 n)$에 처리됩니다. 즉, 이진 탐색과 탐색 성능은 같지만, 삽입과 삭제 연산이 훨씬 효율적입니다.

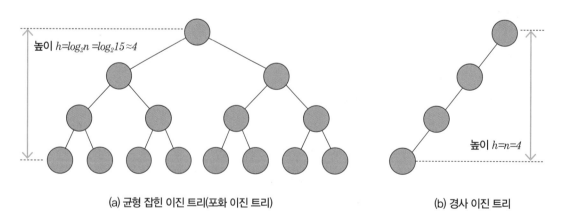

(a) 균형 잡힌 이진 트리(포화 이진 트리)   (b) 경사 이진 트리

그림 7.20 | 균형 이진 트리와 경사 이진 트리의 높이

- 만약 이진 탐색 트리가 그림 7.20(b)와 같이 한쪽으로 치우치는 경사 트리인 경우 트리의 높이 h는 n과 같아집니다. 이것은 탐색 연산이 순차 탐색과 같이 n에 비례하는, 즉 $O(n)$이 되는 매우 비효율적인 상황입니다.

결국 이진 탐색 트리의 효율을 높이기 위해서는 트리가 좌우로 균형을 유지하도록 구성되어야 합니다. 이를 위해, AVL 트리, 2-3트리, 2-3-4 트리, B 트리, Red-Black 트리와 같은 다양한 균형 기법들이 제안되었습니다. 이들은 트리의 구조가 변경되는 삽입과 삭제 연산에서 불균형 상태가 발생하면 스스로 노드들을 재배치하여 균형 상태로 만드는 방법들을 사용합니다.

이진 탐색 트리의 테스트

지금까지 살펴본 이진 탐색 트리의 여러 연산을 테스트해 보겠습니다. 트리를 화면에 출력하기 위한 print_tree() 함수는 전위순회를 이용해 구현하였고, 탐색 연산의 결과를 출력하기 위한 print_node() 함수를 추가하였습니다. 테스트를 위한 전체 프로그램은 다음과 같습니다.

```
01:    def print_node(msg, n) :                        # 노드 출력 함수
02:        print(msg, n if n != None else "탐색실패")
03:
04:    def print_tree(msg, r) :
05:        print(msg, end='')        ←── 전위 순회를 이용한 트리 출력 함수
06:        preorder(r)
07:        print()
08:          key ──→        ←── value
09:    data = [(6, "여섯"), (8, "여덟"), (2,"둘"), (4,"넷"),  (7,"일곱"),
        (5,"다섯"), (1,"하나"), (9,"아홉"), (3,"셋"), (0,"영")]
10:
11:    root = None                                      # 루트 노드 초기화
12:    for i in range(0, len(data)):                    # 노드 순서대로 추가하기
13:        root = insert_bst(root, BSTNode(data[i][0], data[i][1]))
14:
15:    print_tree("최초: ", root)                        # 최초의 트리 출력
16:                           ←── key를 이용한 탐색
17:    n = search_bst(root, 3);        print_node("srch 3: ", n)
18:    n = search_bst(root, 8);        print_node("srch 8: ", n)
19:    n = search_bst(root, 0);        print_node("srch 0: ", n)
20:    n = search_bst(root, 10);       print_node("srch10: ", n)
21:    n = search_value_bst(root,"둘"); print_node("srch둘: ", n)
22:    n = search_value_bst(root,"열"); print_node("srch열: ", n)
23:                           ←── 값(value)을 이용한 탐색
24:    root = delete_bst(root, 7);     print_tree("del 7: ", root)
25:    root = delete_bst(root, 8);     print_tree("del 8: ", root)
26:    root = delete_bst(root, 2);     print_tree("del 2: ", root)
27:    root = delete_bst(root, 6);     print_tree("del 6: ", root)
```

• 9~13행: 이진 탐색 트리를 구축하기 위해 10개의 노드를 삽입합니다. 레코드는 (6, "여섯")과 같이 (숫자, 한글)의 형태가 되도록 하였는데, 숫자를 key 필드로 사용하겠습니다. 그림 7.21은 key가 [6, 8, 2, 4, 7, 5, 1, 9, 3, 0]의 순으로 입력되는 경우 이진 탐색 트리가 구축되는 과정을 순서대로 보여주고 있습니다.

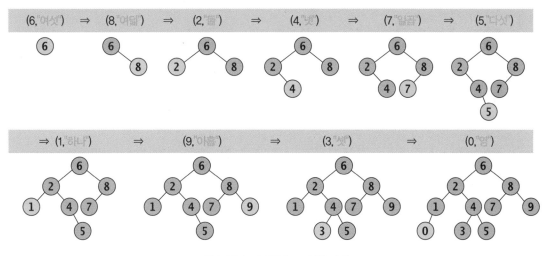

$\Rightarrow$ (1,"하나") $\Rightarrow$ (9,"아홉") $\Rightarrow$ (3,"셋") $\Rightarrow$ (0,"영")

그림 7.21 | 10개의 노드 삽입 과정

- 24~27행 : 노드를 순서대로 삭제합니다. 7은 단말 노드로 Case 1이고, 7이 제거된 다음 8은 Case 2, 2는 Case 3의 삭제 예입니다. 마지막으로 루트 노드 6을 삭제하였습니다.

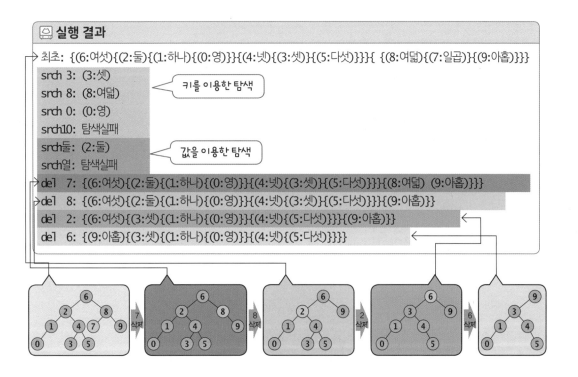

1. 15개의 노드로 만들 수 있는 이진 탐색 트리의 최소와 최대 높이는 얼마일까요?

2. 다음 중 이진 탐색 트리의 삽입 연산에 대한 설명으로 옳지 않은 것은?

   ① 루트에서부터 탐색 연산을 먼저 진행해야 합니다.

   ② 순환 구조와 반복 구조로 모두 구현할 수 있습니다.

   ③ 탐색이 성공하면 중복된 노드가 있는 것이므로 삽입하지 않습니다.

   ④ 다음 탐색 위치가 공백(None)이면 삽입 연산은 실패한 것입니다.

3. 공백 상태의 이진 탐색 트리에 5, 7, 2, 8, 3, 9를 킷값으로 갖는 레코드가 순서적으로 삽입되었습니다. 이 트리의 높이는 얼마일까요?

연습 문제

01 테이블이 연결 리스트로 구성된 경우의 순차 탐색 알고리즘을 구현해보세요.

02 1번에서 구현한 순차 탐색 알고리즘에 그림 7.4와 같은 맨 앞으로 보내기 전략을 추가해 보세요.

03 다음과 같이 정렬된 리스트에서 탐색키로 32를 찾으려고 합니다. 이진탐색 알고리즘에 의해 탐색키와 비교하는 항목들을 순서대로 적으세요.
테이블: [3, 5, 8, 15, 16, 19, 22, 25, 27, 31, 32, 36, 39, 40, 43, 45]

04 보간 탐색이 잘 적용되는 자료와 그렇지 않은 자료의 예를 들어 보세요.

05 이진 탐색 트리의 탐색 연산을 반복 구조로 구현해보세요.

06 다음의 자료를 이진 탐색 트리에 순서대로 삽입했습니다. 물음에 답하세요.
[35, 24, 16, 31, 53, 67, 43, 87, 55, 9]

(a) 이 트리를 그려보세요.

(b) 이 트리에서 9를 탐색할 때 방문하는 노드를 순서대로 적으세요.

(c) 이 트리에서 55를 삭제한 후의 트리를 그려보세요.

(d) 이 트리에서 16을 삭제한 후의 트리를 그려보세요.

(e) 이 트리에서 53을 삭제한 후의 트리를 그려보세요.

(f) 위의 자료를 모두 삽입할 때 트리의 높이가 최소가 되려면 어떤 순서로 삽입해야 할까요? 여러 방법이 가능한데, 하나의 예를 제시해 봅시다.

(g) 위의 자료를 모두 삽입할 때 트리의 높이가 최대가 되려면 어떤 순서로 삽입해야 할까요? 여러 방법이 가능한데, 하나의 예를 제시해 봅시다.

Chapter

08

그래프

📙 학습목표

서울의 지하철 노선도에는 여러 역이 다양한 노선으로 복잡하게 연결되어 있습니다. 이러한 자료는 어떤 구조로 표현하는 것이 좋을까요? 일단 자료가 일렬로 나열되어 있지 않으므로 선형 자료구조는 적합하지 않습니다. 트리는 어떨까요? 예를 들어, 지하철을 이용해 고속터미널역에서 서울역까지 가는 방법이 여러 가지가 있는데, 트리는 모든 노드 사이에 유일한 길이 있는 경우만을 나타낼 수 있으므로 이러한 관계를 표현할 수 없습니다.

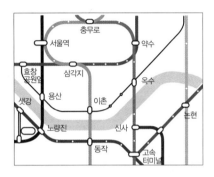

그래프는 이처럼 복잡하게 연결된 객체 사이의 관계를 표현할 수 있는 가장 자유로운 자료구조인데, 모든 선형 자료구조나 트리조차도 그래프로 나타낼 수 있어 그래프의 한 종류로 볼 수 있습니다. 이제 가장 복잡한 자료구조인 그래프를 공부합니다. 복잡한 자료를 표현할 수 있기 때문에, 알고리즘도 다양하고 좀 복잡합니다. 그래프를 표현하는 방법을 공부하고, 몇 가지 중요한 그래프 알고리즘을 살펴봅시다.

08-1 그래프란?

그래프(graph)는 복잡하게 연결된 객체 사이의 관계를 효율적으로 표현할 수 있는 자료구조입니다. 예를 들어, 지하철 노선도는 많은 역이 서로 어떻게 연결되어 있는지를 알려주는데, 지하철을 어떻게 갈아타야 약속 장소에 갈 수 있는지를 쉽게 파악할 수 있습니다.

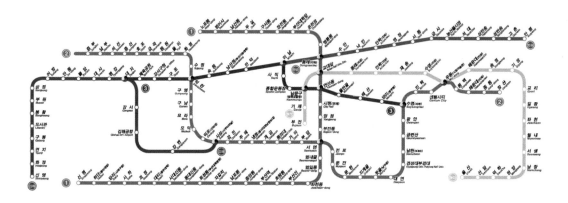

지하철뿐만 아니라 복잡한 전기 회로나 소셜 네트워킹 서비스(SNS)와 같은 다양한 분야에서 많은 객체가 서로 복잡하게 연결된 자료를 다루고 있습니다. 그래프는 이런 복잡한 구조를 표현할 수 있는 훌륭한 논리적 도구입니다. 사실 지금까지 공부했던 모든 선형 자료구조나 트리도 그래프로 표현할 수 있고, 따라서 그래프는 가장 일반화된 자료구조입니다.

그래프의 유래

현재 러시아의 영토인 칼리닌그라드는 예전에는 독일의 쾨니히스베르크라는 도시였습니다. 이 도시에는 그림 8.1(a)와 같이 강이 흐르고 있고, 강으로 나누어진 네 개의 지역들을 연결하기 위해 7개의 다리를 만들었습니다. 언제부터인가 이 도시의 사람들 사이에 문제 하나가 돌기 시작했는데 '모든 다리를 한 번씩만 건너서 출발했던 장소로 돌아올 수 있을까?'라는 것이었습니다. 아무도 풀지 못하던 이 문제를 처음으로 해결한 사람이 위대한 수학자 레온하르트 오일러(Leonhard Euler)였습니다.

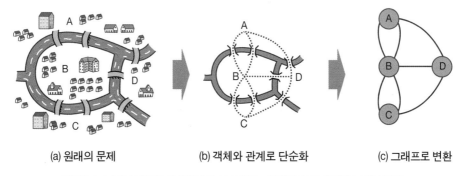

| (a) 원래의 문제 | (b) 객체와 관계로 단순화 | (c) 그래프로 변환 |

그림 8.1 | 모든 다리를 한 번만 건너 돌아오는 오일러 문제에 대한 그래프 표현

오일러는 이 문제에서 핵심적이고 중요한 것은 'A, B, C, D의 위치가 어떤 관계로 연결되었는가?'라고 생각하고, '위치'라는 객체는 정점(vertex)으로, 위치 간의 관계인 '다리'는 간선(edge)으로 표현하여 (c)와 같은 그래프 문제로 변환하였습니다. 오일러는 그래프에 존재하는 모든 간선을 한 번만 통과하면서 처음 정점으로 되돌아오는 경로를 오일러 경로(Eulerian tour)라 정의하고, 그래프의 모든 정점에 연결된 간선의 개수가 짝수일 때만 오일러 경로가 존재한다는 오일러의 정리를 증명하였습니다. 따라서 그림 8.1(c)의 그래프는 이 정리에 따라 오일러 경로가 존재하지 않는다는 것을 복잡한 시행착오를 거치지 않고도 쉽게 알 수 있습니다.

그래프는 정점의 집합과 간선의 집합으로 구성되므로 수학적으로 G = (V, E)와 같이 표시됩니다. 이때 V와 E는 각각 정점과 간선들의 집합입니다.

| 정점의 집합: V | 간선의 집합: E | 그래프: G=(V,E) |

그림 8.2 | 그래프는 정점과 간선의 집합으로 구성됩니다.

정점들은 자체로는 큰 의미가 없지만, 이들을 간선으로 연결하면 '관계'가 만들어지고 그래프가 형성됩니다. 이때 정점은 객체를 의미하고, 간선은 이러한 객체 간의 관계를 나타내는데, 정점 A와 B를 연결하는 간선은 (A, B)와 같이 정점의 쌍으로 표현합니다.

그래프의 종류

그래프는 간선의 방향성과 정점 간의 연결 정도에 따라 여러 가지로 나뉩니다.

무방향 그래프(undirected graph)

두 정점을 연결하는 간선에 방향성이 없는 그래프로 <u>간선은 양방향으로 갈 수 있는 길</u>을 의미합니다. 두 정점 A와 B를 연결하는 간선은 (A, B)로 표현하는데, (A, B)와 (B, A)는 동일한 간선입니다. 그림 8.3의 G1과 G2는 무방향 그래프인데, 정점의 집합 V(G)와 간선의 집합 E(G)로 표현할 수 있습니다.

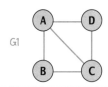

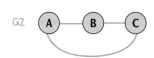

V(G1)={A, B, C, D}
E(G1)={(A,B), (A,C), (A,D), (B,C), (C,D)}

V(G2)={A, B, C}
E(G2)={(A,B), (A,C), (B,C)}

그림 8.3 | 무방향 그래프의 예

방향 그래프(directed graph)

간선에 방향이 있는 그래프로 다이그래프(digraph)라고도 합니다. <u>간선은 한 방향으로만 갈 수 있는 길</u>을 의미하는데, A에 B로 가는 길은 〈A,B〉로 표현하고, 〈A,B〉와 〈B,A〉는 서로 다른 간선입니다. 그림 8.4는 방향 그래프 G3과 G4를 정점의 집합과 간선의 집합으로 나타낸 것입니다.

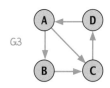

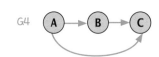

V(G3)={A, B, C, D}
E(G3)={〈A,B〉, 〈A,C〉, 〈B,C〉, 〈C,D〉, 〈D,A〉}

V(G4)={A, B, C}
E(G4)={〈A,B〉, 〈A,C〉, 〈B,C〉}

그림 8.4 | 방향 그래프의 예

완전(complete) 그래프

그래프의 모든 정점 사이에 간선이 존재하는 그래프를 말합니다. 정점이 n개인 무방향 완전 그래프는 $n \times (n-1)/2$개의 간선을 갖고, 방향 그래프는 $n \times (n-1)$개의 간선을 갖습니다. 그림 8.5의 G5는 무방향 완전 그래프이고, G6는 방향 완전 그래프입니다. G5에서 하나의 간선이 G6에서 두 개의 간선에 해당합니다.

그림 8.5 | 완전 그래프의 예

부분 그래프(subgraph)

원래의 그래프에서 정점이나 간선 일부만을 이용해 만든 그래프입니다. 예를 들어, 그림 8.6의 G1, G2, G3은 그래프 G의 부분 그래프입니다.

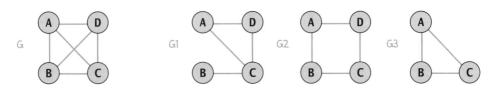

그림 8.6 | G의 부분 그래프의 예(G1~G3)

가중치 그래프(weighted graph)

간선에 가중치가 할당된 그래프를 가중치 그래프 또는 네트워크(network)라고 말합니다. 그림 8.7의 G7과 G8은 가중치 그래프의 예입니다.

그림 8.7 | 가중치 그래프의 예

그래프의 용어

- 인접(adjacent) : 간선으로 연결된 두 정점을 인접해 있다고 말합니다. 예를 들어, 그림 8.8의 G1에서 A에 인접한 정점은 B, C, D입니다.

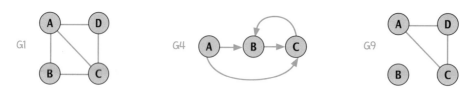

그림 8.8 | 그래프 용어 설명을 위한 그래프

- 정점의 차수(degree) : 그 정점에 연결된 간선의 수를 말합니다. 예를 들어, G1에서 정점 A는 차수는 3이고, B의 차수는 2입니다. 방향 그래프에서는 차수가 두 가지로 나뉘는데, 외부에서 오는 간선의 수를 진입 차수(in-degree), 외부로 향하는 간선의 수를 진출 차수(out-degree)라 부릅니다. 그림 8.8의 G4에서 정점 B는 진입 차수가 2, 진출 차수가 1이고, A는 진입 차수가 0이고 진출 차수가 2입니다.
- 경로(path) : 간선을 따라갈 수 있는 길을 순서대로 나열한 것을 말합니다. 예를 들어, G1에서 A에서 C까지는 A-B-C, A-D-C, A-C 등의 경로가 있습니다. 이때 경로 A-B-C는 두 개의 간선 (A,B)와 (B,C)로 이루어지는데, 이처럼 경로를 구성하는 간선의 수를 경로 길이(path length)라고 합니다. A-B-C는 길이가 2인 경로이고, A-C는 길이가 1인 경로입니다.
- 단순(simple) 경로 : 반복되는 간선이 없는 경로를 말합니다. G1에서 경로 A-B-C는 단순 경로이지만, B-A-C-A는 단순 경로가 아닙니다.
- 사이클(cycle) : 시작 정점과 종료 정점이 같은 단순 경로를 말합니다. 예를 들어, G1에서 경로 B-A-C-B는 사이클입니다.
- 연결(connected) 그래프 : 모든 정점 사이에 경로가 존재하는 그래프를 말합니다. 그림 8.8에서 G1은 연결 그래프지만 G9은 연결 그래프가 아닙니다.
- 트리(tree) : 사이클을 가지지 않는 연결 그래프를 말합니다. 우리가 앞 장에서 공부한 트리가 그래프의 한 종류였습니다.

💬 Quiz

1. 그림의 그래프에서 다음을 설명해보세요.

(a) 정점 A와 인접한 정점들

(b) 정점 A에서 C로 가는 모든 단순 경로

(c) 위 문제에서 각 경로의 길이

(d) 정점 A와 B의 차수

(e) 이 그래프에서 사이클을 하나 말해보세요.

(f) 이 그래프는 연결 그래프인가요?

(g) 이 그래프는 트리인가요?

(h) 이 그래프는 완전 그래프인가요?

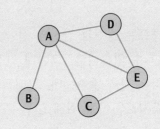

08-2 그래프의 표현

그래프는 정점과 간선의 집합으로 구성되는데 정점 집합은 리스트를 이용하면 쉽게 표현할 수 있습니다. 그런데 간선은 좀 복잡합니다. 간선 (u, v)은 정점 u와 v가 인접해 있다는 것을 말하는데, 그래프에서 정점들의 인접 관계를 어떻게 효율적으로 표현할 수 있을까요? 이를 위해 인접 행렬과 인접 리스트를 사용할 수 있는데, 그래프의 특성과 필요한 연산에 따라 적절한 방법을 선택해야 합니다.

인접 행렬을 이용한 표현

간선들의 집합을 표현하는 가장 간단한 방법은 2차원 배열을 이용하는 것인데, 이것을 인접 행렬(adjacency matrix)이라 합니다. 그래프의 정점 개수가 n이라면 인접 행렬(2차원 배열)의 크기는 $n \times n$인데, 행렬의 각 성분이 두 정점의 연결 관계를 나타냅니다. 예를 들어, 그림 8.9(a)에는 간선 (U, V)가 있으므로 행렬의 해당 성분을 1로 표시하고, (U, Y)는 존재하지 않으므로 0으로 표시하는 것입니다. 파이썬에서는 이러한 인접 행렬을 (c)와 같이 리스트의 리스트로 나타낼 수 있습니다.

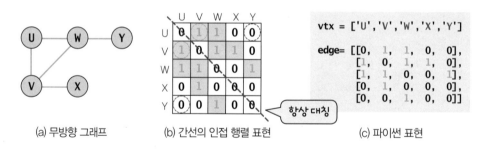

(a) 무방향 그래프　　　(b) 간선의 인접 행렬 표현　　　(c) 파이썬 표현

그림 8.9 | 인접 행렬을 이용한 무방향 그래프 표현 예

무방향 그래프에서는 인접 행렬이 항상 대칭행렬입니다. 이것은 간선 (U, V)가 U에서 V로의 연결뿐만 아니라 V에서 U로의 연결을 동시에 의미하기 때문입니다. 따라서 무방향 그래프는 배열의 상위 삼각이나 하위 삼각만 저장하여 메모리를 절약할 수도 있습니다. 그림 8.9(a)에는 5개의 간선이 있으므로 인접 행렬에서 10(=5×2)개의 원소가 1을 갖습니다. 행렬의 대각선 성분은 모두 0으로 표시하는데, 자신에서 출발해서 자신으로

들어오는 간선이 없기 때문입니다.

만약 그래프가 그림 8.10(a)와 같은 방향 그래프라면 인접 행렬은 대칭이 아니고, 간선의 수와 동일한 수의 행렬 성분들이 1을 갖게 됩니다.

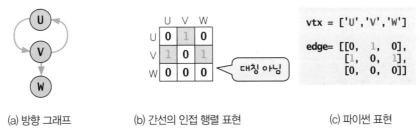

(a) 방향 그래프   (b) 간선의 인접 행렬 표현   (c) 파이썬 표현

그림 8.10 | 인접 행렬을 이용한 방향 그래프 표현 예

> **잠깐만** 그래프에서 정점들의 순서
>
> 그래프에서 정점들 사이에는 '순서'가 없습니다. 그림 8.9와 그림 8.10에서는 편의상 임시로 정한 것일 뿐입니다. 만약 정점의 나열 순서를 변경한다면 이에 따라 인접 행렬도 달라질 것입니다. 예를 들어, 그림 8.9의 파이썬 표현 (c)는 정점들을 U, V, W, X, Y의 순으로 나열한 경우의 인접 행렬입니다.

인접 리스트를 이용한 표현

각 정점이 인접한 정점 리스트를 갖도록 하여 간선들을 표현할 수 있는데, 이러한 리스트를 인접 리스트(adjacency list)라고 합니다. 예를 들어, 그림 8.11에서 정점 V는 U, W, X와 인접해 있고, 따라서 (b)와 같이 길이가 3인 인접 리스트로 표현할 수 있습니다.

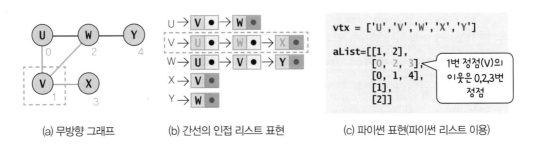

(a) 무방향 그래프   (b) 간선의 인접 리스트 표현   (c) 파이썬 표현(파이썬 리스트 이용)

그림 8.11 | 인접 리스트를 이용한 무방향 그래프의 표현 예시

이때 리스트로는 3장에서 공부한 연결 리스트를 사용할 수도 있고, 파이썬의 리스트와 같은 배열 구조를 사용할 수도 있습니다. 그림 8.11(c)는 파이썬의 리스트를 이용해 표현한 예를 보여주는데, 숫자는 정점 리스트(vtx)에서 각 정점의 인덱스입니다. 예를 들어, 인덱스가 1인 정점 V의 경우 [0, 2, 3]을 인접 리스트로 갖는데, 이 숫자들은 각각 정점 U, W, X의 인덱스입니다.

> **잠깐만** **인접 정점 리스트와 인접 정점 집합**
>
> 그래프의 '인접 리스트 표현'은 사실 개념적으로는 '인접 집합 표현'이라고 하는 것이 더 정확합니다. 왜냐하면, 한 정점에 인접한 정점들 사이에는 순서가 없기 때문입니다. 그런데 '리스트'와는 달리 '집합'은 구현하는 방법이 다양하기 때문에 이보다 의미가 명확한 '인접 리스트'란 용어를 사용하고 있습니다.

인접 행렬과 인접 리스트 중에서 어떤 것을 사용할까요?

단지 그래프를 표현하기 위해서라면 인접 행렬과 인접 리스트 중에서 어느 것을 사용하더라도 문제가 없습니다. 그렇지만 표현된 그래프로 어떤 작업을 하려면 약간의 차이가 발생합니다.

- 정점이 n개인 그래프를 표현하기 위한 메모리의 양은 인접 행렬의 경우 n^2이므로 인접 리스트보다는 약간 불리합니다.
- 그래프에 간선 (u, v)가 있는지를 검사하려면 행렬은 해당 성분을 바로 검사하면 되지만, 인접 리스트에서는 정점 u의 인접 리스트에서 v가 있는지 하나씩 검사해 보아야 하기 때문에 인접 리스트가 불리합니다.

다른 연산도 약간씩의 차이가 있지만, 결론적으로 인접 행렬과 인접 리스트 어느 한쪽도 압도적으로 장점이 많지는 않습니다. 따라서 코딩을 할 때 목적에 따라 적절히 결정하는 것이 좋습니다. 예를 들어, 메모리 사용량이 중요하거나 정점에 비해 간선이 별로 없는 희소 그래프(sparse graph)에서는 인접 리스트가 좋은 선택입니다. 만약 정점끼리의 인접 여부를 빨리 알아내야 하거나, 완전 그래프나 이와 유사한 조밀 그래프(dense graph)라면 인접 행렬이 더 좋은 선택이 될 것입니다.

1. 다음 두 그래프를 인접 행렬로 표현해 보세요.

 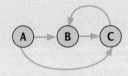

2. 위 문제의 그래프를 인접 리스트로 표현해 보세요.

08-3 그래프 순회

그래프 순회는 하나의 정점에서 시작하여 그래프의 모든 정점을 한 번씩 방문하는 작업을 말합니다. 실제로 많은 그래프 문제들이 단순히 정점들을 체계적으로 방문하는 것만으로 해결되는데, 전자회로에서 어떤 두 단자가 서로 연결되어 있는지를 판단하거나, 미로에서 출구를 찾는 문제가 대표적인 예입니다.

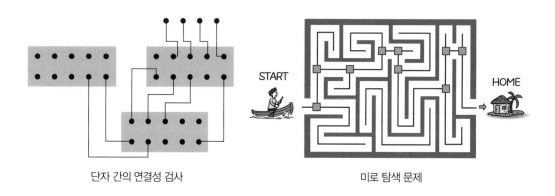

단자 간의 연결성 검사   미로 탐색 문제

그래프의 정점들을 순회하는 체계적인 방법에는 깊이 우선 탐색과 너비 우선 탐색이 있습니다. 이들은 이진 트리의 순회 방법과 비교해 볼 수 있습니다. 트리가 그래프의 일종이라는 것을 기억하세요.

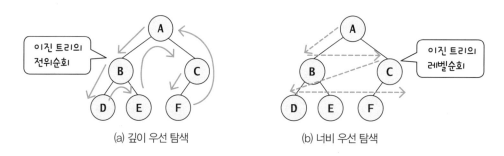

(a) 깊이 우선 탐색   (b) 너비 우선 탐색

그림 8.12 | 깊이 우선과 너비 우선 탐색을 이용한 정점 방문 과정

• 깊이 우선 탐색(DFS : Depth First Search) : 시작 정점에서 한 방향으로 계속 가다가 더 이상 갈 수 없으면 가장 가까운 갈림길로 다시 돌아와 다른 방향을 다시 탐색합니다. 이것은 이진 트리의 전위순회와 비슷한데, 그림 8.12(a)처럼 A-B-D-E-C-F

의 순서로 탐색이 진행됩니다.

• 너비 우선 탐색(BFS : Breadth First Search) : 시작 정점에서 가까운 정점을 먼저 방문하고 먼 정점을 나중에 방문합니다. 이것은 이진 트리의 레벨순회와 비슷한데, (b)처럼 A-B-C-D-E-F의 순서로 탐색이 진행됩니다.

깊이 우선 탐색

깊이 우선 탐색(DFS)은 그래프에서 어떻게 진행될까요? 시작 정점에서 한 방향으로 갈 수 있는 곳까지 깊이 탐색을 진행하다가 더 이상 갈 곳이 없으면 가장 최근에 만났던 갈림길 정점으로 되돌아옵니다. 갈림길로 돌아와서는 가 보지 않은 다른 방향의 간선으로 탐색을 다시 진행하고, 이 과정을 반복해 결국 모든 정점을 방문합니다. 탐색 과정에서 여러 갈림길을 만나지만 그중에서 가장 최근에 만났던 갈림길로 되돌아와야 하므로, 이들을 후입선출 구조의 스택에 저장합니다. 그림 8.13은 시작정점 U에서 깊이 우선 탐색으로 모든 정점을 방문하는 과정을 보여줍니다.

단계	깊이 우선 탐색	스택
0	U에서 탐색을 시작합니다. 맨 처음에 스택에는 U만 있습니다.		U
1	현재 정점은 스택 상단의 U입니다. U의 인접 정점 중 하나인 V를 선택해 탐색을 진행하겠습니다. 일단 이 방향으로 가 보는 것입니다. V를 스택에 넣고, 이 정점이 현재 정점이 됩니다.		V U
2	V의 이웃 정점 중에서 아직 방문 하지 않은 정점은 W와 X입니다. 이 중 W를 선택해 탐색을 진행하겠습니다. W를 스택에 넣습니다.		W V U
3	W의 이웃 정점 중에서 아직 방문 하지 않은 정점은 Y뿐입니다. Y를 탐색합니다. Y를 스택에 넣습니다.		Y W V U

단계	깊이 우선 탐색	스택
4	Y의 이웃 정점 중에서는 방문하지 않은 정점이 없습니다. 이제 이전으로 되돌아갑니다. 스택 상단의 Y를 삭제합니다.	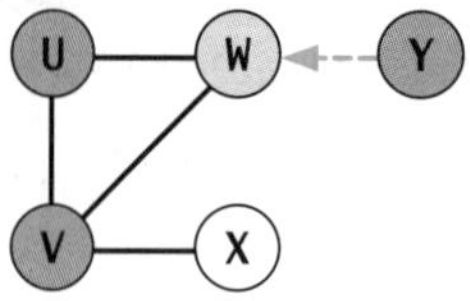	 W V U
5	이제 스택 상단은 W입니다. 가장 최근의 갈림길로 되돌아 온 것입니다. W도 방문하지 않은 이웃 정점이 없어 다시 이전으로 되돌아갑니다. 스택에서 W를 꺼냅니다.	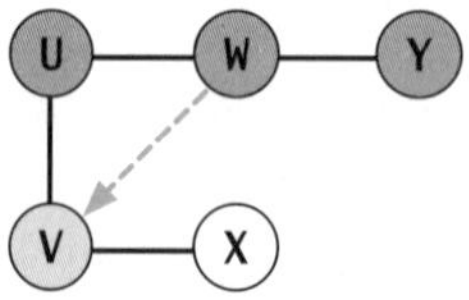	 V U
6	현재 정점이 V로 되돌아왔습니다. V에서는 더 탐색할 이웃 정점 X가 있어 탐색을 진행합니다. X를 스택에 넣습니다.	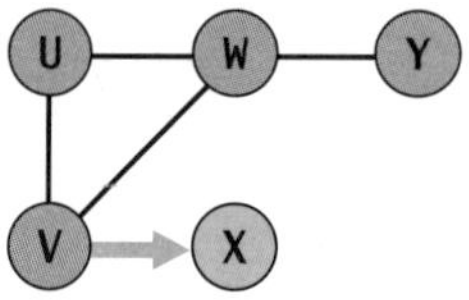	 X V U
7	X에서는 더 탐색할 이웃 정점이 없어 되돌아갑니다. V로 되돌아갔다가 시작정점 U로 되돌아가는데, U에서도 갈 수 있는 정점이 없으므로 탐색은 종료됩니다. 결국 정점의 방문 순서는 U→V→W→Y→X가 됩니다.	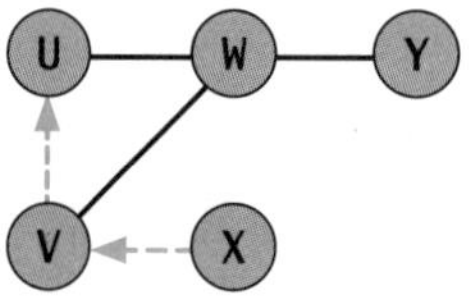	

그림 8.13 | 깊이 우선 탐색을 이용한 정점 방문 과정

깊이 우선 탐색을 구현해보겠습니다. 그래프는 인접 행렬로 표현하는데, 정점 리스트 vtx와 인접 행렬 adj가 주어진다고 가정하고, 시작 정점은 s라고 하겠습니다. 각 정점의 방문 여부를 기록하기 위해 visited 배열을 사용하는데, 맨 처음에는 모든 정점을 방문하지 않았으므로 False로 초기화합니다. 깊이 우선 탐색은 스택을 사용해 갈림길을 저장하는데, 시스템 스택을 이용하는 순환 호출을 이용하면 더 간결하게 구현할 수 있습니다. 알고리즘은 다음과 같습니다.

```
01:  def DFS(vtx, adj, s, visited) :
02:      print(vtx[s], end=' ')          ← 현재 정점 s는 방문 했으므로, 화면에 출력하고,
03:      visited[s] = True                  visited를 True로 갱신.
04:
05:      for v in range(len(vtx)) :
06:          if adj[s][v] != 0 :            방문하지 않은 이웃 정점 v가
07:              if visited[v]==False:    ← 있으면 그 정점을 시작으로 다시
08:                  DFS(vtx, adj, v, visited)   DFS 호출
```

그림 8.9의 그래프에서 시작 정점을 U(인덱스는 0)로 선택한 경우의 테스트 프로그램과 실행 결과는 다음과 같습니다.

●●● 코드 8.2: 깊이 우선 탐색 테스트 프로그램　　　　　　　완성파일 ch08/DFS.py

```
01:  vtx = ['U','V','W','X','Y']          # 그림 8.9의 정점 리스트
02:  edge= [[0, 1, 1, 0, 0], ... ]]       # 그림 8.9의 인접 행렬
03:
04:  print('DFS(출발:U) : ', end="")
05:  DFS(vtx, edge, 0, [False]*len(vtx))
06:  print()
```

visited를 위해 길이가 정점 수와 같은 False 리스트를 만듦

🖥 **실행 결과**

시작 정점이 U인 경우와 DFS 정점 방문 순서

DFS(출발:U) : U V W Y X

너비 우선 탐색

너비 우선 탐색(BFS)은 '가까운 정점부터 꼼꼼하게 살피고 먼 정점을 찾아가는' 전략을 사용합니다. 즉, 거리가 0인 시작 정점으로부터 거리가 1인 모든 정점을 방문하고, 거리가 2인 정점들, 거리가 3인 정점들의 순서로 방문을 진행하는데, 이것은 이진 트리의 레벨 순회와 동작이 비슷합니다. BFS에서는 가까운 거리에 있는 정점들을 차례로 저장하고, 들어간 순서대로 꺼낼 수 있는 자료구조가 필요한데, 물론 큐를 사용합니다. BFS는 큐에서 정점을 꺼낼 때마다 아직 방문하지 않은 모든 인접 정점들을 방문하고 큐에 삽입합니다. 이러한 탐색 과정은 큐가 공백 상태가 될 때까지 계속됩니다. 맨 처음 큐에는 시작 정점만이 저장되는데, 그림 8.14는 BFS를 이용한 정점 방문 과정을 보여줍니다.

단계		너비 우선 탐색	큐
1	맨 처음에는 시작정점 U를 방문하고 큐에 넣습니다.	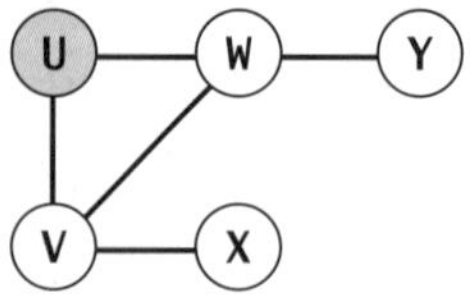	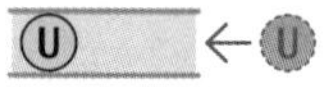
2	큐에서 U가 나오고, U의 이웃인 V와 W를 방문하고 큐에 넣습니다.	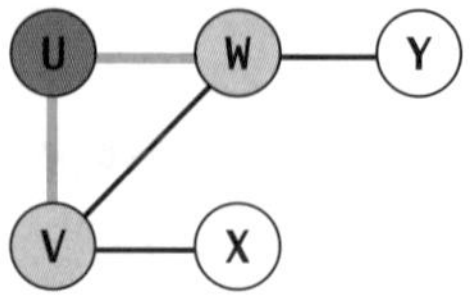	
3	다음으로 큐에서 V가 나오고 V의 이웃 중에서 아직 방문하지 않은 X를 큐에 넣습니다.	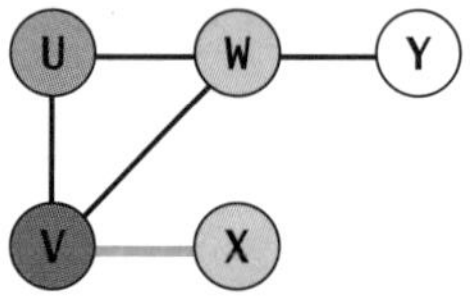	
4	다음으로 큐에서 W가 나오고, 방문하지 않은 이웃 정점 Y를 큐에 넣습니다.	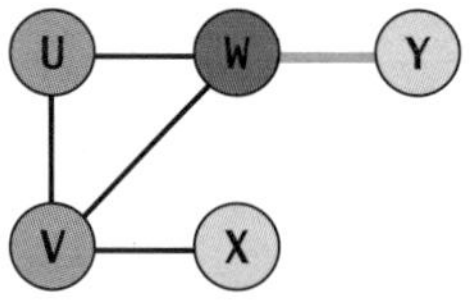	
5	다음으로 X가 나오고, 방문하지 않은 정점이 없습니다.	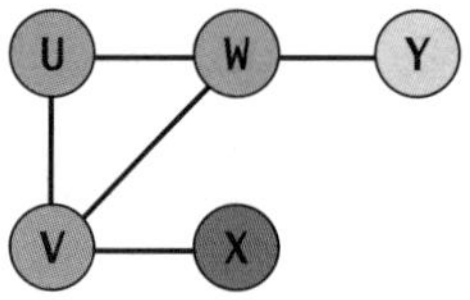	
6	다음으로 Y가 나오고, 방문하지 않은 정점이 없습니다. 큐가 공백 상태가 되었으므로 탐색은 종료됩니다. 결국, 정점의 방문 순서는 U→V→W→X→Y가 되는데, 큐에서 정점을 꺼내는 순서와 같습니다.	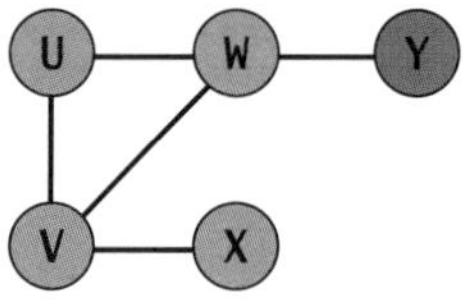	

그림 8.14 │ 너비 우선 탐색을 이용한 정점 방문 과정

이제 BFS를 구현해보겠습니다. 이번에는 그래프를 인접 리스트로 표현하는데, 그림 8.11(c)와 같이 정점 리스트 vtx와 인접 리스트 aList가 주어진다고 가정하겠습니다. 시작 정점은 s이고, 정점의 방문을 표시하는 배열 visited를 함수 내부에서 만들어 사용합니다. 순환 호출을 이용한 DFS와는 달리 BFS는 반복구조로 구현됩니다. 큐는 2장에서 우리가 구현한 원형큐 클래스나 파이썬의 queue나 collections 모듈을 사용할 수 있습니다. 여기서는 파이썬 queue 모듈의 Queue 클래스를 사용하겠습니다.

●●● 코드 8.3: 너비 우선 탐색(인접 리스트 방식)　　　　　　완성파일 ch08/BFS.py

```
01:  from queue import Queue              # queue 모듈의 Queue 사용
02:  def BFS_AL(vtx, aList, s):
03:      n = len(vtx)                     # 그래프의 정점 수
04:      visited = [False]*n              # 방문 확인을 위한 리스트
05:      Q = Queue()
06:      Q.put(s)                              큐를 만들고, 맨 처음에 시작 정점 s만 큐에 넣음.
07:      visited[s] = True                     s는 "방문"했다고 표시.
08:      while not Q.empty() :
09:          s = Q.get()
10:          print(vtx[s], end=' ')
11:          for v in aList[s] :               큐에서 정점 s를 꺼내고,
12:              if visited[v]==False :        s의 인접 정점들 중에서
13:                  Q.put(v)                  아직 방문하지 않은 정점들을 모두
14:                  visited[v] = True         큐에 삽입하고, "방문"했다고 표시.
```

2행에서 vtx와 aList는 그림 8.11(c)와 같고, s는 시작 정점의 인덱스입니다. DFS와 달리 순환 호출을 사용하지 않으므로 visited를 매개변수로 전달받지 않는 것에 유의하세요. 그림 8.11의 그래프에서 시작 정점을 U(인덱스는 0)로 선택한 경우의 테스트 프로그램과 실행 결과는 다음과 같습니다.

●●● 코드 8.4: 너비 우선 탐색 테스트 프로그램　　　　　　완성파일 ch08/BFS.py

```
01:  vtx = ['U','V','W','X','Y']          # 그림 8.11(c)의 정점 리스트
02:  aList=[[1, 2], ... ]]                # 그림 8.11(c)의 인접 리스트
03:  print('BFS_AL(출발:U): ', end="")
04:  BFS_AL(vtx, aList, 0)
05:  print()
```

🖳 **실행 결과**

BFS_AL(출발:U): U V W X Y 　　　시작 정점 U에서 가장 먼(거리=2) 정점들

💬 **Quiz**

1. 코드 8.2의 DFS 테스트 프로그램에서 시작 정점을 U가 아니라 W로 선택한 경우 정점들의 방문 순서는 어떻게 될까요?
2. 코드 8.4의 BFS 테스트 프로그램에서 시작 정점을 U가 아니라 W로 선택한 경우 정점들의 방문 순서는 어떻게 될까요?

08-4 신장 트리

신장 트리(spanning tree)는 그래프 내 모든 정점을 포함하는 트리를 말합니다. 즉, 그래프의 정점은 모두 포함하고, 간선은 일부만을 포함해 트리의 형태(사이클이 없어야함)를 이루어야 합니다. 그림 8.15는 그래프 G의 신장 트리의 예와 그렇지 않은 예를 보여주고 있습니다. 하나의 그래프에는 여러 개의 신장 트리가 가능합니다.

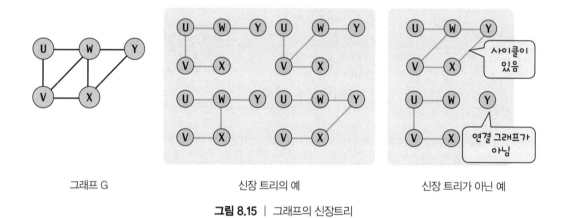

| 그래프 G | 신장 트리의 예 | 신장 트리가 아닌 예 |

그림 8.15 | 그래프의 신장트리

그림 8.15를 보면 신장 트리도 트리의 일종이므로 당연히 모든 정점이 연결되어 있어야 합니다. 또한, 트리이므로 사이클이 없어야 합니다. 만약 그래프의 정점 수가 n이라면 신장 트리는 정확히 n-1개의 간선으로 모든 정점을 연결해야 합니다.
신장트리는 어떻게 구할 수 있을까요? 앞에서 공부한 DFS와 BFS를 이용해 구할 수 있습니다. 즉, 깊이 우선이나 너비 우선 탐색 도중에 사용된 간선들만 모으면 신장 트리가 만들어집니다. 다음은 코드 8.1의 깊이우선탐색 함수를 수정한 신장트리 알고리즘입니다.

●●● **코드 8.5: DFS를 이용한 신장트리(인접행렬 방식)**   완성파일 ch08/SpanningTree.py

```
01:  def ST_DFS(vtx, adj, s, visited) :
02:      visited[s] = True
03:      for v in range(len(vtx)) :
04:          if adj[s][v] != 0 :
05:              if visited[v]==False:
06:                  print("(", vtx[s], vtx[v], ")", end=' ')
07:                  ST_DFS(vtx, adj, v, visited)
```

방문하지 않은 s의 이웃 정점 v가 있으면,
간선 (s,v)를 신장트리에 추가하고,
v를 시작으로 다시 깊이우선탐색 진행

• 6행 : DFS 탐색 도중에 추가되는 간선을 출력합니다. 코드 8.1에서 방문한 정점을
출력하는 2행은 불필요하므로 삭제하였습니다.

그림 8.15의 그래프에 대해 이 알고리즘을 수행하면(시작 정점은 U) 다음과 같이 네
개의 간선을 얻을 수 있습니다. 정점의 수가 5이므로 간선은 4개이고, 이들은 모든 정
점을 사이클이 없이 연결합니다.

🖥 **실행 결과**

ST_DFS_AM: (U V) (V W) (W Y) (V X)

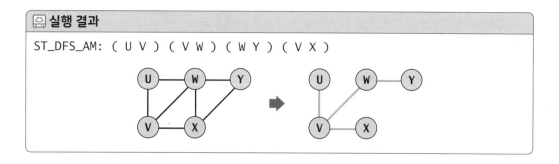

💬 **Quiz**

1. 그림 8.15의 그래프에 대해 너비 우선 탐색(시작 정점은 U)을 이용해 신장트리를 구해보세요. 코드
   8.3의 BFS_AL() 함수에서 탐색 도중에 사용된 간선들을 모으면 됩니다.

08-5 최소 비용 신장 트리

신장 트리는 그래프 내의 모든 정점을 포함하는 트리입니다. 이제 좀 더 특별한 신장 트리를 공부해 보겠습니다. 만약 그림 8.16(a)와 같이 여러 사이트 사이의 연결 비용이 가중치 그래프로 주어졌다고 가정합시다. 우리는 다음 조건으로 모든 사이트를 연결하려고 합니다.

- 그래프의 모든 정점(사이트)은 연결되어야 합니다.
- 연결에 필요한 간선의 가중치 합(비용)이 최소가 되어야 합니다.

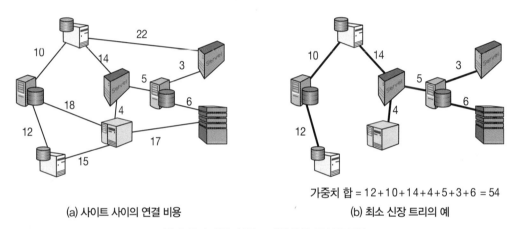

(a) 사이트 사이의 연결 비용　　　가중치 합 = 12+10+14+4+5+3+6 = 54

(b) 최소 신장 트리의 예

그림 8.16 | 최소 신장 트리의 응용: 통신망 구축

만약 연결 방법 중에 사이클이 있으면 어떻게 될까요? 사이클은 두 사이트를 연결하는 두 가지 경로를 제공하므로 비용 측면에서 절대 손해입니다. 결국, 이 문제의 해답은 주어진 그래프의 신장 트리 중에서 하나가 됩니다. 최소 신장 트리(MST: Minimum Spanning Tree) 또는 최소 비용 신장 트리는 이처럼 가중치 그래프의 여러 신장 트리 중에서 간선의 가중치 합이 최소인 것을 말합니다. 예를 들어, 그림 8.16(a)에 대한 최소 신장 트리는 (b)와 같은데, 최소한의 비용(간선의 가중치 합)으로 모든 사이트(정점)를 연결합니다. MST의 응용 분야는 다음과 같이 다양합니다.

- 통신망: 모든 사이트가 연결되도록 하면서 비용을 최소화하는 문제
- 도로망: 도시들을 모두 연결하면서 도로의 길이가 최소가 되도록 하는 문제
- 배관 작업: 파이프를 모두 연결하면서 파이프의 길이를 최소화하는 문제
- 전기 회로: 단자들을 모두 연결하면서 전선의 길이를 최소화하는 문제

최소 신장 트리를 구하는 방법에는 Kruskal과 Prim의 알고리즘이 있는데, 여기서는 Prim의 알고리즘을 살펴보겠습니다.

프림 알고리즘

프림(Prim)은 하나의 정점에서부터 시작하여 최소 신장 트리(MST)를 단계적으로 확장해나가는 방법을 사용합니다. 처음에는 MST에 시작정점만 포함되고, 다음부터 현재까지 만들어진 MST에 인접한 정점 중에서 간선의 가중치가 가장 작은(최소 간선) 정점을 선택하여 MST를 확장합니다. 그리고 이 과정은 MST에 모든 정점이 삽입될 때까지 계속됩니다. 자연어로 기술한 알고리즘은 다음과 같습니다.

●●● 코드 8.6: 프림의 최소 신장 트리 알고리즘(자연어)

```
01:  Prim()
02:  그래프에서 시작정점을 선택하여 초기 트리(MST)를 만듭니다.
03:  MST와 인접한 정점 중 간선의 가중치가 가장 작은 정점 v를 선택합니다.
04:  v와 이때의 간선을 MST에 추가합니다.
05:  아직 모든 정점이 삽입되지 않았으면 2행으로 이동합니다.
```

그런데 이 알고리즘에서 3행이 문제입니다. MST에 인접한 정점 중에서 간선의 가중치가 가장 작은 정점을 찾는다니? 뭔가 애매해 보입니다. 이를 위해, 정점들의 상태를 저장할 배열을 두 개 사용하겠습니다. 배열의 크기는 정점 수와 같습니다.

- **selected[ ]**: 정점이 MST에 포함되었는지를 기록합니다. selected[v]가 True이면 v가 MST에 포함된 것입니다. 맨 처음에는 MST가 공백 트리이므로 배열의 모든 요소가 False가 되고, 단계마다 선택되는 정점이 True로 변경됩니다.
- **dist[ ]**: 현재까지 구성된 MST와 정점 사이의 최단 거리를 저장합니다. 처음에는 시작정점의 값만 0이고 나머지는 모두 무한대(∞)입니다. 새로운 정점 u가 MST에 추가되면 u에 인접한 정점 v의 최단 거리 dist[v]가 더 짧아질 수 있습니다. 만약, 즉, 간선 (u,v)의 가중치가 기존의 dist[v]보다 적으면 dist[v]를 (u,v)의 가중치로 변경하는 것입니다.

이제 알고리즘 3행을 확실하게 처리할 수 있습니다. 즉, 아직 선택되지 않은(selected가 False인) 정점 중에서 dist가 최소인 것을 찾으면 됩니다. 예를 통해 알고리즘의 동작과 각 단계의 배열 변화를 살펴보겠습니다.

단계	그래프	최소신장트리(MST)
0	맨 처음에 MST는 공백 트리이므로 selected는 모두 False입니다. dist[]는 시작 정점 A만 0이고 나머지는 ∞로 초기화됩니다. 표: | | A | B | C | D | E | F | G | | selected | F | F | F | F | F | F | F | | dist | 0 | ∞ | ∞ | ∞ | ∞ | ∞ | ∞ |		
1	dist가 최소인 A를 MST에 넣습니다 (selected 갱신). 이제 A의 인접 정점들의 dist를 갱신해야 합니다. 만약, A와 인접 정점 사이의 간선의 가중치가 기존의 dist보다 작다면, 가중치를 갱신해야 합니다. B와 D가 25, 12로 변경됩니다. 표: | | A | B | C | D | E | F | G | | selected | T | F | F | F | F | F | F | | dist | 0 | 25 | ∞ | 12 | ∞ | ∞ | ∞ |		
2	dist가 최소인 D를 선택하고, 정점 D와 간선 (A, D)를 MST에 넣습니다. E와 F가 아직 선택되지 않은 인접 정점이고, dist를 기존과 비교해 17과 37로 갱신합니다. 표: | | A | B | C | D | E | F | G | | selected | T | F | F | T | F | F | F | | dist | 0 | 25 | ∞ | 12 | 17 | 37 | ∞ |		
3	dist가 최소인 E가 선택되고, E와 간선 (D, E)를 MST에 넣습니다. B, F, G가 아직 선택되지 않은 인접 정점인데, 기존 dist와 비교해 이들을 각각 15, 19, 14로 갱신합니다. 표: | | A | B | C | D | E | F | G | | selected | T | F | F | T | T | F | F | | dist | 0 | 15 | ∞ | 12 | 17 | 19 | 14 |		
4	dist가 최소인 G가 선택되고, G와 간선 (E, G)를 MST에 넣습니다. C, F가 아직 선택되지 않은 인접 정점인데, 기존 dist와 비교해 C를 16으로 갱신합니다. 표: | | A | B | C | D | E | F | G | | selected | T | F | F | T | T | F | T | | dist | 0 | 15 | 16 | 12 | 17 | 19 | 14 |		
5	dist가 최소인 B가 선택되고, B와 간선 (B, E)를 MST에 넣습니다. C가 인접 정점인데, 기존 dist보다 (B,C)의 가중치가 작아 C를 10으로 갱신합니다. 표: | | A | B | C | D | E | F | G | | selected | T | T | F | T | T | F | T | | dist | 0 | 15 | 10 | 12 | 17 | 19 | 14 |		

단계	그래프	최소신장트리(MST)

6

dist가 최소인 C가 선택되고, C와 간선 (B, C)를 MST에 넣습니다.
선택되지 않은 인접 정점은 없습니다.

	A	B	C	D	E	F	G
selected	T	T	T	T	T	F	T
dist	0	15	10	12	17	19	14

7

마지막으로 dist가 최소인 F를 간선 (E, F)와 함께 MST에 넣습니다.
MST가 완성되었습니다.

	A	B	C	D	E	F	G
selected	T	T	T	T	T	T	T
dist	0	15	10	12	17	19	14

프림 알고리즘의 구현

이제 파이썬으로 알고리즘을 구현할 수 있습니다. 먼저 MST에 포함되지 않은 정점 중에서 dist가 최소인 것을 탐욕적으로 찾아 인덱스를 반환하는 함수는 다음과 같습니다.

●●● 코드 8.7: MST에 포함되지 않은 최소 dist의 정점 찾기   완성파일 ch8/MST_Prim.py

```
01:  INF = 999
02:  def getMinVertex(dist, selected) :
03:      minv = 0
04:      mindist = INF
05:      for v in range(len(dist)) :          # MST에 포함되지 않은 정점 중에서 최소 dist를
                                              #   갖는 정점의 인덱스 minv를 구함
06:          if selected[v]==False and dist[v]<mindist :
07:              mindist = dist[v]
08:              minv = v
09:      return minv
```

이제 프림의 MST 알고리즘을 다음과 같이 기술할 수 있습니다.

●●● **코드 8.8: 프림의 최소 신장 트리 알고리즘** 완성파일 ch8/MST_Prim.py

```
11:    def MSTPrim(vertex, adj) :          ← 인접 행렬
12:        n = len(vertex)                 ← 정점 리스트
13:        dist = [INF] * n                dist와 selected 배열 초기화.
14:        dist[0] = 0                   ← dist는 시작 정점 0을 제외하고 모두 INF를 갖고,
15:        selected = [False] * n          selected는 모두 False
16:
17:        for _ in range(n) :             # n개의 정점을 MST에 추가하면 종료됨
18:            u = getMinVertex(dist, selected)
19:            selected[u] = True        ← 최소 dist 정점 u를 찾아 화면에
20:            print(vertex[u], end=' ')     출력하고 "방문"표시를 함
21:            for v in range(n) :
22:                                        # 간선 (u,v)가 있고, v ∉ MST이면
23:                if adj[u][v] != INF and not selected[v] :
24:                    if adj[u][v]< dist[v] : # (u,v)가 dist[v]보다 작으면
25:                        dist[v] = adj[u][v] # dist[v] 갱신
26:                                          ↖ 인접 정점 v의 dist값 갱신.
27:            print(': ', dist) # 중간 결과 출력    이전 값보다 작은 경우에만
                                                   갱신함.
```

알고리즘의 실행 결과는 다음과 같습니다. 정점이 선택되는 순서와 각 단계에서 dist 배열의 변화를 출력하고 있습니다.

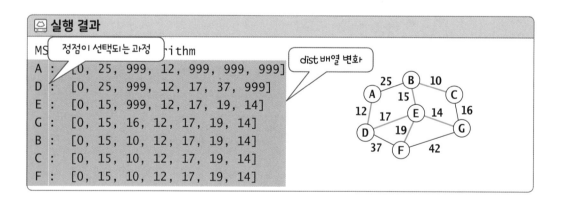

프림 알고리즘은 얼마나 빠를까요?

코드 8.8에서 17행의 외부 루프는 정점의 수 n만큼 반복됩니다. 내부에서는 18행의 getMinVertex() 함수에 반복문이 있는데, 역시 n번 반복합니다. 또한, 21행의 내부 루프도 n번 반복합니다. 따라서 이 알고리즘은 외부와 내부 루프의 반복 횟수의 곱에 비례하는 연산이 필요할 것이고, 결국 시간 복잡도는 $O(n^2)$입니다.

Quiz

1. 아래 그래프에서 최소 신장 트리를 구하기 위하여 노드 A에서 시작하여 프림 알고리즘을 적용할 때, 선택되는 정점과 간선을 순서대로 적어보세요.

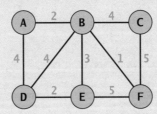

2. 1번 문제의 그래프에서 프림 알고리즘으로 구한 최소 신장 트리의 가중치 합은 얼마인가요?

연습 문제

01 다음 그래프를 인접 행렬로 표현해 보세요.

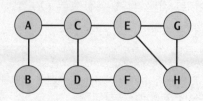

02 1번 문제의 그래프를 인접 리스트로 표현해 보세요.

03 1번 문제의 그래프를 정점 A를 시작정점으로 깊이 우선 탐색할 때 방문하는 정점을 순시대로 나타내 보세요.

04 1번 문제의 그래프를 정점 A를 시작정점으로 너비 우선 탐색할 때 방문하는 정점을 순서대로 나타내 보세요.

05 다음의 그래프에서 가능한 신장 트리를 2개 구하세요. 단, 깊이 우선과 너비 우선 탐색을 각각 사용하세요. 또한, 구해진 신장 트리에서 간선의 가중치의 합을 각각 구하세요.

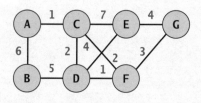

06 5번 문제의 그래프에서 프림의 알고리즘으로 최소 비용 신장 트리를 구해보세요.

알고리즘 설계 전략

컴퓨터 공학에서 가장 관심이 많은 정렬과 탐색, 그래프 문제에 대한 유명한 알고리즘들을 살펴보았습니다. 그런데 알고리즘 몇 개를 단순히 알고 그냥 끝내면 안 되겠죠? 이제 이러한 알고리즘을 어떻게 설계할 수 있는지를 공부해 보겠습니다. 대표적인 알고리즘의 설계 전략들은 다음과 같습니다. 너무 다양하죠?

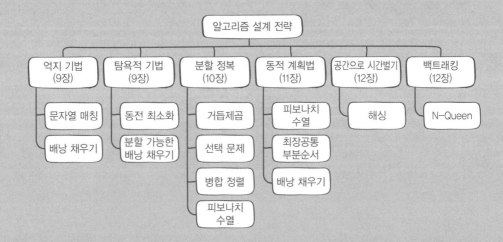

9장에서는 주어진 문제를 해결하기 위한 과정을 먼저 간략히 살펴본 다음, 비교적 간단한 전략인 억지 기법과 탐욕적 기법을 공부합니다. 가장 중요한 분할 정복, 동적 계획법 등은 이어지는 장에서 더 자세하게 다루겠습니다. 이제 문제 해결 능력을 키워볼 준비가 되었나요?

억지 기법과 탐욕적 전략

주어진 문제를 해결하기 위한 알고리즘을 설계하는 것은 꽤 어렵습니다. 때로는 어떻게 해결할지 감도 오지 않아 멍하니 모니터만 쳐다보는 경우도 많습니다. 이때는 컴퓨터를 멀리해야 합니다. 주어진 문제의 해법을 찾을 때는 컴퓨터가 아니라 종이와 펜이 훨씬 효율적인 경우가 많습니다.

이 장에서는 주어진 문제를 어떤 절차로 해결하는지를 먼저 살펴봅니다. 다음으로 간단하고 "무식한" 전략인 억지 기법과 "욕심 많은" 전략인 탐욕적 기법을 공부해 보겠습니다.

이 장을 공부하면 여러분은 주어진 문제를 "정확히 이해"하려고 먼저 노력할 것입니다. 그리고 문제 해결을 위한 "단순한" 방법이 무엇인지, 또, 어떤 "욕심"을 사용할 수 있을지를 고민할 것입니다. 물론 성공적으로 학습한다면 말입니다. 자, 이제 출발해 봅시다.

09-1 문제 해결 과정

주어진 문제를 해결하기 위한 알고리즘을 만들기 위해서는 다음과 같이 몇 가지 단계가 필요합니다.

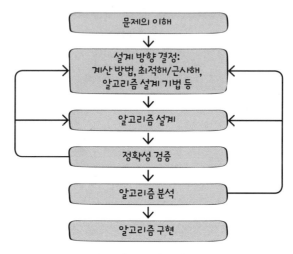

그림 9.1 | 알고리즘 개발 과정

문제의 이해

첫 단계는 주어진 문제를 정확히 이해하는 것입니다. 문제를 자세히 읽고 조금이라도 애매한 부분들을 없애야 합니다. 이를 위해, 간단한 입력에 대한 해답을 구해보고, 좀 더 특별한 경우에 대해서도 생각해 보아야 합니다. 알고리즘이 처리해야 하는 입력의 범위도 정확히 해야 합니다. 올바른 알고리즘은 "대부분의 입력"이 아니라 "모든 유효한 입력"에 대해 정확한 해답을 구할 수 있어야 합니다.

설계 방향 결정

문제를 완전히 이해했다면 이제 알고리즘을 어떤 방향으로 설계할지를 결정해야 합니다. 예를 들어, 사용할 컴퓨터의 특성에 따라 전통적인 순서적(sequential) 알고리즘으로 개발할 수도 있지만, 병렬처리(parallel) 방식을 선택할 수도 있습니다. 우리는 순서적 알고리즘만을 다룹니다.

대부분의 문제는 정확한 해답, 즉 최적해를 요구하겠지만, 근사해를 구해도 되는 경우도 많습니다. 따라서 어떤 해를 구할 것인지도 먼저 결정해야 합니다. 근사해를 고려해야 하는 상황들은 다음과 같습니다.

- 정확한 해 자체를 구할 수 없는 문제들도 많습니다. 예를 들어, 제곱근 문제의 경우 $\sqrt{4}$와 달리 $\sqrt{2}$나 $\sqrt{3}$ 등은 정확한 해 자체를 구할 수 없습니다.
- 입력의 개수가 어느 정도만 넘어도 계산량이 너무 많아져서 현실적인 시간에 해결할 수 없는 문제들도 많이 있습니다. 이런 경우 최적해보다는 근사해를 구하는 것이 현실적입니다.
- 때로는 정확한 해를 구하기 위한 알고리즘의 중간 단계에서 근사해가 사용되는 때도 있습니다. 예를 들어, 분기한정 기법에서 이러한 해가 많이 사용됩니다.

알고리즘 설계

개발 방향에 대한 결정이 끝나면 이제 알고리즘을 설계합니다. 알고리즘의 설계에는 다음과 같은 기법들을 사용할 수 있습니다.

- **억지(brute-force) 기법**: 문제의 정의를 가장 직접 사용하는 방법으로, 원하는 답을 구할 때까지 모든 가능한 경우를 테스트합니다.
- **탐욕적(greedy) 기법**: 단순하고 직관적인 방법으로 모든 경우를 고려해 보고 가장 좋은 답을 찾는 것이 아니라 어떤 결정을 해야 할 때마다 "그 순간에 최적"이라고 생각되는 것을 선택하는 방법입니다.
- **분할 정복(divide-and-conquer)**: 주어진 문제를 여러 개의 더 작은 문제로 반복적으로 분할하여 해결 가능한 충분히 작은 문제로 만든 다음 해결하는 전략입니다.
- **동적 계획법(dynamic programming)**: 작은 문제로 나누는 면에서 분할 정복과 유사하지만, 작은 문제를 해결한 결과를 '저장'하여 다음에 더 큰 문제를 해결할 때 사용하는 것이 가장 큰 차이입니다.
- **공간으로 시간을 버는 전략**: 추가적인 공간을 사용하여 처리시간을 줄이는 전략입니다.
- **백트래킹과 분기한정 기법**: 상태공간트리에서 해를 단계적으로 찾아가는 과정에서 현재의 해가 최종해가 될 수 없다고 판단되면 더는 탐색하지 않고 되돌아가서 다른 후보해를 탐색하는 방법입니다. 더 많은 가지치기를 통한 효율을 높이기 위해 분기 한정 기법을 추가로 사용할 수도 있습니다.

억지 기법과 탐욕적 기법은 이 장에서 다룹니다. 알고리즘 설계에서 가장 중요한 분할 정복과 다른 전략들은 이어지는 장에서 더 자세히 설명합니다.

알고리즘의 정확성

작성된 알고리즘이 주어진 문제의 모든 유효한 입력에 대해 유한한 시간 안에 정확한 해를 구한다는 것을 보이는 것입니다. 두 가지 방법이 있습니다.

- 실험적 분석: 다양한 입력을 이용해 알고리즘의 테스트하여 타당성을 보이는 방법입니다. 간단하지만 모든 가능한 입력 사례들을 포함하기가 어렵고, 충분한 테스트가 어느 정도인지도 알 수 없습니다. 그렇지만, 알고리즘이 틀렸다는 것을 보이기 위해서는 하나의 입력 사례만으로도 충분합니다.
- 증명적인 분석: 수학적으로 타당성을 증명하는 방법으로, 수학적 귀납법 등이 자주 사용됩니다. 알고리즘에 따라 증명이 매우 어려울 수도 있습니다.

알고리즘 분석

알고리즘이 정확하게 동작한다면 다음으로 우리가 가장 관심을 가지는 것은 알고리즘이 얼마나 효율적인가 하는 것입니다. 알고리즘의 효율성은 시간 효율성과 공간 효율성으로 나눌 수 있는데, 보통 시간 효율성이 더 중요하게 생각됩니다. 이것은 6장에서 다루었습니다.

알고리즘의 구현

알고리즘의 설계가 끝나고 정확성이 입증되었으면 알고리즘을 특정 프로그래밍 언어로 구현합니다. 실행 효율을 높이기 위해서는 C언어와 같은 컴파일(compile) 기반 언어를 사용하는 것이 좋고, 빠른 구현과 알고리즘의 동작 확인 등을 위해서는 파이썬과 같은 인터프리터(interpreter) 기반 언어가 편리할 것입니다.

Quiz
1. 근사해를 고려해야 하는 세 가지 상황을 설명해 보세요.

09-2 억지 기법

문제 해결을 위해 알고리즘을 개발해야 하는데, 대부분은 효과적인 설계 기법이 바로 머리에 떠오르지 않을 것입니다. 이때는 어떻게 할까요? 문제의 정의를 한 번 더 곰곰이 생각해 보고, 이것을 바탕으로 가장 단순한 방법을 먼저 생각해 보아야 합니다.

이렇게 개발된 알고리즘의 예는 다음과 같습니다.

- 순차 탐색: 리스트에서 어떤 킷값을 가진 레코드를 찾는 가장 단순한 방법은 처음부터 마지막까지 순서대로 찾아보는 방법입니다. 순차 탐색은 효율적이지는 않지만, 리스트가 정렬되어 있지 않다면 더 좋은 방법은 없습니다.
- 선택 정렬: 정렬은 숫자를 크기순으로 나열하는 작업입니다. 따라서 가장 단순한 방법은 리스트에서 가장 작은 수를 찾아 꺼내고, 새로운 리스트에 순서대로 저장하는 것입니다. 이것이 선택 정렬입니다.

이처럼 문제의 정의를 바탕으로 한 가장 직접적인 해결 방법을 억지 기법(brute-force)이라고 하는데, 단순한 또는 순진한(naive) 전략이라고도 불립니다. 이러한 전략은 보통 문제에서 특별한 시간 조건이나 공간 조건이 주어져 있지 않았을 때 사용할 수 있는데, 보통은 그렇게 효율적이지는 않습니다.
예를 들어, a의 n거듭제곱 a^n을 구하는 문제를 생각해 봅시다. '거듭제곱'의 정의에 따라 단순하게 a를 n번 거듭해 곱하는 방법으로 해결할 수 있습니다.

$$a^n = 1 \cdot a \cdot \cdots \cdot a$$

이 알고리즘의 시간 복잡도는 명확히 $O(n)$이지만, 다음 장에서 공부할 분할 정복을 이용하면 $O(\log_2 n)$ 알고리즘을 만들 수도 있습니다. 그렇다고 이러한 억지 기법이 시시하고 의미가 없을까요? 물론 그렇지 않습니다. 너무너무 중요합니다.

- 해결하지 못하는 것보다는 단순하게라도 해결하는 것이 훨씬 좋습니다.
- 쉬운 문제를 어렵게 풀 필요는 없습니다.
- 매우 광범위한 문제에 적용할 수 있는 알고리즘 설계 기법입니다.
- 입력의 크기가 작은 경우 충분히 빠를 수 있고, 심지어 점근적으로 더 효율적인 알고리즘보다 실제로는 더 빠를 수도 있습니다.
- 더 효율적인 알고리즘의 설계와 분석을 위한 이론적인 기반이 됩니다.

두 가지 문제를 억지 기법으로 해결해 봅시다.

문자열 매칭 문제

문서 작업을 하거나 웹페이지를 검색할 때 원하는 키워드나 문자열을 찾고 싶은 경우가 있습니다. 이때 필요한 것이 문자열 매칭(string matching)인데, 탐색 작업의 하나의 특수한 경우로 볼 수 있습니다.

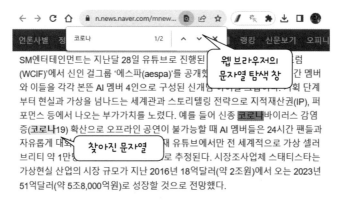

길이가 n인 입력 문자열 T와 길이가 m인 패턴 문자열 P가 주어졌을 때, T에서 가장 먼저 나타나는 P의 위치를 찾는 문제를 해결해 봅시다. 예를 들어, 그림 9.2와 같이 "BRUTEFORCE"에서 "FOR"를 찾는 경우는 매칭에 성공한 위치 5를 반환합니다. 그런데 "ALGORITHM"에는 "FOR"가 없으므로 -1을 반환하면 됩니다.

그림 9.2 | 문자열 매칭의 예

억지 기법 알고리즘 설계

이 문제를 억지 기법으로 해결해 봅시다. 순차 탐색과 비슷하게 순서대로 검사하면 됩니다. 다음 전략을 생각할 수 있겠습니까?

텍스트의 첫 번째 문자 위치에 패턴을 놓고 한 문자씩 비교합니다. 서로 다른 문자가 나오면 패턴을 다음 위치로 옮겨 다시 앞의 과정을 반복하는데, 성공한 매칭이 나타날 때까지 반복합니다.

그림 9.3과 같이 "HELLO WORLD"에서 "LO"를 찾아봅시다. 패턴의 첫 문자는 'L'인데 텍스트의 첫 문자는 'H'여서 서로 다릅니다. 이 경우 패턴의 다음 문자 'O'를 비교할 필요없이 전체 패턴을 다음 위치로 이동합니다. 이 과정은 패턴의 첫 번째 문자가 일치할 때까지 반복되는데, 2에서 일치하였습니다. 이제 패턴의 두 번째 문자 'O'를 텍스트와 비교하는데, 텍스트가 'L'이므로, 다시 패턴 전체를 다음 위치로 이동합니다. 3에서 드디어 패턴의 모든 문자가 일치하였고, 따라서 이를 반환합니다.

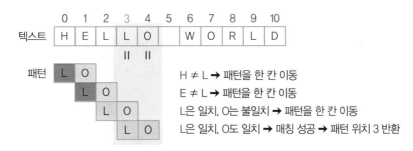

그림 9.3 | 억지 기법의 문자열 탐색 과정 예

이 과정을 알고리즘으로 기술하면 코드 9.1과 같습니다.

코드 9.1: 문자열 매칭(억지 기법)

참고파일 ch09/StringMatching.py

```
01:  def string_matching( T, P ):        # T: 입력 문자열(텍스트), P: 탐색 패턴
02:      n = len(T)        # n: 텍스트의 길이
03:      m = len(P)        # m: 패턴의 길이
04:
05:      for i in range(n-m+1) :
06:          j = 0
07:          while j < m and P[j]==T[i+j] :
08:              j = j + 1
09:          if j == m :
10:              return i        # 매칭 성공
11:      return -1        # 매칭 실패
```

텍스트 위치(i)는 0부터 n-m까지만 진행되어야 함

현재 텍스트 위치(i)에서 패턴의 첫 문자(j=0)부터 하나씩 텍스트 문자와 비교함.
만약 맨끝(j==m)까지 일치하면 매칭 성공. 현재 위치 i를 반환

다음과 같이 "HELLO WORLD"에서 "LO"와 "HI"를 찾도록 함수를 호출하면 각각 3과 -1이 반환됩니다.

```
string_matching('HELLO WORLD', 'LO')    # 3을 반환함(매칭 성공)
string_matching('HELLO WORLD', 'HI')    # -1을 반환함(매칭 실패)
```

복잡도 분석

이 알고리즘의 처리시간은 무엇에 영향을 받을까요? 당연히 입력 텍스트와 패턴이 길수록 더 많은 시간이 걸릴 것입니다. 따라서 입력의 크기는 텍스트의 길이 n과 패턴의 길이 m으로 두 가지입니다. 입력의 크기에 따라 7행의 비교 연산 (P[j]==T[i+j])이 몇 번 실행될지 살펴봅시다. 이 알고리즘은 입력의 구성에 따라 성능이 다릅니다.

- 최선의 경우: 기대할 수는 없겠지만, 가장 운이 좋은 상황은 그림 9.4와 같이 텍스트 T의 맨 앞의 문자열이 패턴 P와 일치할 때입니다. m번의 비교만으로 문자열 매칭이 종료되므로 시간 복잡도는 $O(m)$입니다.

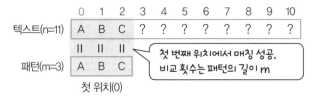

그림 9.4 | 억지기법 문자열 매칭의 최선의 입력 예

- **최악의 경우**: 어떤 경우가 최악일까요? 생각보다 간단하지는 않습니다. 찾는 패턴이 나타나지 않아 그림 9.5와 같이 패턴을 텍스트의 처음(0)부터 끝(n−m)까지 움직여야 합니다. 즉, n−m+1번 시작 위치가 달라지는 것입니다. 그런데, 이것이 끝이 아닙니다. 각 위치에서도 패턴의 모든 문자를 비교하는 경우가 최악입니다. 예를 들어, 텍스트 T가 "AAAAAAAA?"이고 패턴 P가 "AAB"인 경우가 최악입니다. 패턴의 마지막 문자만 텍스트와 달라야 가장 많은 비교가 필요합니다. 즉, 모든 위치(n−m+1가지)에서 패턴의 모든 문자(m)를 비교하므로, 전체 비교는 이 둘을 곱한 m(n−m+1)번 필요합니다. 만약 텍스트가 패턴보다 훨씬 길다고 가정하면(n >> m) 최악의 복잡도는 $O(nm)$입니다.

그림 9.5 │ 알고리즘 3.7을 위한 최악의 입력 예

우리가 사용하는 언어에서는 이와 같은 최악의 상황은 나타나기 어렵습니다. 따라서 평균적인 경우는 최악의 경우보다 훨씬 좋은데, 실제로도 무작위 텍스트에서 $O(n)$에 가까운 성능을 보이는 것으로 알려져 있습니다.

배낭 채우기 문제(Knapsack Problem)

좀 행복한 상상을 해 봅시다. 꿈꾸던 해외 배낭여행을 가려고 짐을 꾸리는 것입니다. 그런데 해결해야 할 문제가 하나 있습니다. 배낭에 넣어 가고 싶은 물건은 많은데 항공기의 위탁 수하물 무게에 제한이 있는 것입니다. 이와 관련된 문제를 0−1 배낭 채우기 문제라고 합니다.

그림 9.6 | 0-1 배낭 채우기 문제

●●● 문제 9.1: 0-1 배낭 채우기 문제(0-1 knapsack problem)

무게가 각각 wgt_i이고 가치가 val_i인 n개의 물건이 있습니다. 이것을 넣을 배낭의 용량(최대 무게)은 W인데, 이를 초과해서 넣을 수는 없습니다. 물건들의 가치의 합이 최대가 되도록 배낭을 채웠을 때, 배낭의 최대가치를 구해보세요. 단, 하나의 물건을 잘라서 일부만 넣을 수는 없습니다.

예를 들어, W(배낭 용량)가 50이고, 무게와 가치가 각각 (10, 60), (20, 100), (30, 120)인 물건 A, B, C가 있을 때, 가능한 모든 경우를 나타내면 그림 9.7과 같습니다.

무게 합이 용량을 넘지 않으면서 가치 합은 최대인 최적해

가치 합은 최대이지만 무게 합이 용량을 넘어 불가능한 해답

넣는 물건	A	B	C	A, B	B, C	A, C	A, B, C
무게 합	10	20	30	30	50	40	60
가치 합	60	100	120	160	220	180	280

그림 9.7 | 세 가지 물건을 넣는 모든 경우(하나도 안 넣는 경우 제외)

억지기법 알고리즘 설계

이 문제에 대한 가장 직접적인 전략은 완전 탐색입니다. 즉, 가능한 모든 경우를 살펴보는 것입니다. n개의 물건의 집합에 대한 모든 부분집합을 만들고, 무게 합이 배낭 용량을 넘지 않으면서 가치가 최대인 것을 찾으면 됩니다.

그렇다면 원소의 개수가 n인 집합의 부분집합의 수는 얼마일까요? 모든 원소를 넣거나 뺄 수 있고, 이런 원소가 n개이므로 가능한 부분집합의 수는 2^n입니다.

알고리즘을 설계해 봅시다. 모든 부분 집합은 어떻게 만들까요? 생각보다 복잡하고, 순환 호출을 이용하는 등 여러 해결책이 있습니다. 가장 간단한 방법은 부분집합의 수가 2^n이므로, 숫자를 0부터 2^n-1까지 만들고, 각 숫자에 대한 이진수의 각 비트 정보를 이용하는 것입니다. 예를 들어, 물건의 수 n이 3이면 0~7의 8가지 경우가 발생하는데, 0은 이진수로 000이므로 물건을 하나도 안 넣는 것이고, 7은 111이므로 모두 넣는 것을, 그리고 5는 101이므로 첫 번째와 세 번째 물건을 넣는 것으로 계산하는 방법입니다. 2^n가지 각 숫자에 대해 이진수 각 비트를 리스트에 저장하는 방법으로 구현한 코드는 다음과 같습니다.

●●● **코드 9.2: 0-1 배낭 채우기(억지 기법)**   참고파일 ch09/Knapsack01_BF.py

```
01:  def Knapsack01_BF(wgt, val, W):
02:      n = len(wgt)              # 전체 물건의 수
03:      bestVal = 0              # 배낭의 최대 가치
04:
05:      for i in range(2**n) :
06:          s = [0]*n
07:          for d in range(n) :
08:              s[d] = i%2
09:              i = i//2
10:
11:          sumval = 0
12:          sumWgt = 0
13:          for d in range(n):
14:              if s[d] == 1 :
15:                  sumWgt += wgt[d]
16:                  sumVal += val[d]
17:
18:          if sumWgt <= W :
19:              if sumVal > bestVal :
20:                  bestVal = sumVal
21:
22:      return bestVal   # 최대 가치 반환
```

05행 → 부분집합의 수는 2^n이므로, i에 0부터 2^n-1까지를 순서대로 대입함.

07~09행 → i를 이진수로 변환했을 때, 각 자리의 수를 리스트에 저장(역순으로). 예를 들어, 6은 이진수로 110인데, [0, 0, 1]로 저장함. 리스트에서 1이 포함되는 물건을 가리키도록 함.

13~16행 → 현재 경우(i)에 대한 물건의 총 무게와 총 가치를 구함.

18~20행 → 가능한 부분 집합이고, 가치합이 최대 가치보다 크면 최대 가치 갱신

5개의 물건으로 용량 80인 배낭을 채울 때 최대 가치를 구하는 테스트 프로그램은 다음과 같습니다. 실행 결과로, 인덱스가 1, 2, 3인 물건을 넣는 경우 최대 가치 290을 반환합니다.

```
weight = [10, 20, 30, 25, 35]    # 물건별 무게
value  = [60, 100, 120, 70, 85]  # 물건별 가치
Knapsack01_BF(weight, value, 80) # 290을 반환함(인덱스 1, 2, 3인 물건을 넣음)
```

복잡도 분석

이 알고리즘의 복잡도는 당연히 $O(2^n)$입니다. 이러한 억지기법 알고리즘은 방법은 항상 최적의 해를 구해주지만, 역시 복잡도가 너무 높아 n이 조금만 커져도 현실적으로 사용하기가 어렵다는 한계가 있습니다. 그런데, 문제를 약간 변형하거나, 입력에 제한을 가한다면 좀 더 효율적인 알고리즘을 설계할 수 있는데, 다음 절에서 다룹니다.

> **Quiz**
>
> 1. 100개의 0으로 구성된 이진 텍스트(binary text)에서 다음의 패턴을 찾으려고 합니다. 코드 9.1과 같은 억시 기법을 사용한다면 각각 몇 번의 비교 연산이 필요할까요?
>   (1) 00001   (2) 10000   (3) 01010
> 2. 50개의 물건을 용량이 정해진 배낭에 넣으려고 합니다. 억지기법을 사용하는 경우 모든 가능한 경우의 수는 얼마일까요?

09-3 탐욕적 기법

억지 기법과 비슷하게 탐욕적 기법(greedy method)도 매우 단순하고 직관적인 전략을 사용합니다. 그렇지만 모든 경우를 고려해 보고 가장 좋은 답을 찾는 것이 아니라 '그 순간에 최적'이라고 생각되는 답을 선택합니다. 즉, 억지 기법과 달리 멀리 내다보지 않고 앞에 있는 가까운 것들만 보고 결정하기 때문에 "근시안적"인 알고리즘이라 할 수 있습니다.

그림 9.8 | 탐욕적 전략의 예

그렇다면 순간에 최적이라고 판단했던 선택들을 모아 만든 최종적인 답이 '궁극적으로 최적', 즉 최적해가 될까요? 항상 그렇다는 보장은 없습니다. 따라서 탐욕적 알고리즘은 최적의 해답을 주는지를 반드시 검증해야 하는데, 실제로 많은 경우 최적해를 찾지 못합니다. 따라서 탐욕적 기법이 사용될 수 있는 경우는 다음과 같이 두 가지로 제한됩니다.

- 탐욕적 기법으로도 최적해를 구할 수 있다면 당연히 이것을 사용하는 것이 좋습니다. 왜냐하면 다른 전략들보다 시간적으로 훨씬 효율적이기 때문입니다. 예를 들어, 8장에서 다룬 최소 비용 신장 트리를 위한 프림의 알고리즘이나, 최단경로거리를 구하는 다익스트라 알고리즘 등이 여기에 속합니다.
- 시간이나 공간적인 제약으로 최적해가 현실적으로 불가능한 경우에 사용할 수 있습니다. 탐욕적 기법이 최적해보다는 못하지만 임의로 선택한 답보다는 훨씬 좋기 때

문입니다. 예를 들어, 분기 한정 기법에서 좋은 한계값를 구하기 위해 탐욕적 기법이 사용될 수 있습니다.

탐욕적 기법은 결정 순간에 가능한 해 중에 지역적으로 최적인 것을 선택하고, 이러한 선택은 이후의 단계에서 다시 변경될 수 없습니다. 무슨 말인지 모르겠다고요? 쉬운 예를 이용해 설명해 보겠습니다.

거스름돈 동전 최소화

요즘은 신용카드를 많이 사용하지만, 가게에서 현금으로 물건을 사고 거스름돈을 동전으로 돌려받는 상황을 생각해 봅시다. 특별한 이유가 없다면 누구나 더 적은 수의 동전을 원할 것입니다. 이것과 관련된 문제가 있습니다.

••• 문제 9.2: 거스름돈 동전 최소화 문제

> 액면가가 서로 다른 m 가지의 동전 $\{C_1, C_2, \cdots, C_m\}$ 이 있습니다. 거스름돈으로 V원을 동전으로만 돌려주어야 한다면 최소 몇 개의 동전이 필요한지를 구하세요. 단, 모든 동전은 무한히 사용할 수 있고, 액수가 큰 것부터 내림차순으로 순서대로 정렬되어 있습니다.

우리나라에서는 그림 9.9와 같이 {500원, 100원, 50원, 10원, 5원, 1원}의 6가지 동전이 사용되고 있습니다. 이 동전들로 몇 가지 거스름돈을 최소 동전으로 만들어 봅시다.

그림 9.9 | 현재 우리나라의 동전 종류

- 거스름돈 620원: 500원 + 100원 + 10원 × 2 → 동전 4개
- 거스름돈 345원: 100원 × 3 + 10원 × 4 + 5원 → 동전 8개
- 거스름돈 572원: 500원 + 50원 + 10원 × 2 + 1원 × 2 → 동전 6개

어렵지 않게 답을 구할 수 있습니다. 남은 거스름돈에 대해 액면가가 가장 높은 동전부터 탐욕적으로 최대한 사용하면서 거스름돈을 맞추면 동전 개수를 최소로 만들 수 있기 때문입니다. 이 방법은 탐욕적으로 전략의 대표적인 예입니다.

최적해를 구할까?

그런데 사실 그렇게 간단하지만은 않습니다. 만약, 우리나라에서 기념주화로 60원짜리를 추가로 만들었다고 생각해 봅시다. 거스름돈 620원을 만들기 위해 500원짜리 하나와 60원짜리 두 개, 즉 3개의 동전으로 거스름돈을 만들 수 있습니다.

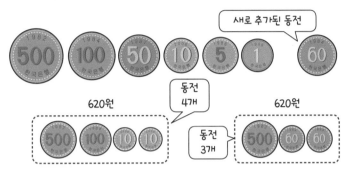

그림 9.10 | 탐욕적 기법이 항상 최적해를 만들지는 못한다.

그런데 탐욕적으로 액면가가 높은 것부터 사용한다면 어떻게 될까요?

- 620원이 남았으므로 500원짜리를 한 개 사용합니다. 잔돈은 120원입니다.
- 액면가가 가장 높은 100원짜리를 한 개 사용합니다. 잔돈은 20원입니다.
- 액면가가 가장 높은 10원짜리를 두 개 사용해 나머지를 맞춥니다.

따라서 총 4개의 동전이 필요하고, 이것은 최적해(3개)가 아닙니다. 결국 동전 최소화 문제는 탐욕적 기법으로 최적해를 구하지 못합니다.

그렇다면 어떤 방법으로 최적해를 구할 수 있을까요? 억지 기법을 적용할 수 있지만, 지수적인(exponential) 시간 복잡도를 갖게 되므로 매우 비효율적입니다. 11장에서 공부할 동적 계획법이 좋은 선택인데, $O(mV)$이라는 훨씬 개선된 시간 복잡도와 $O(V)$의 공간 복잡도를 갖게 됩니다. 이때, m은 액면가가 다른 동전의 종류이고, V는 거스름돈 액수입니다.

이 문제에 대해 탐욕적 전략은 최적해를 보장하지 못하지만 다음과 같은 동전 체계를 갖는다면 이야기는 달라집니다.

동전의 액면가 중에서 어떤 두 개를 고르더라도 큰 액면가를 작은 액면가로 나누어 떨어지는 동전 체계를 갖는다면 최적해를 보장합니다. 작은 액면가를 여러 개 모으면 반드시 큰 액면가를 만들 수 있기 때문입니다.

우리나라 동전의 액면가들은 이러한 조건을 만족합니다. 예를 들어, 500원은 100원을 5개 모으거나, 50원을 10개, 10원을 50개, 1원을 500개 모으면 만들 수 있습니다. 대부분 나라에서는 지폐나 동전의 단위로 이런 방법을 유지하는데, 이런 체계에서는 탐욕적 알고리즘이 항상 최적해를 보장합니다.

분할 가능한 배낭 채우기

다시 여행을 가기 위한 배낭 채우기 문제로 돌아가 봅시다. 0-1 배낭 채우기 문제는 탐욕적 기법으로 해결할 수 있을까요?

그림 9.11 | 탐욕적 전략의 배낭 채우기

이 문제에 대한 두 가지 '탐욕'을 생각해 봅시다.

- 탐욕 1: 무게와 상관없이 가장 비싼 물건부터 넣어보는 방법
- 탐욕 2: 단위 무게당 가격이 가장 높은 물건부터 넣어보는 방법

0-1 배낭 문제는 탐욕적 기법으로 최적해를 구하지 못합니다

불행히도 이 방법들은 모두 최적해를 구하지 못합니다. 최적해가 아닌 상황을 간단히 제시할 수 있기 때문입니다. 세 개의 물건 A=(12kg, 120만 원), B=(10kg, 80만 원), C=(8kg, 60만 원)가 있고, 배낭의 용량이 18kg인 경우를 생각해 봅시다. 최적해는 B와 C를 넣는 경우이고, 최대 가치는 140만 원입니다.

- 탐욕 1: 가장 비싼 물건은 A입니다. 일단 A를 선택하면 용량 때문에 B나 C는 넣을 수 없고, 배낭 가치는 120만 원이 됩니다. 최적해 140만 원보다 작습니다.

• 탐욕 2: 단위 무게당 가장 비싼 물건도 A입니다. A는 kg당 10만 원의 가치가 있는데, B나 C는 이보다 가치가 낮습니다. 탐욕 1과 같이 최적해가 아닙니다.

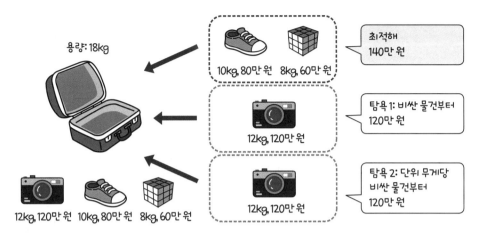

그림 9.12 | 0-1 배낭문제는 탐욕적 기법으로 최적해를 구하지 못한다.

결론적으로 0-1 배낭 채우기 문제는 어떤 '탐욕'을 사용해도 최적해를 만들 수 없습니다. 그런데 문제를 약간 변형하면 최적해를 구할 수 있습니다.

분할 가능한 배낭 채우기 문제

만약 물건들이 가루로 되어 있어 일부분만을 배낭에 넣을 수 있다면 어떻게 될까요? 이것을 분할 가능한 배낭 채우기(Fractional Knapsack) 문제라고 합니다.

●●● 문제 9.3: 분할 가능한 배낭 채우기 문제 (Fractional Knapsack problem)

> 각각 무게가 wgt_i이고 가치가 val_i인 n개의 물건들이 있고, 이것을 배낭에 넣으려고 합니다. 배낭에는 용량(최대 무게) W까지만 넣을 수 있습니다. 물건들의 가치의 합이 최대가 되도록 배낭을 채우고, 이때 배낭의 최대가치를 구해 보세요. <u>단, 물건들은 나누어 일부분만을 넣을 수도 있습니다.</u>

앞에서와 비슷한 경우를 생각해 봅시다. 미세한 가루로 된 세 가지 물건, A=(12kg, 120억 원), B=(10kg, 80억 원), C=(8kg, 60억 원)가 있다고 합시다. 이제 물건들은 가루로 되어 있어 마음대로 일부분만 넣을 수 있습니다.

그림 9.13 | 분할 가능한 배낭 채우기 문제

이 문제를 탐욕적인 방법으로 해결해 봅시다. 어떤 '탐욕'을 사용해야 할까요? 당연히 단위 무게당 가격이 높은 물건부터 넣어야 합니다.

그림 9.14는 이러한 탐욕적 전략에 따른 처리 과정을 보여줍니다. 단위 무게당 가치는 금가루, 희토류, 화성 흙 순입니다. 따라서 금가루부터 넣습니다. 금가루를 모두 넣어도 배낭의 용량이 남습니다. 다음으로 단가가 높은 희토류를 넣는데, 배낭 용량이 6kg 밖에 남지 않았으므로 그만큼만 채우면 배낭이 가득찹니다. 화성 흙은 아쉽지만 조금도 넣지 못합니다.

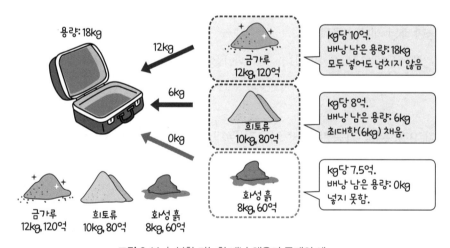

그림 9.14 | 분할 가능한 배낭 채우기 문제의 예

0-1 배낭 채우기와는 달리 이 문제에서는 항상 배낭을 최대 용량으로 채울 수 있는 것에 유의하세요. 알고리즘은 간단합니다. 물건의 리스트가 입력되면 먼저 무게당 가치의 내림차순으로 정렬합니다. 다음으로 단가가 가장 높은 것부터 최대한 많이 탐욕적으로 배낭에 넣으면 됩니다.

●●● 코드 9.3: 분할 가능한 배낭 채우기(탐욕적 기법)　　참고파일 ch09/KnapsackFrac.py

```
01:  def KnapSackFrac(wgt, val, W):                물건들은 단위 무게당 가격의
02:      bestVal = 0           # 최대가치            내림차순으로 정렬되어 있어야 함.
03:      for i in range(len(wgt)):     # 단가가 높은 물건부터 처리
04:          if W <= 0 :               # 용량이 다 찼으면 채우기 종료
05:              break
06:          if W >= wgt[i]:
07:              W -= wgt[i]              물건 전체를 넣을 수 있으면, 넣고(최대 가치
08:              bestVal += val[i]        증가시킴), 남은 용량 W를 갱신
09:          else:
10:              fraction = W / wgt[i]        일부만 넣을 수 있으면, 최대
11:              bestVal += val[i] * fraction  비율을 계산하고, 최대한
12:              break                         채움(최대가치 증가) 채우기
13:                                            종료
14:      return bestVal  # 최대 가치 반환
15:
16:  # 테스트 프로그램
17:  weight = [12,  10,  8]      # (정렬됨)
18:  value  = [120, 80, 60]      # (정렬됨)
19:  W = 18                      # 배낭의 제한 용량
20:  print("Fractional Knapsack(18):", KnapSackFrac(weight, value, W))
```

🖥 실행 결과

```
Fractional Knapsack(18): 168.0
```

1행에서 물건들은 단위 무게당 가격의 내림차순으로 정렬되어 있어야 하는데, 17~18행의 세 가지 물건들은 이미 (가격/무게)의 내림차순으로 정렬되어 있습니다.

이 알고리즘이 항상 최적해를 보장할까요? 넣을 수 있는 모든 공간을 항상 무게당 가격이 가장 높은 것부터 채우기 때문에 최적해를 확실히 보장합니다.

알고리즘의 복잡도는 $O(n)$입니다. 3행의 반복문밖에 고려할 것이 없기 때문입니다. 결론적으로 0-1 배낭 문제는 탐욕적 전략으로는 최적해를 구할 수 없지만, 문제의 조건을 변경한 분할 가능한 배낭 문제는 탐욕적 기법으로도 최적해를 구할 수 있습니다.

💬 Quiz

1. 우리 나라 동전을 이용해 탐욕적 기법으로 866원의 거스름돈을 만들어보세요. 몇 개의 동전이 필요할까요?
2. 가장 가벼운 물건부터 넣어보는 탐욕도 0-1 배낭 채우기의 최적해를 구하지 못한다는 것을 사례를 들어 설명해 보세요.

연습 문제

01 미국은 그림과 같이 Quarter, Dime, Nickel, penny란 동전을 사용하고 있습니다. 이 동전들을 이용해 거스름돈 68센트를 돌려주려고 합니다. 탐욕적 기법의 알고리즘이 수행되는 과정을 설명하세요. 이 방법이 거스름돈 동전 수를 최소화할 수 있을까요?

25cent
(Quater)　　10cent
(Dime)　　5cent
(Nickel)　　1cent
(penny)

02 위 문제에서 만약 동전 중에서 Nickel이 없어졌다면 어떻게 될까요? 남은 세 가지 동전들을 이용해 탐욕적 기법으로 거스름돈 동전 수를 최소화할 수 있을지를 설명해 보세요. 거스름돈이 30센트라고 가정합시다.

03 A=(60만 원, 10kg), B=(100만 원, 20kg), C=(120만 원, 30kg)의 세 물건이 있을 때 탐욕적 기법의 분할 가능한 배낭 채우기 알고리즘으로 용량 50kg인 배낭을 채우는 최적의 방법을 구하세요.

04 허프만 코드는 문자열 압축에 사용되는 가변길이코드로, 탐욕적 전략을 사용해 코드를 생성합니다. 인터넷에서 허프만 코드를 찾아보고, 다음과 같이 5개의 심벌과 빈도수가 주어졌을 때 허프만 코드가 어떻게 만들어지는지를 설명해 봅시다.

심벌(알파벳)	A	B	C	D	E
빈도	0.4	0.1	0.2	0.15	0.15

Chapter

10

분할 정복

학습목표

누가 뭐래도 알고리즘 설계를 위한 가장 중요한 전략은 분할 정복(divide and conquer)입니다. 나폴레옹의 전쟁에서 유래된 것으로 알려진 이 전략은 "적군이 강하면 먼저 적을 작게 나눈 다음, 작아진 상대들을 개별적으로 정복"하는 방법으로 알고리즘 설계에서도 매우 중요하게 사용됩니다. 실제로, 퀵 정렬이나, 이진 탐색 등 많은 유명한 알고리즘들이 이 전략에 바탕을 두고 있습니다.

이 장에서는 분할 정복 전략을 다룹니다. 효율적인 알고리즘을 만들기 위해 입력 데이터를 어떻게 나누고, 작게 나뉜 데이터를 어떻게 처리하며, 처리된 결과를 어떻게 하나의 결과로 합치는지 세부 과정들을 유심히 살펴보아야 합니다.

10-1   분할 정복이란?

나폴레옹이 전쟁에서 사용한 것과 같이 분할 정복(divide and conquer)은 주어진 문제를 둘 또는 여러 개의 작은 부분 문제들로 나누고, 이들을 각각 해결한 다음 결과를 모아서 원래의 문제를 해결하는 전략입니다. 이때, 나뉜 부분 문제가 아직도 충분히 작지 않아 해결하기 어렵다면 어떻게 할까요? 분할 정복을 부분 문제에 다시 적용하면 됩니다. 이때 보통 순환 호출이 사용됩니다. 분할 정복 기법의 기본 아이디어는 다음과 같습니다.

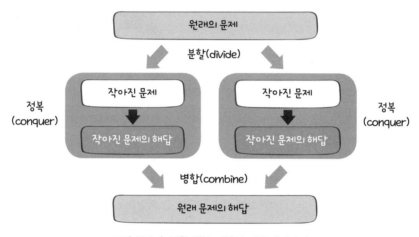

그림 10.1 | 분할 정복 기법의 기본 아이디어

분할 정복은 다음과 같은 세 단계를 통해 문제를 해결합니다.

분할(divide): 주어진 문제를 같은 유형의 부분 문제들로 분할합니다.
정복(conquer): 부분 문제들을 해결하여 결과(부분적인)를 만듭니다.
병합(combine): 부분적인 결과들을 묶어 최종 결과를 만듭니다.

예: 배열의 합 구하기

n개의 숫자 $a_0, a_1, \cdots, a_{n-1}$가 들어 있는 배열 합을 구해봅시다. 가장 단순한 방법은 반복문을 이용해 첫 번째 숫자부터 하나씩 모든 숫자를 더하는 것입니다. 그런데 이 문제에도 분할 정복 전략을 적용할 수 있습니다.

n개의 숫자가 입력되면 이를 두 그룹으로 나누고(divide), 각 그룹에 대한 합을 독립적으

로 구해서(conquer), 마지막으로 두 그룹의 합을 더하는(combine) 것입니다. 그림 10.2
는 이 문제에 대한 분할 정복 전략을 보여줍니다.

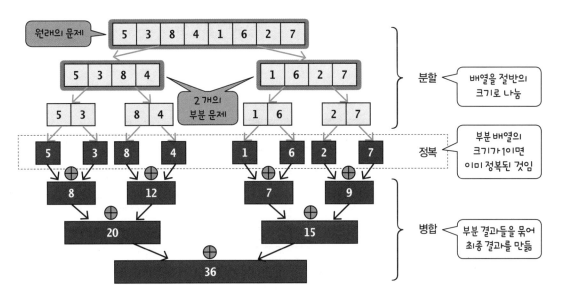

그림 10.2 │ 배열의 합을 구하는 문제에 대한 분할 정복 전략

- 분할(divide): 배열을 반으로 나누면 $n/2$개의 숫자를 더하는 두 개의 작은 문제가 생깁니
  다. 이 과정은 문제의 크기가 충분히 작아질 때까지 반복되는데, 배열의 크기가 1이 되
  면 분할을 멈춥니다.
- 정복(conquer): 배열의 크기가 1이면 배열의 합은 배열의 그 요소 자체입니다. 따라서 이
  미 정복되었습니다.
- 병합(combine): 이제부터 부분 문제의 결과를 더합니다. 병합은 최종적으로 주어진 문제
  의 해를 구할 때까지 진행됩니다.

분할 정복이 조금 이해되나요? 자. 그렇다면 이 방법이 배열 요소들을 단순히 순서대로
더하는 것에 비해 효율적일까? 예를 들어, 8개의 숫자를 순서대로 더하려면 7번의 덧셈
이 필요한데, 그림 10.2의 병합 과정에서도 ⊕가 7번 사용되었습니다. 따라서 두 방법은
차이가 없습니다.
이처럼, 분할 정복이 모든 문제에서 더 효율적인 것은 아닙니다. 그렇지만 정렬이나 탐색
과 같은 많은 중요한 문제에서 상당한 효과를 발휘합니다.

분할 정복과 축소 정복

때로는 분할 정복을 축소 정복(decrease-and-conquer)과 구분하기도 합니다. 축소 정복은 원래의 문제를 나눈 후에 해결해야 할 부분 문제가 하나만 남는 특별한 경우를 말합니다. 예를 들어, 그림 10.3은 이진 탐색의 예를 보여주는데, 분할된 두 부분 배열에서 한쪽은 더는 고려할 필요가 없습니다. 결국, 원래의 문제가 절반 이하로 작아진 하나의 부분 문제로 축소되는 것입니다.

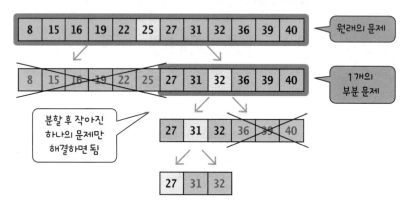

그림 10.3 | 이진 탐색(축소정복)의 예(정렬된 배열에서 27 탐색 과정)

정렬된 배열에서의 이진 탐색은 분할 정복 전략 중에서도 축소 정복을 이용하는 것입니다. 이 장에서는 몇 가지 문제에 대한 분할 정복 전략을 공부해 보겠습니다.

10-2 거듭제곱 구하기

어떤 수 x의 n 거듭제곱 x^n을 구하는 문제를 해결해 보겠습니다. 예를 들어, x가 5이고 n이 2라면 $x^n = 5^2 = 25$이므로 25가 출력되어야 합니다. 파이썬에서는 **연산자를 제공하므로 5**2로 바로 구할 수 있지만, 이 연산자를 사용하지 않고 직접 구하는 알고리즘을 만들어보려고 하는 것입니다.

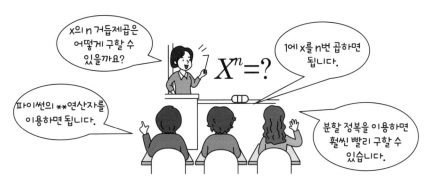

그림 10.4 | x의 n-거듭제곱을 구하는 방법

이 문제는 거듭제곱의 정의에 따라 x를 n번 곱하는 방법으로 간단히 해결할 수 있는데, 코드는 다음과 같습니다. 너무 쉽나요?

●●● **코드 10.1: x의 n 거듭제곱 구하기(억지기법)** 　　　　　　　참고파일: ch10/power.py

```
01:  def slow_power(x, n) :          # 반복으로 x^n을 구하는 함수
02:      result = 1.0
03:      for i in range(n):         # 루프: n번 반복
04:          result = result * x
05:      return result
```

이 알고리즘은 곱셈(4행)이 n번 사용되고, 따라서 n에 비례하는 시간이 걸립니다. x는 처리시간과 관련이 없습니다. 그런데 이 문제에 분할정복(축소정복) 전략을 적용하면 더 효율적인 알고리즘을 만들 수 있습니다.

분할 정복을 이용한 거듭제곱

x^{10}을 구해 봅시다. x를 10번 곱하면 구할 수 있지만, 잘 생각해 보면 x^2을 5번 거듭제곱한 값과 같다는 것을 알 수 있습니다. 앞의 방법과 뒤의 방법이 같지 않냐고요? 생각보다 큰 차이가 있습니다.

- x^{10}을 $x \cdot x \cdot x \cdot x \cdot x \cdot x \cdot x \cdot x \cdot x \cdot x$로 구하려면 곱셈이 9번이 필요합니다.
- x^{10}을 $(x \cdot x)^5 = (x^2)^5$ 로 계산한다면 곱셈은 몇 번 사용될까요? 일단, x^2에서 한 번의 곱셈이 필요합니다. x^2을 y라고 한다면, x^{10}은 y^5과 같습니다. 따라서 y^5을 계산하는 데 네 번의 곱셈이 사용되어, 총 5번의 곱셈이 필요합니다.

일단, 계산량이 크게 줄었습니다. 그렇다면 y^5은 어떻게 구할까요? 지수가 홀수이므로 앞에서와 같은 방법을 사용할 수는 없습니다. 이때도 머리를 좀 써야 합니다. y^5가 y^4에 y를 한번 곱한 것이라는 이용합니다.

$$x^5 = y \cdot y \cdot y \cdot y \cdot y = y \cdot (y \cdot y \cdot y \cdot y) = y \cdot y^4$$

결국, x^{10} 문제는 다음과 같이 해결할 수 있습니다. 좀 복잡하지만 4번의 곱셈만으로 구할 수 있습니다.

$$x^{10} = (x^2)^5 = x^2 \cdot (x^2)^4 = x^2 \cdot ((x^2)^2)^2$$

10-거듭제곱을 구하는 원래의 문제를 5-거듭제곱 문제로 나누고, 다시 2-거듭제곱 문제로 줄이는 방법을 사용했습니다.

일반적인 경우의 거듭제곱

x^n을 구하는 일반적인 경우를 정리해 보겠습니다.

- 일단, 모든 수의 1-거듭제곱은 그 값 자체입니다.
- n이 짝수이면 x^2을 먼저 계산하고, 이 값의 $n/2$ -거듭제곱을 구합니다.
- n이 홀수이면 x^2의 $(n-1)/2$ -거듭제곱을 구해 x를 곱해주면 됩니다.

이것은 다음과 같이 순환적으로 나타낼 수 있습니다. 좋은 알고리즘을 개발하려면 이제 이런 순환식에 익숙해져야 합니다. 어렵지도 않습니다.

$$x^n = \begin{cases} x & n = 1 \\ (x^2)^{n/2} & n \text{이 짝수} \\ x \cdot (x^2)^{(n-1)/2} & n \text{이 홀수} \end{cases}$$

순환식은 다음과 같이 순환을 이용하면 간단히 구현할 수 있습니다. 마찬가지로 이 과정에 익숙해져야 합니다. 할 만한가요?

●●● 코드 10.2: x의 n 거듭제곱 구하기(축소정복)

```
01:  def power(x, n) :
02:      if n == 1 :                          # 종료 조건
03:          return x                         # 모든 수의 1승은 그 수
04:      elif (n % 2) == 0 :                  # n이 짝수
05:          return power(x*x, n//2)          # 정수의 나눗셈
06:      else :                               # n이 홀수
07:          return x * power(x*x, (n-1)//2)
```

코드 10.1과 코드 10.2 중 어느 것이 빠를까요? 실제로 테스트해 보겠습니다. 두 알고리즘으로 2^{500}을 구해봅니다. 한 번의 계산은 너무 빨리 끝나므로, 같은 함수를 각각 10만 번 실행한 시간을 측정해 출력하는 코드는 다음과 같습니다.

●●● 코드 10.3: x의 n 거듭제곱 테스트 프로그램

참고파일 ch10/power.py

```
01:  import time                                          # time 모듈 포함
02:
03:  print("    억지기법(2**500) =", power(2.0, 500))
04:  print("축소정복기법(2**500) =", slow_power(2.0, 500))
05:
06:  t1 = time.time()
07:  for i in range(100000) : power(2.0, 500)             # 축소정복 10만 회
08:  t2 = time.time()
09:  for i in range(100000) : slow_power(2.0, 500)        # 억지기법 10만 회
10:  t3 = time.time()
11:
12:  print("    억지기법 시간... ", t3-t2)
13:  print("축소정복기법 시간... ", t2-t1)
```

Chapter 10 | 분할 정복 301

억지기법(2**500) = `3.273390607896142e+150` 2**500 계산 결과. 동일함.
축소정복기법(2**500) = `3.273390607896142e+150`

억지기법... `1.69849514961224268`
축소정복기법 시간... `0.17752671241760254` 순환으로 구현되었지만 축소정복기법이 훨씬 빠름

순환 알고리즘을 사용한 코드 10.2는 함수 호출의 부담도 있지만 반복을 이용한 코드 10.1보다 훨씬 빠릅니다. 그리고 이것은 n이 커질수록 더 차이가 납니다. 분할 정복의 위력이 느껴지나요?

복잡도 분석

두 알고리즘의 복잡도를 분석해 보겠습니다. 먼저 억지 기법을 이용한 코드 10.1은 $O(n)$이란 것이 너무 확실합니다.

코드 10.2는 순환 호출을 할 때마다 문제의 크기가 작아지는데, n에서 $n/2$, $n/4$, $n/8$과 같이 절반으로 바뀝니다. n이 2^k라고 가정한다면, 문제 크기 변화는 다음과 같습니다.

$$2^k \rightarrow 2^{k-1} \rightarrow 2^{k-2} \rightarrow \cdots \rightarrow 2^1$$

순환 호출을 진행하다가 n이 드디어 1이 되면 순환 호출을 멈추고 x를 반환합니다(2~3행). 그렇다면 몇 번의 순환 호출이 일어날까요? k번입니다. 그리고 순환 호출이 일어날 때마다 일정한 수($O(1)$)의 연산(5행과 7행에서 곱셈과 나눗셈)이 처리됩니다. 따라서 전체 연산의 수는 k에 비례하고, 알고리즘의 복잡도는 $O(k)$입니다. 그런데, n이 2^k라고 가정했으니, 역으로 k는 $log_2 n$입니다. 따라서 이 알고리즘의 시간 복잡도는 $O(log_2 n)$입니다. 이것은 억지 기법의 $O(n)$에 비해 훨씬 빠른 것으로, 테스트 프로그램으로도 확인하였습니다.

정방형 행렬의 거듭 제곱

만약 x가 숫자 하나가 아니라 행렬이라면 어떻게 될까요? 물론, 거듭제곱이 가능하려면 행과 열의 개수가 같은, 즉 $m \times m$과 같은 정방형(square) 행렬이어야 합니다. 정방형 행렬 M의 n-거듭제곱 M^n을 구해봅시다.

$$\begin{bmatrix} 351 \\ 278 \\ 694 \end{bmatrix}^{n} = \begin{bmatrix} 351 \\ 278 \\ 694 \end{bmatrix} \times \begin{bmatrix} 351 \\ 278 \\ 694 \end{bmatrix} \times \cdots \times \cdots \begin{bmatrix} 351 \\ 278 \\ 694 \end{bmatrix} = \begin{bmatrix} ??? \\ ??? \\ ??? \end{bmatrix}$$

그림 10.5 | 정방형 행렬의 n-거듭제곱 구하기 예

이 문제는 숫자 하나를 거듭제곱하는 것과 정확히 같습니다. 억지 기법으로도 해결할 수 있고, 분할 정복으로도 해결할 수 있습니다. 분할 정복에서는 다음만 잘 고려하면 됩니다.

- 행렬은 그래프의 인접행렬에서 사용했던 리스트의 리스트로 나타내면 됩니다.
- M의 1승은 M 자체를 반환하면 됩니다.
- 두 행렬을 곱하는 multMul(M1,M2) 함수가 추가로 필요합니다.

정방형 행렬의 거듭제곱 코드는 다음과 같습니다.

●●● **코드 10.4: 정방형 행렬 M의 n 거듭제곱 구하기** 　　　참고파일 ch08/matMult.py

```
01: def powerMat(x, n) :
02:     if n == 1 :              # 종료조건
03:         return x
04:     elif (n % 2) == 0 :      # n이 짝수
05:         return powerMat(multMat(x,x), n // 2)
06:     else :                   # n이 홀수
07:         return multMat(x, powerMat(multMat(x,x), (n - 1) // 2))
```

행렬의 크기가 $m \times m$인 것을 고려하면 이 알고리즘의 시간 복잡도는 정확히는 $O(m^2 log_2 n)$입니다. 행렬의 크기를 무시한다면(대부분 크지 않으므로) 복잡도는 $O(log_2 n)$이고, 이것은 억지 기법의 $O(n)$에 비해 훨씬 우월한 것입니다. 특히 n이 커질수록 말이죠. 행렬 거듭제곱은 피보나치 수열의 효율적인 계산에도 사용될 수 있습니다.

💬 Quiz

1. n번째 피보나치 수를 행렬의 거듭제곱으로 구하는 경우 행렬의 크기 m은 얼마일까요?

10-3 선택 문제: k번째로 작은 수 찾기

정렬되지 않은 숫자가 들어 있는 리스트에서 k번째로 작은 숫자를 찾는 문제를 생각해 봅시다.

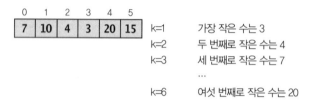

그림 10.6 | 리스트에서 k번째로 작은 수를 찾는 선택 문제의 예

예를 들어, 그림에서 3번째로 작은 수(k=3)는 7입니다. 만약 k=4 라면 10이 찾아져야 합니다. 이러한 문제를 선택 문제(selection problem)라고 합니다.

처리가 쉬운 상황도 있습니다. k가 1이면 리스트에서 최솟값을 찾는 문제이고, k가 n이면 최댓값을 찾는 문제입니다. 이 경우 리스트를 한번 스캔하여 최솟값이나 최댓값을 찾을 수 있으므로 $O(n)$에 해결됩니다.

그렇다면 임의의 k에 대해서는 어떻게 처리할 수 있을까요? 문제의 정의를 다시 생각해 봅시다. k번째 작은 수를 찾는 문제니까, 만약 리스트를 정렬해버리면 금방 답이 나옵니다.

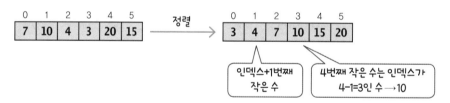

그림 10.7 | 정렬을 이용한 k번째로 작은 수를 찾는 해법

그림 10.7과 같이 리스트가 오름차순으로 정렬되어 있다면 k번째로 작은 값은 단순히 리스트의 k번째 요소(인덱스는 k-1)입니다. 너무 쉽죠?

이 방법의 시간 복잡도는 당연히 정렬의 복잡도와 같습니다. 정렬만 하면 바로 몇 번째로 작은 숫자든 바로 꺼낼 수 있기 때문입니다. 따라서 좋은 정렬 알고리즘을 사용한다면 항상 $O(nlog_2n)$에는 답을 구할 수 있습니다.

그런데 하나의 값을 선택하면 되는데 리스트 전체를 정렬하는 것은 노력이 좀 아깝지 않나요? 정렬하지 않는 방법도 있습니다. 물론 분할 정복(축소 정복)을 이용하는 것입니다.

분할 정복을 이용한 k번째 작은 수 찾기

6.4절에서 공부한 퀵 정렬이 기억나시나요? 피벗을 이용해 리스트를 계속 분할하면서 정
렬했던 방법입니다. 물론 퀵 정렬도 분할정복 전략을 사용했습니다.

선택 문제에서도 퀵 정렬과 매우 비슷한 방법을 사용할 수 있습니다. 먼저 피벗을 하나
선택하고 리스트를 두 부분으로 나누는 것입니다. 물론 퀵 정렬의 partition() 함수를 그
대로 사용할 수 있습니다. 그림 10.8은 첫 번째 요소를 피벗으로 사용해 리스트를 두 부
분으로 나눈 결과를 보여줍니다. 퀵 정렬에서는 작아진 두 부분에 대해 다시 정렬을 진행
하였습니다.

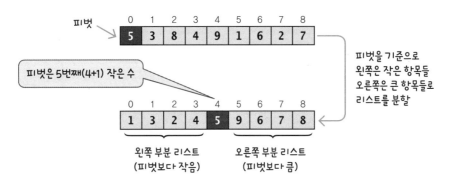

그림 10.8 | 첫 번째 원소로 피벗을 선택하고 피벗을 중심으로 리스트를 분할하는 예

선택 문제는 약간 다릅니다. 리스트를 정렬하는 것이 아니고 k번째로 작은 요소의 위치
만 찾으면 됩니다. 리스트 A를 분할한 다음 피벗의 위치가 pos라고 가정하면, k와 pos와
의 관계에 따라 다음 세 가지 상황이 발생합니다.

- Case 1) k가 $pos+1$인 경우: 답이 나왔습니다. 피벗이 k번째로 작은 수입니다. 예를 들
  어, 그림 10.8에서 k=5이면, $pos+1 == k$이므로 답은 바로 피벗 A[4]입니다.

- Case 2) $k < pos+1$인 경우: 답은 반드시 왼쪽 부분 리스트에 있고, 오른쪽은 더는 고
  려할 필요가 없습니다. 왜냐하면, 모두 피벗보다 크기 때문입니다. 이해가 되나요? 예
  를 들어, 그림 10.9와 같이 k=2라면 피벗이 이미 5번째 큰 값이므로 오른쪽에는 6번째
  이상의 큰 값들만 있고, 답은 반드시 왼쪽에 있을 수밖에 없습니다. 이제 왼쪽 리스트

[1, 3, 2, 4]에서 $k=2$인 항목을 찾는 문제로 축소되었습니다.

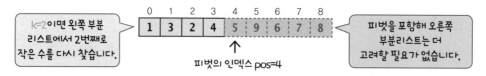

그림 10.9 | k=2인 경우. 왼쪽 부분리스트에서 2번째 작은 수를 다시 찾음

Case3) $k > pos+1$인 경우: 해답은 오른쪽에 있습니다. 그림 10.10에서 $k=8$을 찾는다면 피벗이 5번째 큰 수이므로 왼쪽에는 답이 없고, 오른쪽에 있습니다. 그렇다면 오른쪽 리스트에서 몇 번째 요소를 찾으면 될까요? 피벗이 이미 5번째이므로 이제 $k-(pos+1)=8-5=3$번째 작은 수를 찾아야 합니다. 마찬가지로 오른쪽 리스트 [9, 6, 8, 7]에서 $k=3$인 항목을 찾는 문제로 축소되었습니다.

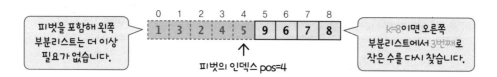

그림 10.10 | k=8인 경우. 피벗이 5번째로 작은 수로 확정되었으므로 피벗의 오른쪽 리스트에서 3번째 작은 수를 찾으면 됨. 이것이 전체에서 8번째로 작은 수가 됨

알고리즘의 구조는 퀵 정렬과 거의 비슷합니다. partition( ) 함수도 그대로 사용합니다. 다음과 같이 피벗을 분할한 다음 앞의 세 가지 경우에 대해 적절히 처리해주면 됩니다. 역시 순환이 사용됩니다. 테스트는 참고 파일을 확인해보세요.

●●● 코드 10.5: 분할정복을 이용한 k번째 작은 수 찾기   참고파일 ch10/QuickSelect.py

```
01: def quick_select(A, left, right, k):
02:     pos = partition(A, left, right)          # A에서 피벗의 인덱스
03:
04:     if (pos+1 == left+k):                     # case 1:
05:         return A[pos]
06:     elif (pos+1 > left+k):                    # case 2:
07:         return quick_select(A, left, pos-1, k)
08:     else :                                    # case 3:
09:         return quick_select(A, pos+1, right, k-(pos+1-left))
```

복잡도 분석

이 알고리즘의 복잡도도 입력의 구성에 따라 달라집니다. 최선의 입력은 첫 분할 결과가 case1이 되어 바로 선택이 완료되는 경우입니다. partition() 함수가 $O(n)$이므로(6.4절 참조) 최선의 경우는 $O(n)$입니다.

최악은 어떤 상황일까요? 퀵 정렬의 경우와 마찬가지로 분할 할 때마다 부분 리스트의 한쪽은 비고, 다른 한쪽에만 모든 요소가 들어가는 상황입니다. 예를 들어, 이미 <u>정렬된 리스트에서 가장 큰 항목을 찾는 경우$(k=n)$</u>가 최악입니다. n번의 분할이 필요하므로 시간 복잡도가 $O(n^2)$입니다.

평균적인 경우는 가정이 필요하고 계산하기 어렵지만, 복잡한 과정을 거치면 quick_select()의 평균적인 복잡도가 $O(n)$이라고 합니다. 이것은 정렬을 이용하는 방법보다 훨씬 우월합니다.

> **···· Quiz**
>
> 1. 코드 10.5의 quick_select()를 이용해 리스트 A=[6, 5, 7, 9, 18, 3, 8]에서 중앙값(median)을 찾는 과정을 설명하세요.

10-4 병합 정렬

병합 정렬은 분할 정복 전략을 설명할 때 가장 대표적으로 소개되는 알고리즘입니다. 병합 정렬은 입력 리스트를 균등하게 두 부분으로 나누고, 각각을 정렬한 다음 결과를 병합합니다. 물론, 부분 리스트가 처리하기에 충분히 작지 않으면 분할 과정을 반복합니다. 그림 10.11은 병합 정렬의 처리 과정을 보여줍니다.

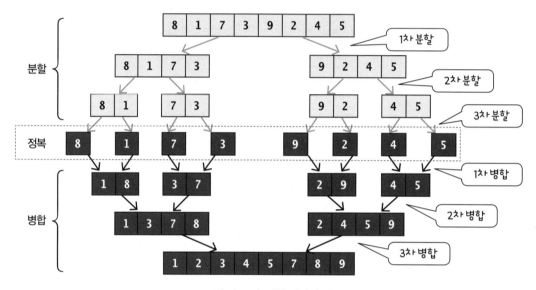

그림 10.11 | 병합 정렬의 예

병합 정렬은 입력 리스트를 같은 크기의 두 개의 부분 리스트로 '분할'합니다. 이 과정은 부분 리스트의 크기가 1이 될 때까지 반복되는데, 크기가 1이면 그 부분 리스트는 이미 정렬된 것입니다. 따라서 '정복' 단계에서 할 일은 없고, 병합 단계만 잘 처리하면 정렬이 끝납니다. '병합'은 2개의 정렬된 리스트를 병합해 하나의 정렬된 리스트를 만드는 과정으로, 이를 반복하다 보면 최종적으로 하나의 정렬된 리스트를 얻게 됩니다. 병합 정렬도 순환 구조로 간략하게 기술할 수 있습니다. 입력을 두 개의 부분 리스트로 나누고, 각 부분 리스트를 정렬한(순환 호출로) 다음 결과를 병합하는 과정은 일단 다음과 같이 기술할 수 있습니다.

```
01:   def merge_sort(A, left, right) : # A[left..right]를 오름차순으로 정렬
02:       if left<right :                    # 항목이 2개 이상인 경우
03:           mid = (left + right) // 2
04:           merge_sort(A, left, mid)
05:           merge_sort(A, mid + 1, right)
06:           merge(A, left, mid, right)
07:       # else: 항목이 1개인 경우. 자동으로 정복되었음(하나이므로)
```

리스트를 균등하게 둘로 나누고, 왼쪽 부분(A[left~mid])과 오른쪽 부분(A[mid+1~right])을 각각 병합정렬. 마지막으로 정렬된 두 부분 리스트를 병합함.

• 1행 : A는 입력 리스트이고, left와 right는 각각 리스트 내에서 정렬하고자 하는 시작과 끝 요소의 인덱스입니다. 크기가 n인 리스트 전체를 정렬하고자 한다면 merge_sort(A, 0, n−1)과 같이 호출해야 합니다.

• 2행 : 정렬할 요소가 2개 이상인 경우만 분할−정복을 진행합니다. 요소가 하나라면, 즉 (left==right)이면 이미 정복된 것이기 때문입니다.

알고리즘이 너무 간단한가요? 물론 아직 끝난 것은 아닙니다. 정렬된 두 리스트를 병합하는 중요한 작업 merge()가 남았으니까요.

정렬된 두 리스트의 병합

병합 정렬에서 실제로 정렬이 이루어지는 시점은 2개의 부분 리스트를 병합하는 merge()에서입니다. 그림 10.12와 같이 정렬된 두 부분 리스트는 어떻게 병합할 수 있을까요? 효율적인 병합을 위해서는 그림 10.12와 같이 임시 리스트가 필요합니다. 병합 과정은 각 부분 리스트의 첫 번째 요소부터($i=left$, $j=mid+1$) 시작하고, 오른쪽으로 진행됩니다. 두 부분 리스트의 요소 A[i]와 A[j]를 비교하여 더 작은 요소를 임시 리스트 sorted에 복사하고 인덱스를 증가시킵니다. 예를 들어, 그림 10.12에서는 A[i]>A[j]이므로 A[j]를 sorted[k]로 복사하고, 인덱스 j와 임시 리스트의 인덱스 k를 증가시킵니다. 만약 A[i]≤A[j]라면 A[i]를 sorted[k]로 복사하고 i와 k를 증가시킵니다. 이 과정은 리스트 하나의 모든 요소가 복사될 때까지 반복되고, 마지막으로 다른 리스트의 남은 요소들을 모두 임시 리스트로 복사하면 병합이 종료됩니다.

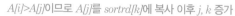

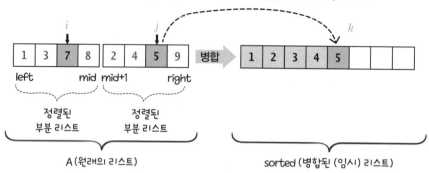

그림 10.12 | 정렬된 두 부분 리스트의 병합 환경

그림 10.13은 정렬된 왼쪽과 오른쪽 리스트를 임시 리스트로 병합하는 전체 과정을 보여줍니다.

그림 10.13 | 정렬된 두 부분 리스트 A와 B를 병합하는 과정

병합 알고리즘은 다음과 같은데, 임시 리스트를 위해 전역변수로 선언한 리스트 sorted를 사용하였습니다.

●●● 코드 10.7: 병합 과정   완성파일 ch10/mergeSort.py

```
01:  def merge(A, left, mid, right) :
02:      k = left                    # 병합을 위한 임시 리스트의 인덱스
03:      i = left                    # 왼쪽 리스트의 인덱스
04:      j = mid + 1                 # 오른쪽 리스트의 인덱스
05:      while i<=mid and j<=right :
06:          if A[i] <= A[j] :
07:              sorted[k] = A[i]
08:              i, k = i+1, k+1
09:          else:
10:              sorted[k] = A[j]
11:              j, k = j+1, k+1
12:
13:      if i > mid :
14:          sorted[k:k+right-j+1] = A[j:right+1]
15:      else :
16:          sorted[k:k+mid-i+1] = A[i:mid+1]
17:
18:      A[left:right+1] = sorted[left:right+1]
```

← 값이 작은 부분 리스트의 요소를 sorted에 복사하고, 그 리스트의 인덱스를 증가시킴. 이 과정은 어느 한쪽 부분이 모두 처리될 때까지 진행.

← 남은 부분 리스트의 모든 요소를 sorted로 복사. 슬라이싱을 이용함.

← 임시 리스트에 저장된 결과를 원래의 리스트 A에 복사

• 1행 : 그림 10.12와 같이 각각 정렬된 부분 리스트 A[left..mid]와 A[mid+1..right] 가 주어지면 이를 하나의 정렬된 리스트 A[left..right]로 병합합니다. 매개변수 left, mid, right의 의미에 유의하세요.

병합 정렬은 얼마나 빠를까요?

그림 10.11과 그림 10.13을 잘 살펴보면 병합 정렬은 입력의 구성에 상관없이 동일한 연산 횟수를 갖는다는 것을 알 수 있습니다. 따라서 최악, 평균, 최선의 경우를 나누어 생각할 필요가 없습니다.

병합 정렬도 순환구조이므로 복잡도를 구하는 방법이 조금 복잡합니다. 먼저 merge_sort()에서 순환 호출의 깊이가 얼마나 될지를 생각해봅시다. $n = 2^3$인 그림 10.11을 보면 부분배열의 크기가 $2^3 \rightarrow 2^2 \rightarrow 2^1 \rightarrow 2^0$ 순으로 줄어 순환 호출의 깊이가 3인 것을 알 수 있습니다. 만약 $n = 2^k$라고 가정하면 부분 배열의 크기가 $2^k \rightarrow 2^{k-1} \rightarrow \cdots \rightarrow 2^0$와 같이 줄어들어 순환 호출의 깊이는 k가 될 것입니다. 이때 $k = \log_2 n$입니다. 하나의 병합(merge()) 단계에서 보면 임시 배열에 복사했다가(5~16행) 다시 가져와

야(18행) 하므로 총 부분 리스트에 들어 있는 요소의 개수가 n인 경우, $2n$번의 이동이 발생합니다. 결국 하나의 병합 단계에서 $2n$번의 이동 연산이 필요합니다.

전체 연산의 수는 전체 병합 단계의 수(순환 호출의 깊이)와 각 단계에서 필요한 이동 연산의 수(단계별로 $2n$번)를 곱해 다음과 같이 구할 수 있습니다.

$$\text{병합 정렬의 이동 횟수} = k \times 2n = \log_2 n \times 2n = 2n\log_2 n \in O(n\log_2 n)$$

병합 정렬의 특징

- 분할 정복의 대표 알고리즘으로 $O(n\log_2 n)$의 복잡도를 갖는 매우 효율적인 정렬 방법입니다.
- 입력의 구성과 상관없이 동일한 시간에 정렬되고, 안정성을 만족합니다.
- 제자리 정렬이 아닙니다. 입력 리스트의 크기와 같은 크기의 임시 리스트가 반드시 있어야 합니다.
- 병합 정렬에서 부분 리스트를 두 개 이상으로 나누고 결과를 병합할 수도 있습니다. 이러한 방법을 다중(multiway) 병합 정렬이라고 하는데, 주 메모리보다 속도가 느린 보조 메모리에 있는 파일을 정렬하는 등의 응용에서 특히 유용하게 사용될 수 있습니다.

💬 Quiz

1. 병합 정렬에 대한 설명으로 가장 옳지 않은 것을 고르세요.
   ① 분할 정복(divide and conquer) 전략을 사용합니다.
   ② 리스트를 위치에 따라 요소들을 분할합니다.
   ③ 안정성을 만족합니다.
   ④ 최적과 최악의 입력에 대해 다른 성능을 보입니다.
2. [71, 49, 92, 55, 38, 28, 72, 53]를 병합 정렬을 사용하여 오름차순으로 정렬할 때, 첫 번째로 병합이 일어나는 단계에서의 병합 후 배열의 내용은?

10-5 피보나치 수열과 분할 정복의 주의점

피보나치(Fibonacci) 수열을 아시죠? 0, 1, 1, 2, 3, 5, 8, 13, 21, 34, 55, … 과 같이 진행되는 수열입니다. 이탈리아의 수학자 피보나치(Fibonacci)가 발견한 이 수열은 토끼 번식 이야기에서 출발합니다.

●●● 문제 10.1: 피보나치 수열

> 첫 번째 달에 한 쌍의 새끼 토끼를 세상에 가져왔습니다. 토끼는 한 달이 지나면 어른으로 성장하고, 어른 토끼는 매달 새끼 토끼를 한 쌍씩 낳습니다. 그리고 한번 태어난 토끼는 절대 죽지 않습니다. n번째 달에는 몇 쌍의 토끼가 있을까요?

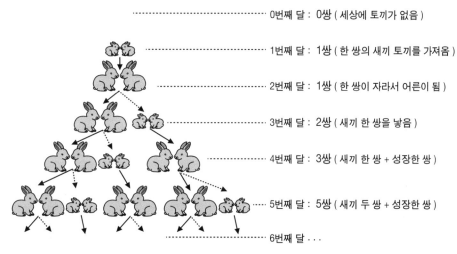

0번째 달 : 0쌍 (세상에 토끼가 없음)

1번째 달 : 1쌍 (한 쌍의 새끼 토끼를 가져옴)

2번째 달 : 1쌍 (한 쌍이 자라서 어른이 됨)

3번째 달 : 2쌍 (새끼 한 쌍을 낳음)

4번째 달 : 3쌍 (새끼 한 쌍 + 성장한 쌍)

5번째 달 : 5쌍 (새끼 두 쌍 + 성장한 쌍)

6번째 달 …

그림 10.14 | 피보나치 수열: 0, 1, 1, 2, 3, 5, 8, 13, 21, …

n번째 달의 토끼 수 $fib(n)$는 어떻게 구할 수 있을까요? 어른 토끼와 새끼 토끼의 두 종류가 있습니다.

- 1달 전의 토끼 $fib(n-1)$은 모두 그대로 살아 있습니다. 모두 어른 토끼입니다.
- 2달 전에 있었던 토끼들은 1달 전에는 모두 어른이므로, 이번 달에 무조건 새끼를 낳습니다. 따라서 새로 태어나는 토끼 수는 $fib(n-2)$입니다.

결국, n번째 달에는 어른 $fib(n-1)$과 새끼 $fib(n-2)$가 있습니다. 즉, 1달 전의 토끼 수에

2달 전의 토끼 수를 더하면 됩니다. 따라서 이 수열은 다음과 같이 순환 관계로 정의됩니다.

$$fib(n) = \begin{cases} 0 & n = 0 \\ 1 & n = 1 \\ fib(n-2)+fib(n-1) & otherwise \end{cases}$$

일반적으로는 앞의 두 개의 숫자를 더해서 뒤의 숫자를 만들면 됩니다.

분할 정복을 이용한 피보나치 수열

이 수열은 정의 자체가 순환적이므로 순환을 이용해 다음과 같이 기술할 수 있습니다. 그리고 이것은 원래의 문제 $fib(n)$을 두 개의 작아진 문제 $fib(n-1)$과 $fib(n-2)$로 나누어 해결하는 분할 정복 전략입니다.

●●● **코드 10.8: 분할정복을 이용한 피보나치 수열**　　　　　완성파일 ch10/Fibonacci.py

```
01:  def fib(n) :
02:      if n == 0 : return 0          # 정복: 0번째 달
03:      elif n == 1 : return 1        # 정복: 1번째 달
04:      else :
05:          return fib(n - 1) + fib(n - 2)
```

이처럼 분할 정복을 사용하면 코드가 간결하고 가독성도 높아집니다. 그런데, 이것 때문에 같은 계산을 몇 번씩 반복해야 한다면 문제가 있을 것입니다. 피보나치 수열이 이러한 대표적인 예입니다. 코드 10.8에 어떤 문제가 있을까요? 그림 10.15는 $fib(6)$을 구하는 과정을 트리로 나타내고 있습니다.

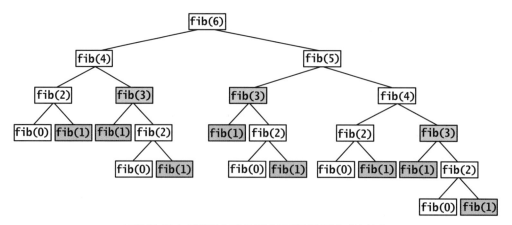

그림 10.15 | 분할정복 피보나치 알고리즘의 중복 계산 문제

그림 10.15를 보면 같은 계산을 중복해서 처리하는 것이 보일 것입니다. $fib(6)$을 구하기 위해 $fib(4)$을 두 번 호출하고, $fib(3)$은 세 번 호출합니다. 심지어 $fib(1)$은 총 8번이나 호출되었는데, $fib(6)$을 구하기 위하여 순환적으로 $fib()$가 총 25번이나 호출되었습니다.

왜 이런 현상이 생겼을까요? 분할 정복에 따라 $fib(n)$을 구하기 위해 $fib(n-1)$과 $fib(n-2)$를 구하는데, 문제의 크기를 잘 살펴보세요. 원래의 문제 크기가 n인데, 두 개의 부분 문제들의 크기를 합하면 $(n-1) + (n-2) = 2n-3$이나 됩니다. 이것은 한번 문제를 나눌 때마다 해결해야 할 전체 부분 문제의 크기가 거의 두 배로 늘어나는 것을 의미합니다. n이 작을 때는 이러한 중복이 비교적 적지만 n이 커지게 되면 엄청난 양의 중복이 발생합니다. 결과적으로 이 알고리즘의 시간 복잡도를 계산하면 $O(2^n)$이나 되어 매우 비효율적입니다.

분할정복 기법 적용에 대한 고찰

분할 정복은 같은 부분 문제가 여러 번 반복되어 나타나지 않을 때 사용해야 합니다. 만약 같은 문제를 반복해서 풀어야 한다면 다음 장에서 공부할 동적 계획법을 사용하는 것이 좋습니다.

그렇다면 앞에서 살펴본 알고리즘들은 어떨까요? 거듭제곱 문제나 선택 문제, 병합 정렬 등에서는 같은 부분 문제를 절대 다시 계산하지 않습니다. 따라서 분할 정복이 답입니다. 그러나 피보나치 수열은 부분 문제가 반복되고, 결국 지수 시간($O(2^n)$) 알고리즘이 됩니다.

때로는 지수 시간으로 문제를 풀어도 되는 경우가 있는데, 하노이의 탑이 그 예입니다. 코드 1.9도 분할 정복을 이용하고 시간 복잡도가 $O(2^n)$입니다. 그러나 피보나치 수열과 다르게, 이 문제는 해답(원판을 옮기는 총 횟수) 자체가 n의 지수에 비례합니다. 따라서 분할 정복 알고리즘이 최선의 방법 중 하나입니다.

피보나치 수열의 다른 알고리즘들

피보나치 수열은 반복 구조로도 구현할 수 있고, 다음 장에서 공부할 동적 계획법으로도 구할 수 있습니다. 이들은 모두 $O(n)$의 시간 복잡도를 갖습니다. 더 좋은 알고리즘이 있습니다. 행렬을 사용하는 것입니다. 피보나치 수열의 성질을 이용해 다음과 같은 2×2 행렬 F를 만들 수 있습니다.

$$F = \begin{bmatrix} fib(2) & fib(1) \\ fib(1) & fib(0) \end{bmatrix} = \begin{bmatrix} 1 & 1 \\ 1 & 0 \end{bmatrix}$$

이 행렬에는 $fib(0)$, $fib(1)$, $fib(2)$가 들어있습니다. 흥미롭게도 이 행렬의 제곱인 F^2에는 $fib(1)$, $fib(2)$, $fib(3)$이 들이있습니다.

$$F^2 = \begin{bmatrix} fib(2) & fib(1) \\ fib(1) & fib(0) \end{bmatrix}^2 = \begin{bmatrix} fib(2)+fib(1) & fib(2) \\ fib(2) & fib(1) \end{bmatrix} = \begin{bmatrix} fib(3) & fib(2) \\ fib(2) & fib(1) \end{bmatrix}$$

이것을 일반화시켜서 이 행렬의 n-거듭제곱을 구하면 다음과 같습니다.

$$F^n = \begin{bmatrix} fib(2) & fib(1) \\ fib(1) & fib(0) \end{bmatrix}^n = \begin{bmatrix} fib(n+1) & fib(n) \\ fib(n) & fib(n-1) \end{bmatrix}$$

즉, F^n에는 $fib(n-1)$, $fib(n)$, $fib(n+1)$이 행렬 요소로 들어있고, 따라서 n번째 피보나치 수를 쉽게 구할 수 있습니다. 그렇다면 F^n은 어떻게 구할까요? 물론 하나씩 순서대로 곱하면 $O(n)$에 구할 수 있습니다. 그렇지만, 10.1절에서 공부한 행렬 거듭제곱 전략을 이용하면 $O(log_2 n)$에 계산이 완료됩니다. 2×2행렬의 거듭제곱을 이용한 피보나치 수열 함수는 다음과 같은데, 가장 빠른 피보나치 수열 알고리즘이라 할 수 있습니다.

●●● 코드 10.9: 행렬 거듭제곱을 이용한 피보나치 수열　　　　참고파일 ch10/Fibonacci.py

```
01:  def fib_mat(n) :
02:      if n == 0 : return 0          # 정복: 0번째 달
03:      elif n == 1 : return 1        # 정복: 1번째 달
04:
05:      mat = [[1,1],[1,0]]           # 초기 피보나치 행렬
06:      result = powerMat(mat, n)     # 축소정복 방식
07:      return result[0][1]           # fib(n) 부분을 반환
```

💬 Quiz

1. 첫 번째부터 n번째 피보나치 수까지에는 몇 개의 짝수가 있을까요? 식을 구해 봅시다.

연습 문제

01 코드 10.5의 quick_select() 알고리즘을 반복구조로 기술해 보세요.

02 코드 10.5의 quick_select()에 대한 최악의 입력 상황을 구체적으로 만들어 보고, 왜 최악의 입력인지를 설명해 보세요.

03 다음 리스트를 병합 정렬을 이용해 오름차순으로 정렬하세요. 각 단계에서의 배열의 내용을 나타내세요.

7	4	9	6	3	8	7	5

04 정렬되지 않은 리스트 A[0, ⋯, n−1]이 있습니다. 만약 이 리스트의 두 항목을 A[i], A[j]라고 할 때, 만약 i<j 이고 A[i]>A[j] 이면 이들은 역전(inversion)되어 있다고 말합니다.
(1) 리스트 A에서 역전된 항목의 수를 구하는 억지기법 알고리즘을 설계해 보세요. 이 알고리즘의 시간 복잡도는 얼마일까요?
(2) 분할정복 전략을 이용해 이 문제에 대한 알고리즘을 설계해 보세요. 알고리즘의 복잡도는 $O(n log_2 n)$이 되어야 합니다.
  Hint 병합 정렬의 알고리즘과 밀접한 관련이 있습니다.

05 시간 순삭에 좋은 정말 어려운 퀴즈를 하나 내겠습니다. 똑같이 생긴 12개의 동전과 양팔 저울이 있습니다. 동전 중에서 하나가 위조 동전이고, 정상 동전과 무게가 약간 다른데, 무거운지 가벼운지는 알 수 없습니다. 양팔 저울을 세 번만 사용하여 어떤 동전이 위조 동전이고, 정상보다 무거운지 가벼운지를 판단할 수 있을까요? 물론 분할 정복으로 가능합니다. 방법을 생각해 보세요.
  Hint 동전은 세 그룹으로 나누는 것이 좋습니다.

Chapter

11

동적 계획법

 학습목표

동적 프로그래밍(dynamic programming)이라고 하면 뭔가 꽤 거창해 보입니다. C++의 동적 바인딩이나 프로그램이 알아서 동적으로 재구성되는 무슨 인공지능이나 빅데이터 등을 떠올릴 수도 있을 것입니다. 그런데, 동적 프로그래밍은 1950년대에 나온 용어로, 다단계의 의사 결정 프로세스를 최적화하는 일반적인 방법으로 처음 소개되었습니다. 따라서 '프로그래밍'을 컴퓨터 프로그래밍이 아니라 계획(planning) 정도의 의미로 생각하는 것이 바람직합니다.

이 장에서는 동적 계획법을 공부합니다.

11-1 동적 계획법이란?

동적 계획법도 여전히 거창한 이름이지만, 앞에서 공부했던 분할 정복기법과 많은 부분이 닮았습니다. 분할 정복과 같이 주어진 문제를 더 작은 부분 문제로 나눈 다음 답을 계산하고, 이러한 답들로부터 원래 문제의 해답을 구하는 구조는 똑같습니다. 그런데, 중요한 차이가 하나 있습니다. 동적 계획법은 부분 문제들의 답을 어딘가에 저장해 놓고 필요할 때 다시 꺼내서 사용하는 전략을 사용합니다. 즉, 같은 부분 문제를 다시 풀지 않도록 하는 것입니다. 물론 부분 문제의 답을 저장하려면 추가적인 메모리가 필요하고, 따라서 넓게 보면 공간으로 시간을 버는 전략에 포함될 수도 있습니다.

피보나치 수열 문제

피보나치 수열 문제로 돌아가 봅시다. n번째 피보나치 수를 구하는 fib(n)은 다음과 같이 순환 관계로 나타낼 수 있습니다.

$$fib(n) = \begin{cases} 0 & n = 0 \\ 1 & n = 1 \\ fib(n-1) + fib(n-2) & otherwise \end{cases}$$

그리고 이러한 순환 관계는 코드 10.8과 같이 자연스럽게 분할 정복을 이용해 해결할 수 있습니다. 그런데 심각한 계산 중복 문제가 발생하고, 알고리즘의 시간 복잡도가 $O(2^n)$이나 되었습니다. 이런 계산 중복 문제를 해결할 수 있는 전략이 있습니다. 드디어 동적 계획법이 나옵니다.

동적 계획법은 어렵게 구한 답을 한번 사용하고 버리는 것이 아니라 저장하여 재사용합니다. 같은 문제를 다음에 다시 풀어야 할 때는 저장된 해답을 이용합니다. 이것이 동적 계획법의 핵심입니다. 동적 계획법에서 부분 문제의 해를 저장하는 방법에는 메모이제이션과 테이블화가 있습니다.

메모이제이션을 이용한 피보나치 수열

메모이제이션(memoization)은 함수의 결과를 저장할 메모리를 미리 준비해서 한번 계산한 값을 저장해 두었다가 재활용하는 방법을 말합니다. '암기'를 의미하는 메모라이제이션(memorization)과 다른 단어임에 유의하세요. 그림 11.1과 같이 메모이제이션은 분할 정복과 같이 하향식(top-down)으로 문제를 해결합니다. 이때 한번 풀린 문제는 답을 저장하고 재활용하는데, 따라서 모든 부분 문제들은 한 번씩만 풀면 되고, 많은 중복 호출(그림 11.1의 회색 박스)을 피할 수 있습니다.

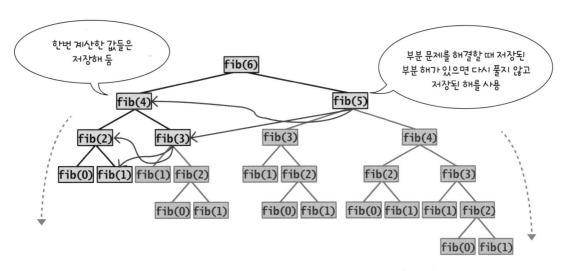

그림 11.1 | 메모이제이션을 이용한 피보나치 수열 계산 과정(하향식)

다음은 메모이제이션에 의한 피보나치 수열 알고리즘입니다.

```
01:  def fib_dp_mem(n) :          처음 푸는 문제이면, 풀어서 메모리에 저장함.
02:      if( mem[n] == None ) :
03:          if n < 2 :
04:              mem[n] = n
05:          else:
06:              mem[n] = fib_dp_mem(n-1) + fib_dp_mem(n-2)
07:      return mem[n]            저장된 답을 반환
```

이 알고리즘은 전역변수 mem을 사용하고 있는데, mem은 크기가 n+1인 리스트로, mem[k]에는 k번째 피보나치 수가 저장됩니다. 함수를 호출하기 전에 mem의 모든 항목은 None(아직 해결되지 않은 문제)으로 반드시 초기화되어 있어야 합니다.

이 알고리즘의 얼마나 효율적일까요? 그림 11.1을 보면 모든 부분 문제가 정확히 한 번씩만 처리되는 것을 알 수 있는데, 이러한 부분 문제의 수는 n개입니다. 따라서 시간 복잡도는 $O(n)$으로, 분할 정복의 $O(2^n)$과 비교하면 매우 효율적인 알고리즘입니다. 물론 이러한 효율을 위해 테이블 mem을 추가로 사용하였는데, 용량은 n에 비례합니다. 따라서 공간 복잡도도 $O(n)$입니다.

테이블화를 이용한 피보나치 수열

테이블화(tabulation, 타뷸레이션)는 부분 문제의 해를 메모리에 저장한다는 점은 메모이제이션과 같지만, 테이블 항목들을 순서대로 채워나가는 것에 초점을 맞춥니다. 즉, 상향식(bottom-up)으로 문제를 해결합니다. 그림 11.2는 테이블화를 이용해 fib(6)를 계산하는 과정을 보여줍니다.

그림 11.2 | 테이블화를 이용한 동적 계획법에 의한 피보나치 수열 계산 과정(상향식)

- 먼저 결과를 저장할 테이블(table)을 준비합니다. fib(n)을 구하려면 크기가 n+1인 테이블이 필요한데, 예를 들어 fib(6)을 구하려면 fib(0)부터 fib(6)까지의 결과를 저장해야 하므로 크기가 7인 테이블이 필요합니다.
- 기반 상황의 답을 테이블에 채웁니다. 즉, 이미 답을 알고 있는 fib(0)와 fib(1)의 답을 먼저 테이블에 저장합니다. 다음부터는 fib(2), fib(3), …처럼 가장 작은 부분 문제부터 순서대로 해를 구해 테이블을 채워서 올라갑니다. 이때 이미 구한 부분 문제의 결과가 이용되는데, 예를 들어 fib(2)는 이미 저장된 fib(0)과 fib(1)의 결과를 이용해 계산합니다.
- 테이블을 채워 올라가는 과정은 원래의 문제 fib(6)을 구할 때까지 진행됩니다.

파이썬으로 기술한 이 알고리즘은 다음과 같습니다.

●●● 코드 11.2: 피보나치 수열(테이블화 이용) 완성파일 ch11/Fibonacci.py

```
01:   def fib_dp_tab(n) :
02:       f = [None] * (n+1)       ← 답을 저장할 테이블을 만들고, 알려진 답을 저장합니다.
03:       f[0] = 0                    나머지는 모두 None으로 초기화합니다.
04:       f[1] = 1
05:       for i in range(2, n + 1):   ← 순서대로(상향식) 문제를 풀고,
06:           f[i] = f[i-1] + f[i-2]     결과를 테이블에 저장합니다.
07:       return f[n]       # 결과 반환
```

이 알고리즘은 순환 호출을 사용하지 않고, 5행에서 n번 반복하는 하나의 루프를 사용하므로 시간 복잡도 명백히 $O(n)$입니다. 메모이제이션과 같이 $O(n)$의 추가 메모리를 사용하지만, 테이블을 전역변수로 선언할 필요는 없습니다. 물론 두 방법의 결과는 다음과 같이 정확히 같습니다.

🖥 실행 결과

```
Fibonacci(8) 분할 정복      =   21
Fibonacci(8) 테이블화       =   21
Fibonacci(8) 메모이제이션   =   21
Fibonacci(8) 반복 구조      =   21
```

다양한 피보나치 수열 알고리즘

피보나치 수열은 복잡하게 동적 계획법을 사용하지 않아도 $O(n)$에 해결할 수 있습니다. 그것도 반복 구조만 잘 설계하면 됩니다. 심지어 효율적인 행렬의 거듭제곱 알고리즘을 이용하면 복잡도를 $O(\log_2 n)$까지 낮출 수 있습니다(10.5절 참조). 따라서 여기서 설명한 동적 계획법이 분할 정복을 단순히 적용한 경우보다는 빠르지만, 피보나치 수열을 구하는 가장 효율적인 알고리즘은 아닙니다. 이 장에서 피보나치 수열을 설명하는 것은 가장 효율적인 알고리즘을 찾는 것이 아니라 동적 계획법을 이해하기 위한 것임에 유의하세요.

동적 계획법을 이용한 문제 해결 전략

동적 계획법으로는 어떤 문제들을 해결할 수 있을까요? 모든 문제에 적용할 수 있는 것은 아닙니다. 그림 11.3는 동적 계획법의 패러다임을 보여줍니다.

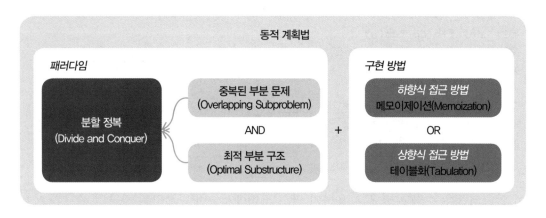

그림 11.3 | 동적 계획법의 패러다임과 구현 방법

일단 분할 정복 전략을 적용할 수 있어야 합니다. 또한, 피보나치 수열처럼 중복된 문제를 반복해서 해결하는 경우이어야 합니다. 이와 달리, 이진 탐색이나 병합 정렬 등에서는 중복된 부분 문제가 발생하지 않으므로 동적 계획법이 적합하지 않습니다. 마지막으로 최적 부분 구조 특성이 있어야 합니다. 이것은 부분 문제의 최적해를 이용하면 전체 문제를 해결할 수 있는 구조를 의미하는데, 피보나치 수열의 경우 부분 문제인 fib(4)와 fib(5)의 최적해를 알고 있으면 전체 문제 fib(6)의 최적해를 구할 수 있으므로 이러한 최적 부분 구조 특성을 갖습니다. 대부분 문제가 이런 특성을 만족하고, 그렇지 않은 경우(다음 페이지의 퀴즈 2번 문제)를 찾기가 더 어렵습니다.

이런 조건들을 만족하면 동적 계획법을 적용할 수 있는데, 메모이제이션과 테이블화 중 하나를 선택해 구현하면 됩니다. 몇 가지 문제를 동적 계획법으로 해결해 봅시다.

◉◉◉ Quiz

1. 코드 10.9의 분할 정복에 의한 피보나치 수열 함수로 fib(7)을 호출하는 경우 fib(3)은 몇 번이나 호출될까요?
2. 가중치 그래프에서 두 정점의 최단 경로를 구하는 문제는 최적 부분 구조 특성을 만족합니다. 그렇다면 두 정점의 최장 경로를 구하는 문제는 이 특성을 만족할까요? 다음 그래프를 이용해 설명해보세요.

11-2 최장 공통 부분 순서

두 데이터가 서로 얼마나 비슷한지를 비교하는 문제를 생각해 봅시다. 최장 공통 부분 순서(LCS : Longest Common Subsequence)란 꽤 거창한 이름의 문제입니다. 부분 순서(subsequence)란 어떤 시퀀스의 일부분으로 상대적인 순서를 유지하는 것을 의미하는데, 예를 들어 'abcdef'의 부분 순서로는 'abc', 'acf', 'df', 'bcdf' 등이 있습니다. 결국 LCS 문제는 두 데이터에 공통으로 들어 있는 부분 순서 중에서 가장 긴 것을 찾는 문제입니다.

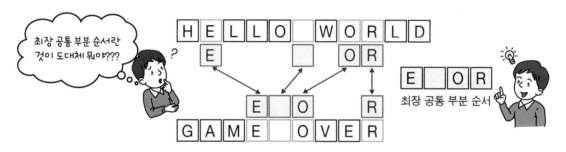

그림 11.4 | 최장 공통 부분 순서 문제의 예

예를 들어, 그림 11.4와 같이 두 문자열 'HELLO WORLD'와 'GAME OVER'이 주어졌을 때, LCS를 찾아봅시다. 공통으로 'EO', 'OR' 등 여러 가지가 있지만 그림과 같이 'E', ' ', 'O', 'R'이 순서대로 있으므로 가장 긴 시퀀스는 'E OR'이고 LCS의 길이는 4입니다. LCS는 두 데이터의 유사도를 비교할 때 매우 유용하게 사용되는데, 예를 들어 유전자 염기 서열을 비교하거나, 두 소스 파일의 차이를 찾는 분야 등에서 흔히 사용되고 있습니다.

우리는 두 문자열이 주어졌을 때 'LCS의 길이'를 구하려고 합니다. 즉, 최장 공통 부분 순서 자체를 구하는 것이 아니고 '길이'만을 구합니다. 이 문제는 꽤 어려워 보이지만, 분할 정복 전략으로 해결할 수 있습니다. 이를 위해, 피보나치 수열처럼 주어진 문제와 부분 문제의 관계를 먼저 찾아야 하는데, 이 과정이 좀 복잡합니다. 한번 도전해 봅시다.

LCS 길이의 순환 관계식

길이가 각각 m과 n인 두 문자열 $X=<x_1, x_2, ..., x_m>$와 $Y=<y_1, y_2, ..., y_n>$가 주어졌을 때, LCS 길이를 $l_{LCS}(X_m, Y_n)$를 구하려고 합니다. 예를 들어, 그림 11.4의 경우에는 X="HELLO WORLD", Y="GAME OVER"이고, m=11, n=9이며, $l_{LCS}(X_{11}, Y_9)$가 우리가 구하려는 문제입니다.

이제 원래의 문제와 부분 문제들의 관계를 생각해 봅시다.

기반 상황

답을 확실히 알 수 있는 상황은 언제일까요? 만약 n이나 m이 0이라면 두 문자열 중 하나의 길이가 0이고, 공통 문자가 없으므로 LCS의 길이는 0입니다. 즉, $l_{LCS}(X_0, Y_n)$과 $l_{LCS}(X_m, Y_0)$은 모두 0입니다.

일반 상황

n과 m이 모두 0이 아닌 일반적일 때의 $l_{LCS}(X_m, Y_n)$는 어떻게 구할까요? 관계를 구하는 핵심 아이디어는 X와 Y의 맨 뒤의 문자부터 처리하는데, 그 문자들이 같은 경우와 다른 경우로 분리하여 처리하는 것입니다. 최종 LCS는 이들 중 더 긴 것입니다.

- (Case 1) X와 Y의 마지막 문자가 같은 경우($x_m = y_n$) : 그림 11.5와 같이 마지막 문자가 같으면 이 문자를 X와 Y에서 모두 빼고 LCS 길이를 구한 다음 1을 더하면 됩니다. 이때 마지막 한 문자씩을 빼고 구한 LCS 길이는 $l_{LCS}(X_{m-1}, Y_{n-1})$입니다. 따라서 전체 LCS 길이는 $l_{LCS}(X_{m-1}, Y_{n-1}) + 1$입니다.

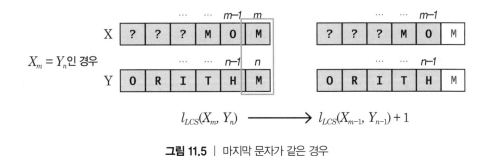

그림 11.5 │ 마지막 문자가 같은 경우

- (Case 2) X와 Y의 마지막 문자가 다른 경우($x_m \neq y_n$) : 마지막 문자가 다르면 그림 11.6과 같이 두 가지 시도가 가능합니다. 먼저 X에서 마지막 문자를 빼고 Y와 비교하는 것($l_{LCS}(X_{m-1}, Y_n)$)과, 반대로 Y에서 하나를 빼고 X와의 LCS를 구하는 것 ($l_{LCS}(X_m, Y_{n-1})$)입니다. 최종 결과는 이들 중 큰 값이 됩니다. 즉, $l_{LCS}(X_m, Y_n)$는 $\max(l_{LCS}(X_{m-1}, Y_n), l_{LCS}(X_m, Y_{n-1}))$입니다.

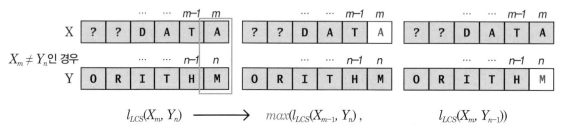

그림 11.6 | 마지막 문자가 서로 다른 경우

이제 $l_{LCS}(X_m, Y_n)$는 다음과 같이 순환 관계로 나타낼 수 있습니다.

$$l_{LCS}(X_m, Y_n) = \begin{cases} 0 & m = 0 \text{ or } n = 0 \\ 1 + l_{LCS}(X_{m-1}, Y_{n-1}) & x_m = y_n \\ \max(l_{LCS}(X_{m-1}, Y_n), l_{LCS}(X_m, Y_{n-1})) & otherwise \end{cases}$$

복잡하지만 이제 큰 고비를 넘겼습니다. 관계를 구했으니 어쨌든 이 문제를 해결할 수 있습니다.

순환구조의 알고리즘

유도한 식은 원래의 문제와 더 작은 문제의 관계를 이용해 순환적으로 기술되었습니다. 따라서 피보나치 수열과 같이 분할 정복을 바로 적용할 수 있습니다. 순환을 이용해 구현한 코드는 다음과 같은데, 배열의 인덱스가 0부터이므로 이를 반영하는 것을 제외하면 앞에서 구한 식을 그대로 적용하면 됩니다.

코드 11.3: LCS의 길이(분할 정복)

완성파일 ch11/LCS.py

```
01:  def lcs_recur(X, Y, m, n):        ← 두 문자열 X, Y와 길이 m, n이 입력됨
02:      if m == 0 or n == 0:              순환 호출을 위해 m과 n이 필요함
03:          return 0
04:      elif X[m-1] == Y[n-1]:         ← 마지막 문자가 같으면 이들을
05:          return 1 + lcs_recur(X, Y, m-1, n-1)   제외하고 계산한 다음 1을 더한
06:      else:                             값이 답임
07:          return max(lcs_recur(X, Y, m, n-1), lcs_recur(X, Y, m-1, n))
```

마지막 문자가 서로 다르면, 두 가지를 계산해 보고
더 큰 쪽이 답임

지금까지만 해도 아주 훌륭합니다. 그렇지만 좀 더 가봅시다. 이러한 분할 정복 알고리즘은 간단하지만 같은 문제를 반복해서 풀기 때문에 매우 비효율적입니다. 따라서 동적 계획법으로 더 효율적인 알고리즘을 만들어 봅시다.

동적 계획법(테이블화)에 의한 LCS 길이

이 문제에 동적 계획법을 적용해 보겠습니다. 테이블화를 이용하는데, 이를 위해 부분해를 저장할 테이블을 먼저 준비해야 합니다.

테이블 준비

부분 해를 저장할 테이블의 이름을 L이라 한다면, L의 크기는 $(m+1) \times (n+1)$입니다. $m=0$이나 $n=0$인 기반 상황은 답을 이미 알고 있으므로 $L[0][n] = L[m][0] = 0$으로 모두 초기화해야 합니다. 순환 관계를 테이블로 나타내면 다음과 같습니다.

$$L[m][n] = \begin{cases} 0 & m = 0 \text{ or } n = 0 \\ 1 + L[m-1][n-1] & x_m = y_n \\ \max(L[m-1][n], L[m][n-1]) & otherwise \end{cases}$$

그림 11.7은 테이블의 예를 보여주는데, 회색 셀들은 기반 상황이고, 이 테이블을 하나씩 채워나가면 최종적으로 LCS의 길이 L[m][n]을 구할 수 있습니다.

LCS 길이 알고리즘

테이블이 준비되면 각 요소의 값을 위에서 아래로, 좌에서 우로 채워나갑니다. 이를 구현한 함수와 테스트 코드는 다음과 같습니다.

●●● 코드 11.4: LCS의 길이(동적 계획법)　　　　　　　　　완성파일 ch11/LCS.py

```python
01:  def lcs_dp(X , Y):
02:      m = len(X)
03:      n = len(Y)                          ← 테이블 준비
04:      L = [[None]*(n+1) for _ in range(m+1)]
05:
06:      for i in range(m+1):
07:          for j in range(n+1):
08:              if i == 0 or j == 0 :       ← 기반 상황이면 답을 이미 알고
09:                  L[i][j] = 0                있으므로 바로 저장.
10:              elif X[i-1] == Y[j-1]:       # 마지막 글자가 같으면
11:                  L[i][j] = L[i-1][j-1]+1
12:              else:                        # 마지막 글자가 다르면
13:                  L[i][j] = max(L[i-1][j], L[i][j-1])
14:      return L[m][n] ← 최종 결과는 L[m][n]에 저장됨
```

그림 11.7은 두 문자열 'GAME OVER'와 'HELLO WORLD'의 LCS 길이를 구하는 과정을 보여주는데, 회색 셀은 기반 상태이고, 마지막 파란 셀이 최종 결과입니다.

		H	E	L	L	O	' '	W	O	R	L	D
	0	0	0	0	0	0	0	0	0	0	0	0
G	0	0	0	0	0	0	0	0	0	0	0	0
A	0	0	0	0	0	0	0	0	0	0	0	0
M	0	0	0	0	0	0	0	0	0	0	0	0
E	0	0	1	1	1	1	1	1	1	1	1	1
' '	0	0	1	1	1	1	2	2	2	2	2	2
O	0	0	1	1	1	2	2	2	3	3	3	3
V	0	0	1	1	1	2	2	2	3	3	3	3
E	0	0	1	1	1	2	2	2	3	3	3	3
R	0	0	1	1	1	2	2	2	3	4	4	4

그림 11.7 | 'GAME OVER'와 'HELLO WORLD'의 LCS 길이를 구하는 과정

이 알고리즘은 테이블의 크기만큼의 연산이 필요하고, 따라서 시간 복잡도는 $O(mn)$입니다. 이것은 코드 11.3의 lcs_recur()에 비해 엄청난 개선입니다.

LCS 추적 알고리즘

만약 LCS의 길이뿐만 아니라 두 문자열의 LCS 자체를 구하려면 어떻게 할까요? 다행히 앞에서 구한 테이블을 이용하면 최장 공통 부분 시퀀스(LCS)를 구할 수 있습니다. LCS 요소들을 구하는 과정은 최종해가 저장된 마지막 셀(파란셀)을 시작으로 왼쪽 위 모서리로 올라가면서 다음과 같이 진행됩니다.

① LCS의 요소들을 담기 위한 리스트를 준비합니다.
② 오른쪽 아래의 요소(파란셀)가 현재 셀(시작 셀)입니다.
③ 현재 셀의 값이 ←, ↖, ↑ 방향으로 인접한 셀들의 값보다 모두 크면 현재 셀의 값을 리스트의 전단에 삽입하고, 현재 셀의 위치를 ↖로 한 칸 이동합니다.
④ ③의 조건이 만족하지 않는 경우, 현재 셀의 값이 왼쪽(←) 셀과 같고, 위쪽(↑) 셀보다 크면 현재 셀을 왼쪽으로 옮깁니다.
⑤ ③과 ④의 조건이 모두 만족하지 않으면 현재 셀을 위쪽(↑)으로 옮깁니다.
⑥ ③~⑤ 과정을 i나 j가 0이 될 때까지 반복합니다.

그림 11.8은 두 문자열 'GAME OVER'와 'HELLO WORLD'의 LCS 테이블에서 LCS를 추적하는 과정을 보여주는데, 뒤에서부터 순서대로 LCS에 속한 문자들이 추출되는 것을 알 수 있습니다.

		H	E	L	L	O	' '	W	O	R	L	D
	0	0	0	0	0	0	0	0	0	0	0	0
G	0	↑0	0	0	0	0	0	0	0	0	0	0
A	0	↑0	0	0	0	0	0	0	0	0	0	0
M	0	↑0	0	0	0	0	0	0	0	0	0	0
E	0	0	↖1	←1	←1	←1	1	1	1	1	1	1
' '	0	0	1	1	1	1	↖2	←2	2	2	2	2
O	0	0	1	1	1	2	2	2	↖3	3	3	3
V	0	0	1	1	1	2	2	2	↑3	3	3	3
E	0	0	1	1	1	2	2	2	↑3	3	3	3
R	0	0	1	1	1	2	2	2	3	↖4	←4	←4

그림 11.8 | LCS 테이블에서 LCS 문자열을 추적하는 과정

이 과정을 함수로 구현하면 다음과 같습니다.

●●● 코드 11.5: LCS 테이블에서 LCS를 추적하는 알고리즘 완성파일 ch11/LCS.py

```
01:    def lcs_dp_traceback(X, Y, L):
02:        lcs = ""                         # ①
03:        i = len(X)                       # ②
04:        j = len(Y)                       # ②
05:        while i > 0 and j > 0:
06:            v = L[i][j]
07:            if v > L[i][j-1] and v > L[i-1][j] and v > L[i-1][j-1]:   # ③
08:                i -= 1
09:                j -= 1
10:                lcs = X[i] + lcs
11:
12:            elif v == L[i][j-1] and v > L[i-1][j]: j -= 1    # ④
13:            else : i -= 1                # ⑤
14:        return lcs
```

코드 11.4의 마지막 부분에 테이블의 내용을 출력하는 코드와 lcs_dp_traceback()를 호출하는 코드를 추가하여 LCS를 출력하도록 한 테스트 코드와 실행 결과는 다음과 같습니다.

●●● 코드 11.6: LCS 테스트 프로그램 완성파일 ch11/LCS.py

```
01:    X = "GAME OVER"
02:    Y = "HELLO WORLD"
03:    print("X = ", X)
04:    print("Y = ", Y)
05:    print("LCS(분할 정복)", lcs_recur(X , Y, len(X), len(Y)))
06:    print("LCS(동적 계획)", lcs_dp(X , Y) )
```

```
X =   GAME OVER
Y =   HELLO WORLD
LCS(분할 정복) 4
[0, 0, 0, 0, 0, 0, 0, 0, 0, 0, 0, 0]
[0, 0, 0, 0, 0, 0, 0, 0, 0, 0, 0, 0]
[0, 0, 0, 0, 0, 0, 0, 0, 0, 0, 0, 0]
[0, 0, 0, 0, 0, 0, 0, 0, 0, 0, 0, 0]
[0, 0, 1, 1, 1, 1, 1, 1, 1, 1, 1, 1]
[0, 0, 1, 1, 1, 1, 2, 2, 2, 2, 2, 2]
[0, 0, 1, 1, 1, 2, 2, 2, 3, 3, 3, 3]
[0, 0, 1, 1, 1, 2, 2, 2, 3, 3, 3, 3]
[0, 0, 1, 1, 1, 2, 2, 2, 3, 3, 3, 3]
[0, 0, 1, 1, 1, 2, 2, 2, 3, 4, 4, 4]
LCS =   E OR
LCS(동적 계획) 4
```

Quiz

1. 다음 문자열들에 대한 LCS를 찾고 LCS의 길이를 구하시오.
   (a) 'ABCDGH'와 'AEDFHR'
   (b) 'AGGTAB'와 'GXTXAYB'

11-3 배낭 채우기

0-1 배낭 채우기 문제로 돌아가봅시다(문제 9.1). 무게와 가치가 각각 주어진 n개의 물건을 용량이 W인 배낭에 넣는 문제인데, 배낭의 가치가 최대가 되도록 물건들을 잘 선택해야 합니다. 물론 용량을 초과할 수도 없고, 물건을 잘라서 일부분만 넣을 수도 없습니다.

9장에서 공부한 억지 기법으로는 조합이 너무 많아(2^n가지) 안 되겠고, 물건을 잘라 넣을 수 없으니 탐욕적 기법을 사용할 수도 없습니다. 그런데 이 문제에 동적 계획 전략을 적용할 수 있습니다.

그림 11.9 | 배낭 채우기 문제 다시 보기

배낭 문제의 순환 관계식

0-1 배낭 문제에서 주어진 문제와 부분 문제 사이의 관계를 순환 관계로 구해보겠습니다. 용량이 W인 배낭과 n개의 물건 E_1, E_2, …, E_n이 주어지는데, 각 물건은 $E_i = (wgt_i, val_i)$과 같이 무게 wgt_i와 가치 val_i를 갖습니다.

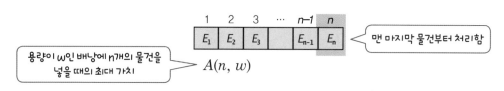

그림 11.10 | 배낭 채우기 문제 순환 관계식 만들기

배낭의 가치는 $A(k, w)$로 나타낼 수 있는데, 이는 k개의 물건 E_1~E_k를 용량이 w인 배낭에 넣는 경우의 배낭의 최대가치라고 정의하겠습니다. 당연히 우리는 $A(n, W)$를 구하려고 합니다. 즉, 용량이 W이고 n개의 모든 물건(E_1~E_n)을 고려한 배낭의 최대가치를 구하는 것입니다.

이제 주어진 문제와 부분 문제 사이의 관계를 만들어 봅시다. 답이 알려진 기반 상황과 일반 상황에 대해 나누어 생각해야 합니다.

기반상황

만약 배낭에 넣을 물건이 없다면($k=0$) 배낭 용량과 상관없이 최대가치는 0입니다. 따라서 $A(0, w)=0$입니다.

만약 배낭의 용량이 0이라면($w=0$) 아무것도 넣을 수 없으므로 배낭의 최대가치는 0입니다. 따라서 $A(k, 0)=0$입니다. 이들이 기반 상황입니다.

일반상황

k개의 물건 E_1~E_k을 용량이 w인 배낭에 넣을 때의 최대가치 $A(k, w)$는 다음과 같이 두 경우로 나누어 생각할 수 있습니다.

Case 1: 만약 k번째 물건의 무게 wgt_k가 남은 배낭 용량 w보다 크면, 즉 $wgt_k > w$이면, 어차피 이 물건은 배낭에 넣을 수 없습니다. 따라서 최대가치는 E_1~E_{k-1}만으로 계산하면 되고, $A(k, w) = A(k-1, w)$가 됩니다.

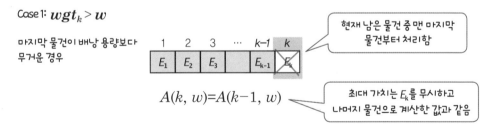

그림 11.11 | 마지막 물건이 배낭 용량보다 무거운 경우

Case 2: E_k를 배낭에 넣을 수 있다면 어떻게 할까요? wgt_k가 w 이하인 경우입니다. 낭연히 E_k를 넣는 경우와 그렇지 않은 경우의 최대가치를 구해야 합니다. 최종가치는 이들 중 큰 값이 되어야 합니다. 각 경우를 따져봅시다.

E_k을 배낭에 넣는 경우: 배낭의 최대가치는 val_k만큼 증가되고, 배낭의 용량은 줄어서 $w-wgt_k$가 됩니다. 이제 용량이 $w-wgt_k$인 배낭에 $E_1\sim E_{k-1}$를 넣는 문제만 해결하면 되는데, 이것은 $A(k-1, wgt_k)$로 표현됩니다. 결국, 이 경우의 최대가치는 $val_k + A(k-1, w-wgt_k)$입니다.

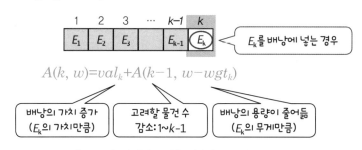

그림 11.12 | 마지막 물건을 배낭에 넣는 경우

E_k을 배낭에 넣지 않는 경우: 배낭의 최대가치나 용량은 변하지 않고, 단지 고려해야 할 물건이 하나 줄었습니다. 이것은 그림 11.11의 Case 1과 결국 같은 상황입니다. 즉, E_k를 제외한 나머지를 용량 w의 배낭에 넣을 때의 최대가치를 구하면 되고, 이것은 $A(k-1, w)$입니다.

이들을 정리하면 n개의 물건을 용량이 W인 배낭에 넣을 때의 최대가치 $A(n, W)$에 대한 순환 관계식을 구할 수 있습니다.

$$A(n,\ W) = \begin{cases} 0 & \text{if } W = 0 \text{ or } n = 0 \\ A(n-1, W) & \text{if } wgt_n > W \\ \max(val_n + A(n-1, W-wgt_n),\ A(n-1, W)) & \text{otherwisw} \end{cases}$$

분할 정복 알고리즘

순환 관계식이 정의되었으므로 순환구조를 이용하면 다음과 같이 간단하게 알고리즘을 기술할 수 있고, 이것은 물론 분할 정복 전략입니다. 배열의 인덱스가 0부터이므로 n번째 항목의 인덱스가 코드에서 n-1이 되어야 하는 것을 제외하면 앞에서 구한 식을 그대로 적용하면 됩니다.

●●● **코드 11.7: 0-1 배낭 채우기(분할 정복)**   참고파일 ch11/Knapsack01.py

```
01:   def knapSack_dc(W, wt, val, n):
02:       if n == 0 or W == 0 :          ← 기반상황으로 답을 이미 알고 있음
03:           reurn 0
04:
05:       if (wt[n-1] > W):               ← 마지막 물건을 넣을 용량이
06:           return knapSack_dc(W, wt, val, n-1)    부족한 경우임. 이 물건을 제외한
                                                      최대가치를 구함
07:       else:
08:           valWithout = knapSack_dc(W, wt, val, n-1)
09:           valWith = val[n-1] + knapSack_dc(W-wt[n-1], wt, val n-1)
10:           return max(valWith, valWithout)      # 둘 중에서 더 큰 값
```
마지막 물건을 넣는 경우와 그렇지 않은 경우의 최대가치를 구하고, 이들 중 더 큰 값을 반환함

• 1행: W는 현재 배낭의 용량, wt는 물건들의 무게를 저장한 리스트, val은 물건들의 가치를 저장한 리스트, n은 물건들의 수입니다. 예를 들어, n=4이면 리스트의 앞쪽 네 개의 물건들만을 고려하여 배낭에 넣는 문제가 됩니다.

이 코드는 지수 시간이 걸리는 매우 비효율적인 알고리즘이지만, 만약 물건의 무게가 실수(예 3.12이나 10.234567)로 표현된다면 다른 방법이 별로 없습니다.

동적 계획법에 의한 0-1 배낭 문제 해법

동적 계획법을 적용하기 위해서는 원래의 문제에 대해 조건을 추가해야 합니다. 그것은 물건의 무게와 배낭의 용량을 모두 정수로 제한하는 것입니다. 이 경우 0-1 배낭 문제에 동적 계획법을 적용할 수 있습니다.

테이블 설계

답을 저장해 둘 테이블의 형태는 어떻게 되어야 할까요? 최대가치가 물건의 개수 n과 배낭의 용량 W의 함수 $A(n, w)$로 표시되므로 변수가 두 개입니다. 따라서 2차원 형태의 테이블이 필요한데, 다음과 같이 $(n+1) \times (W+1)$의 2차원 배열 형태가 됩니다.

		배낭 용량								
		0	1	...	$w-wt_i$	...	w	...	W
물건	0	0	0	...	0	...	0	...	0
	1	0							
	...	...							
	i−1	0			$A(i-1, w-wt_i)$	...	$A(i-1, w)$		
	i	0					$A(i, w)$		
	...	...							
	n	0							$A(n, W)$

그림 11.13 | 배낭 채우기 문제를 동적 계획법으로 풀기 위해 사용되는 테이블

기반 상황을 먼저 처리해봅시다. $A(0, W)=0$이고, $A(n, 0)=0$이므로, 표에서 $n=0$인 행과 $W=0$인 열을 모두 0으로 채웁니다. 이들은 넣을 물건이 없거나 배낭 용량이 0인 경우입니다. 그림 11.13의 회색 셀들이 기반 상황입니다.

다른 셀들은 표를 위에서 아래로, 좌에서 우로 스캔하면서 계산하여 채우면 됩니다. 예를 들어, 그림 11.3에서 $A(i, w)$ 셀을 계산하기 위해서는 $A(i-1, w-wt_i)$와 $A(i-1, w)$를 사용해야 하는데, 이들은 $A(i, w)$의 위쪽이나 왼쪽에 있어 항상 이미 계산되어 있습니다.

최종적인 해답은 표의 맨 오른쪽 아래 셀에 저장됩니다.

배낭 채우기 알고리즘

테이블이 만들어지면 알고리즘은 간단한데, 반복적으로 표를 채우기만 하면 됩니다. 분할 정복과 달리 동적 계획법에서는 순환을 사용하지 않은 것에 유의하세요. 다음은 0-1 배낭 문제에 대한 동적 계획 알고리즘입니다.

```
01:  def knapSack_dp(W, wt, val, n):
02:      A = [[0 for x in range(W + 1)] for x in range(n + 1)]
03:
04:
                    (n+1)x(W+1) 크기의 2차원 배열을 생성하고 모든 요소를 0으로 초기화
05:      for i in range(1, n + 1):                # 위에서 아래로 진행
06:          for w in range(1, W + 1):            # 좌에서 우로 진행
07:              if wt[i-1] > w:                  # i번째 물건이 용량 초과
08:                  A[i][w] = A[i-1][w]
09:              else :                           # i번째 물건을 넣을 수 있음
10:                  valWith = val[i-1] + A[i-1][w-wt[i-1]]   # 넣는 경우
11:                  valWithout = A[i-1][w]                   # 빼는 경우
12:                  A[i][w] = max(valWith, valWithout)       # 더 큰 값 선택
13:
14:      return A[n][W]
```

i번째 물건을 넣는 경우와 빼는 경우를 구해 더 큰 값을 선택.
계산을 위한 값들은 표에 이미 모두 계산되어 있음

테스트 프로그램과 실행 결과는 다음과 같습니다.

●●● 코드 11.9: 0−1 배낭 채우기 테스트 프로그램　　　　　　참고파일 ch11/Knapsack01.py

```
01:  val = [60, 100, 190, 120, 200, 150]
02:  wt = [2, 5, 8, 4, 7, 6]
03:  W = 18
04:  n = len(val)
05:  print("0-1배낭문제(분할 정복): ", knapSack_bf(W, wt, val, n))
06:  print("0-1배낭문제(동적 계획): ", knapSack_dp(W, wt, val, n))
```

실행 결과

```
0-1배낭문제(분할 정복):  480
0-1배낭문제(동적 계획):  480
```

복잡도 분석

코드 11.8은 테이블의 모든 칸을 채우기 위해 이중 루프를 사용하는데, 채워야 할 칸
(일반 상황)의 수가 $n \times W$입니다. 따라서 전체 시간 복잡도는 $O(nW)$이고, 이것은 완
전 탐색이나 분할 정복 알고리즘보다 월등한 것입니다.

공간 복잡도는 어떨까요? 부분 문제의 해를 저장할 테이블을 위해 $O(nW)$의 추가적인

공간을 필요합니다. 따라서 만약 배낭의 용량이 매우 크거나 물건의 종류가 많다면 추가 공간과 처리시간이 모두 크게 늘어날 것입니다. 또한, 물건의 무게가 실수로 주어진다면 테이블의 크기가 거의 무한대가 되므로 적용할 수 없는 방법입니다.

연습 문제

01 두 문자열 "DATA STRUCTURE"와 "PYTHON ALGORITHM"에 대해 LCS 테이블이 만들어지는 과정을 설명하세요.

02 위 문제에서 LCS를 추적하는 과정을 그리고, LCS를 찾아보세요.

03 코드 11.8을 이용해 배낭 채우기 문제를 해결하려고 합니다. 테이블을 만들고 모든 항목을 채워서 답을 구하는 과정을 보이세요. 배낭의 용량은 6입니다.

	물건1	물건2	물건3	물건4	물건5
무게	3	2	1	4	5
가치	26	20	14	40	50

04 0-1 배낭 채우기 알고리즘을 메모이제이션으로 구현해 봅시다.

05 문자열 S와 T가 주어졌을 때, 하나의 문자열을 수정하여 다른 문자열을 만들려고 합니다. 편집 거리(edit distance) 문제는 S를 T로 변환시키는 데 필요한 최소한의 편집 연산의 수를 구하는 문제입니다. 편집에서 허용된 작업은 문자를 삽입하거나 삭제, 그리고 다른 문자로 대체하는 연산 뿐입니다. 예를 들어, "TUESDAY"를 "THURSDAY"로 바꾸는 경우, "TUESDAY"에 'H'를 삽입하고, 'E'를 'R'로 대체하면 "THURSDAY"가 되고, 편집 거리는 2(삽입 1번, 대체 1번)입니다.

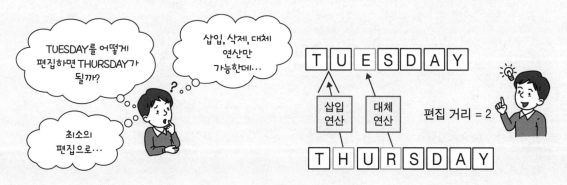

편집 거리 문제를 동적 계획법으로 해결하는 방법을 찾아봅시다.

Chapter

12

공간으로 시간벌기와
백트래킹

📙 **학습목표**

벌써 마지막 장입니다. 이 장에서는 두 가지 전략을 공부합니다. 공간으로 시간벌기는 메모리를 희생하여 처리시간을 향상시키는 전략입니다. 해싱이 이 전략의 대표적인 예인데, 이상적인 경우 시간 복잡도가 O(1)으로 최강의 탐색이 가능합니다.

다음 전략은 백트래킹입니다. 이것은 여러 후보해 중에서 특정 조건을 만족시키는 모든 해를 찾기 위해 사용합니다. 특히 처리시간을 줄이기 위해 상태공간트리의 많은 노드들을 탐색하지 않고 미리 가지치기하는 것이 특징입니다.

자, 효율적인 알고리즘 설계를 위한 마지막 전략까지 장착해 봅시다.

12-1 공간으로 시간을 살 수 있나요?

가장 좋은 알고리즘은 속도가 빠르면서 메모리를 적게 사용하는 것이지만 이런 알고리즘을 찾기는 쉽지 않습니다. 세상에 공짜가 없듯이 무언가를 얻기 위해서는 다른 무언가를 내주어야 하기 때문입니다. 컴퓨터에서도 시간과 공간의 효율성은 항상 서로 충돌하는 요소입니다. 그렇지만 많은 경우 시간 효율성이 더 중요하게 인식되기 때문에 공간을 희생하여, 즉 많은 메모리를 사용하여 처리시간을 줄이려는 다양한 전략들이 개발되고 있습니다. 공간으로 시간을 살 수 있습니다.

그림 12.1 | 공간을 이용해 시간을 벌 수 있는 예

피보나치 수열 문제로 돌아가 봅시다. 만약 어떤 응용에서 피보나치 수가 매우 자주 사용되는데, 그 범위가 fib(100) 이하라고 가정해 보겠습니다. 필요할 때마다 fib(n)을 계산하다 보면 뭔가 편법이 떠오릅니다. 차라리 필요한 피보나치 수를 미리 계산해서 저장해 놓고, 필요할 때마다 꺼내서 이용하는 것입니다. 예를 들어, 리스트 Fib를 만들어 Fib[0]부터 Fib[100]까지 피보나치 수를 계산해 미리 저장해 둔다면, fib(k)가 필요할 때 단순히 Fib[k]를 반환하면 됩니다. 이 전략의 시간 복잡도는 당연히 $O(1)$이고, 이것은 피보나치 수를 세상에서 가장 빨리 구하는 알고리즘입니다.

공간 복잡도는 어떨까요? 그림 12.2를 보면 공간이 좀 희생되는 것을 알 수 있습니다. 분할정복이나 행렬 거듭제곱을 이용하면 추가적인 메모리가 필요하지 않으므로 공간 복잡도가 $O(1)$입니다. 동적 계획법은 부분 문제의 해를 저장할 메모리가 필요하므로 $O(n)$이 필요합니다. 공간을 이용하는 방법은 이렇게 동적 계획법에서 구한 테이블을 그대로 사용하면 됩니다. 따라서 $O(n)$의 공간이 계속 필요합니다. 공간을 팔아서 시간을 살 수 있겠죠?

피보나치 수열 문제		알고리즘 종류	시간 복잡도	공간 복잡도
	1	분할 정복 기법: 코드 10.9	$O(2^n)$	$O(1)$
	2	축소정복기법의 행렬 거듭제곱 이용: 코드 10.10	$O(log_2 n)$	$O(1)$
	3	동적 계획법: 코드 11.1, 11.2	$O(n)$	$O(n)$
	4	미리 답이 계산된 테이블 이용	$O(1)$	$O(n)$

그림 12.2 | n번째 피보나치 수를 구하는 다양한 알고리즘과 복잡도 비교

사실, 이 전략은 어떤 문제에도 적용할 수 있는데, 가능한 모든 입력에 대한 답을 미리 다 구해서 저장해 놓는 것입니다. 물론 치명적인 문제가 있습니다. 대부분은 가능한 모든 입력이 거의 무한하게 많아 미리 답을 계산하기 어렵고, 또한 답을 저장할 공간도 턱없이 부족하다는 것입니다. 따라서 현실적이지 않습니다. 예를 들어, 그림 12.1의 sin(x)를 구하는 경우도 각도가 실수로 표현되므로 모든 각도에 대한 답을 미리 구해놓을 수는 없습니다. 그렇지만 현실적인 수준에서 이 전략을 사용하는 알고리즘들도 많습니다.

- 정렬 문제에 이 전략을 적용한 것이 7장에서 공부한 기수 정렬입니다. 미리 버킷을 많이 준비해 두고, 입력 데이터를 배분하는 방법으로 정렬하는데, 입력의 제한은 있지만 거의 선형($O(n)$)에 가까운 뛰어난 성능을 보입니다.
- 9.2절에서 다룬 문자열 매칭 문제에도 이러한 전략을 사용할 수 있습니다. 효율적인 탐색을 위한 전처리로 테이블을 만들어 두면 더 효율적으로 문자열을 매칭할 수 있습니다.
- 동적 계획법도 넓게 보면 이 전략을 사용하는 것입니다. 부분 문제의 답을 저장해 두어야 하니까요.
- 누가 뭐래도 이 전략의 가장 대표적인 알고리즘은 해싱(hashing)입니다. 해싱은 탐색 문제에 대한 최강의 알고리즘입니다. 시간 복잡도가 $O(1)$이니까요. 해싱을 살펴보겠습니다.

12-2 해싱

아파트 단지에서 각 가정으로 배달된 우편물을 한군데 모아 놓고 주민들이 직접 자신의 우편물을 찾아가야 한다면 어떻게 될까요? 기다리던 편지 하나를 찾기 위해 수많은 우편물을 하나하나 뒤져야 할 것입니다. 다행히 대부분 아파트에는 세대별로 우편함이 있어 기다리던 편지를 고생하지 않고 금방 찾아갈 수 있습니다. 해싱은 이러한 세대별 우편함과 비슷합니다.

아파트 전체 세대에 대한 하나의 우편함   아파트의 각 세대별 우편함

순차 탐색이나 이진 탐색은 탐색 키와 각 레코드를 비교하여 원하는 레코드를 찾았습니다. 그런데 해싱(Hashing)은 완전히 다른 방법을 사용합니다. 탐색 키와 레코드를 비교하는 것이 아니라 탐색 키에 어떤 함수를 돌려 레코드가 저장되어야 할 위치를 바로 계산하는 것입니다. 그림 12.3은 해싱과 기존의 탐색 방법을 비교하고 있습니다.

• 순차 탐색은 테이블이 정렬되어 있지 않아도 사용할 수 있습니다. 맨 앞에서부터 순서대로 탐색 키와 비교하여 레코드의 위치를 찾습니다.
• 이진 탐색은 테이블이 정렬되어 있어야 적용할 수 있습니다. 순차 탐색보다 비교 횟수를 훨씬 줄여 빠른 탐색이 가능합니다.
• 해싱은 탐색 키 32로부터 레코드가 저장될 위치를 바로 계산합니다. 이때 해시 함수(hash function)를 이용합니다. 만약 계산된 주소가 11이라면 레코드는 반드시 11번지에 있어야 합니다. 만약 이 위치에 없다면 찾는 레코드가 테이블에 없는 것입니다.

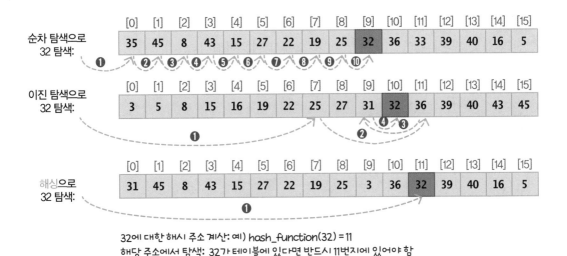

순차 탐색으로 32 탐색:

[0]	[1]	[2]	[3]	[4]	[5]	[6]	[7]	[8]	[9]	[10]	[11]	[12]	[13]	[14]	[15]
35	45	8	43	15	27	22	19	25	32	36	33	39	40	16	5

이진 탐색으로 32 탐색:

[0]	[1]	[2]	[3]	[4]	[5]	[6]	[7]	[8]	[9]	[10]	[11]	[12]	[13]	[14]	[15]
3	5	8	15	16	19	22	25	27	31	32	36	39	40	43	45

해싱으로 32 탐색:

[0]	[1]	[2]	[3]	[4]	[5]	[6]	[7]	[8]	[9]	[10]	[11]	[12]	[13]	[14]	[15]
31	45	8	43	15	27	22	19	25	3	36	32	39	40	16	5

32에 대한 해시 주소 계산: 예) hash_function(32) = 11
해당 주소에서 탐색: 32가 테이블에 있다면 반드시 11번지에 있어야 함

그림 12.3 | 순차탐색, 이진탐색과 해싱의 비교

해싱의 성능은 어떨까요? 그림 12.3의 예에서 순차 탐색은 10번, 이진 탐색은 4번의 비교가 필요한데, 해싱은 한 번 만에 탐색이 완료됩니다. 따라서 해싱은 최강의 탐색 방법입니다.

해싱의 구조

그림 12.4는 해싱의 구조를 보여줍니다. 레코드를 저장한 테이블을 해시 테이블(hash table)이라 하는데, 이 테이블은 M개의 버킷(bucket)으로 이루어집니다. 각 버킷은 보통 여러 개의 슬롯(slot)으로 나누어지는데, 각 슬롯에 하나의 레코드가 저장됩니다. 단순화를 위해 버킷에는 하나의 슬롯이 있다고 가정하겠습니다.

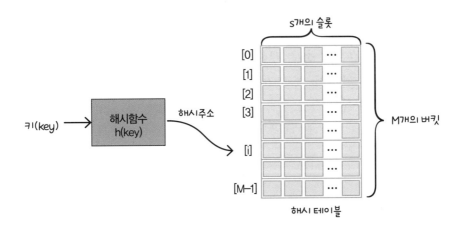

그림 12.4 | 해싱의 구조

해시 함수는 킷값에서부터 레코드의 위치인 해시 주소(hash address)를 계산하는데, 탐색 연산과 삽입 및 삭제 연산이 모두 이 주소에서 이루어집니다.

이상적인 해싱과 실제의 해싱

그런데 만약 두 개의 서로 다른 키가 해시 함수에 의해 같은 주소로 계산되는 상황이 발생하면 어떻게 될까요? 예를 들어, 4개의 키에 대해 어떤 해시 함수를 적용한 결과가 다음과 같은데, 서로 다른 키인 "뉴욕"과 "뮌헨"이 같은 주소(3)로 계산되었습니다.

$$h(뉴욕) \Rightarrow 3, \quad h(파리) \Rightarrow 2, \quad h(런던) \Rightarrow 5, \quad h(뮌헨) \Rightarrow 3$$

이러한 상황을 충돌(collision)이라고 하는데 그림 12.5는 충돌이 발생한 상황을 보여줍니다.

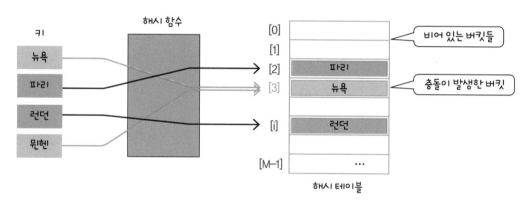

그림 12.5 | 실제의 해싱에서 발생하는 충돌

일단, 공백 상태의 해시 테이블에 '뉴욕', '파리', '런던'이 순서대로 잘 저장됩니다. 그런데 '뮌헨'이 '뉴욕'과 같은 주소로 계산되어 충돌이 발생합니다. 충돌이 발생하면 어떻게 처리할까요? 만약 버킷에 여러 개의 슬롯이 있다면 비어 있는 다른 슬롯에 저장하면 됩니다. 그러나 충돌이 슬롯 수보다 더 많이 발생할 수도 있습니다. 이러한 상황을 오버플로(overflow)라고 하는데, 해당 주소에 더는 레코드를 저장할 수 없습니다.

- 이상적인 해싱은 충돌이 절대 일어나지 않는 경우입니다. 예를 들어, 탐색 키가 항상 1에서 1000 사이의 정수라고 가정하면 가장 빠르게 탐색하는 방법은 크기가 1000인 테이블을 만드는 것입니다. 즉, 자료의 삽입과 탐색은 탐색 키 자체를 주소(인덱스)로 생각하고 그 주소에서 처리하는 것입니다. 이때 해시 함수는 $h(key) = key$입니다. 이러한 이상적인 해싱에서는 탐색, 삽입, 삭제 연산이 모두 레코드의 수와 상관없이 바로($O(1)$) 처리됩니다. 그러나 메모리가 지나치게 많이 필요하여 현실적이지 않습니다.
- 실제의 해싱에서는 테이블의 크기를 적절히 줄이고, 해시 함수를 이용해 주소를 계산하는데, 결과적으로 충돌과 오버플로가 빈번하게 발생할 수 있습니다. 따라서 실제의 해싱에서는 오버플로를 반드시 해결해야 하고, 처리시간도 이상적인 해싱보다는 많이 걸릴 수밖에 없습니다.

해시 함수

해시 함수(hash function)란 임의의 길이를 갖는 데이터를 고정된 길이의 데이터로 변환시켜주는 함수입니다. 좋은 해시 함수의 조건은 다음과 같습니다.

- 충돌이 적게 발생해야 합니다.
- 해시 결과가 테이블의 주소 영역 내에서 고르게 분포되어야 합니다.
- 계산이 빨라야 합니다.

예를 들어, 영어 단어의 첫 문자만을 취해 해시 주소를 만드는 것은 좋지 않습니다. 왜냐하면 'e'나 'a'로 시작하는 단어가 많은 것에 비해 'x'나 'z'로 시작하는 단어는 별로 없으므로 테이블의 주소 영역을 균일하게 사용하지 못하기 때문입니다.

제산 함수(나머지 연산 함수)

가장 흔히 사용되는 해시 함수는 나머지 연산자 mod(또는 % 연산자)입니다. 테이블의 크기가 M일 때 탐색 키 k에 대한 해시 주소를 다음과 같이 나머지 연산으로 계산합니다.

$$h(k) = k \bmod M$$

이때 해시 주소를 좀 더 고르게 분포시키기 위해서는 해시 테이블의 크기 M을 1과 자기 자신만을 약수로 가지는 소수(prime number)로 선택하는 것이 좋다고 합니다. 제산 함수는 해싱에서 가장 흔히 사용되지만, 항상 성능이 좋지만은 않습니다. 이를 보완하기 위한 여러 방법을 사용할 수 있는데, 탐색키를 몇 개의 부분을 나누어 더하거나 비트별 XOR 연산을 취하는 폴딩 기법이나, 탐색 키를 제곱한 다음 중간에 몇 비트를 취하거나, 숫자를 분석해 편중되지 않는 부분을 찾는 방법 등이 자주 사용됩니다.

탐색키가 문자열인 경우

탐색 키가 문자열이라면 먼저 각 문자를 정수로 대응시켜야 합니다. 예를 들어, 'a'부터 'z'를 1부터 26에 대응시킬 수도 있고, 문자의 아스키 코드나 유니코드값을 그대로 이용할 수 있습니다. 이때도 가능하면 문자열 안의 모든 문자를 골고루 사용하는 것이 좋을 것입니다. 다음은 문자열의 각 문자에 대한 아스키 코드값을 모두 더해 제산 함수를 적용한 해시 함수의 예입니다.

●●● 코드 12.1: 문자열 탐색키에 대한 해시 함수 예   완성파일 ch12/LinearProb.py

```
01:    def hashFnStr(key) :
02:        sum = 0
03:        for c in key :                  # 문자열의 모든 문자에 대해
04:            sum = sum + (ord(c))        # 그 문자의 아스키 코드값을 sum에 더함
05:        return sum % M
```
└─ 문자를 아스키 코드로 바꿔주는 파이썬 내장함수
└─ 아스키 코드의 합에 제산 함수를 적용

• 5행 : 최종적인 해시 주소는 문자열을 정수로 변환한 값 sum에 해시 함수를 적용하여 만드는데, 보통은 제산 함수를 이용합니다.

이외에도 문자열에서 문자의 코드값과 함께 위치 정보를 사용하는 방법도 사용할 수 있습니다.

오버플로 처리하기

실제의 해싱에서는 아무리 좋은 해시 함수를 사용하더라도 오버플로가 발생할 수밖에 없습니다. 따라서 반드시 이를 처리해야 하는데, 두 가지 전략을 사용할 수 있습니다.

- 개방 주소법(open addressing): 오버플로가 일어나면 그 항목을 해시 테이블의 다른 위치(주소)에 저장합니다. 선형 조사법, 이차 조사법, 이중 해싱법 등이 이에 해당합니다.
- 체이닝(chaining): 해시 테이블의 하나의 위치에 여러 개의 항목을 저장할 수 있도록 테이블의 구조를 변경합니다.

선형 조사법(linear probing)은 첫 번째 전략을 사용하는데, 계산된 주소에 빈 슬롯이 없으면 다음 주소(버킷)들을 순서에 따라 조사하여 빈 슬롯을 찾습니다. 이때 비어 있는 공간을 찾는 것을 조사(probing)라고 합니다. 예를 들어, 해시 테이블의 k번째 위치인 ht[k]에서 충돌이 발생했다면 다음 위치인 ht[k+1]부터 순서대로 비어 있는지를 살피고, 빈 곳이 있으면 저장합니다. 선형 조사법의 삽입, 탐색, 삭제 연산을 자세히 살펴보겠습니다.

삽입 연산

해시 테이블에 킷값이 각각 45, 27, 88, 9, 71, 60, 46, 38, 24인 레코드를 저장해 봅시다. 테이블의 크기 M=13이고, 해시 함수는 제산 함수 $h(k) = k \% M$을 이용하겠습니다. 각각의 입력에 대한 해시 주소는 다음과 같이 계산됩니다.

key	45	27	88	9	71	60	46	38	24
$h(key)$	6	1	10	9	6	8	7	12	11

이제 이들을 선형 조사법으로 저장해 봅시다.

① 45, 27, 88, 9까지의 삽입은 문제없습니다. 해당 주소가 비어 있기 때문입니다.

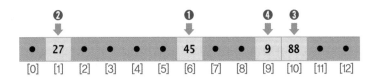

② 71을 삽입할 때 6번지에서 충돌이 발생합니다. 선형 조사법에서는 다음의 비어 있는 공간을 찾으므로, 7번지에 71을 저장합니다.

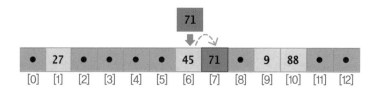

③ 60은 8번지에 그대로 저장하면 됩니다.

④ 46의 삽입(7번지)에서 다시 충돌이 발생합니다. 비어 있는 공간을 찾아 여러 번 움직여서 비어 있는 11번지를 찾을 수 있고, 46을 저장합니다.

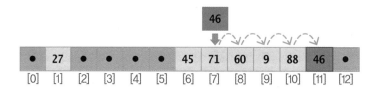

⑤ 38은 충돌 없이 12번지에 저장되고, 마지막으로 24의 삽입에서 충돌(11번지)이 발생합니다. 그런데 뒤쪽으로 남은 버킷이 없으므로 다시 처음(위치=0)으로 돌아가 조사를 계속합니다. 결국 비어 있는 0번지에 24를 저장합니다.

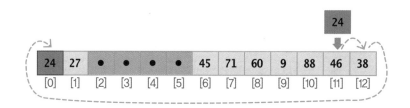

그림을 보면 한번 충돌이 발생한 위치 부근에서 연속적으로 충돌이 발생하는 경향을 볼 수 있는데, 이것을 군집화(clustering)라고 합니다. 이처럼 선형 조사법은 간단하지만, 오버플로가 자주 발생하면 군집화에 따라 탐색 효율이 크게 떨어질 수 있습니다.

●●● 코드 12.2: 선형 조사법의 삽입 알고리즘　　　　완성파일 ch12/LinearProb.py

```
01:   M = 13                                    ← 크기가 M인 해시 테이블 준비.
02:   table = [None]*M                             맨 처음에는 모든 요소가 None(비어 있음).
03:
04:   def hashFn(key) :                          ← 나머지 연산을 이용한 해시 함수
05:       return key % M
...   ...(중략)...
07:   def lp_insert(key) :
08:       id = hashFn(key)
09:       count = M                              ← 계산된 주소 부터 비어 있는
10:       while count>0 and (table[id] != None) :    위치를 찾음
11:           id = (id + 1 + M) % M                 비어 있지 않으면 다음 위치를
12:           count -= 1                            조사함.
13:                                                 이 과정은 최대 M번 진행
14:       if count > 0 :                         ← 빈 버킷을 찾으면 레코드를 저장
15:           table[id] = key
16:       return
```

탐색 연산

탐색은 삽입과 비슷한 과정을 거칩니다. 탐색 키가 입력되면 해시 주소를 계산하고, 해당 주소에 같은 키의 레코드가 있으면 탐색은 성공입니다. 만약에 없으면 어떻게 될까요? 삽입과 같은 방법으로 계속 다음 버킷을 조사해야 합니다. 이 과정은 해당 키의 레코드를 찾거나, 레코드가 없는 버킷을 만나거나 모든 버킷을 다 검사할 때까지 진행됩니다. 예를 들어, 그림 12.6에서 46의 탐색(h(46)=7)은 결국 성공하지만, 39의 탐색(h(39)=0)은 다음 버킷이 27이고 그 다음이 비었으므로 실패로 끝납니다. 즉, 킷값이 39인 레코드는 테이블에 없습니다.

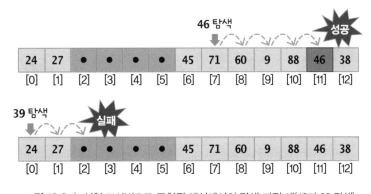

그림 12.6 | 선형 조사법으로 구현된 해싱에서의 탐색 과정 예(46과 39 탐색)

```
01:  def lp_search(key) :
02:      id = hashFn(key)
03:      count = M
04:      while count>0 :
05:          if table[id] == None :        ←  찾는 레코드가 없는 경우
06:              return None                   None을 반환
07:          if table[id] == key :         ←  레코드를 찾은 경우
08:              return table[id]              찾은 레코드를 반환
09:          id = (id + 1 + M) % M         ←  그렇지 않으면, 버킷이 다른 키에 의해 사용되고 있는
10:          count -= 1                        경우이므로 다음 위치를 조사.
11:      return None                           이 과정은 최대 M번 반복
```

삭제 연산

선형 조사법에서 항목이 삭제되면 탐색이 불가능해질 수가 있습니다. 그림 12.6에서 8번지의 레코드(60)를 먼저 삭제했다고 가정해 봅시다. 이 상태에서 46을 탐색하면 그림 12.7과 같이 문제가 발생합니다. h(46)=7이므로 7번지부터 탐색을 시작하는데, 기존에 차 있던 8번 위치가 이제는 비어 있으므로 탐색이 종료되어 버립니다. 분명히 46이 테이블에 있는데도 말이죠.

이 문제는 어떻게 해결할까요? 빈 버킷을 두 가지로 분류해야 합니다. 즉, 버킷을 한 번도 사용하지 않은 것과 사용되었다가 삭제되어 현재 비어 있는 것으로 구분하는 것입니다. 그리고 탐색 과정은 한 번도 사용이 안 된 버킷을 만나야만 중단되도록 합니다.

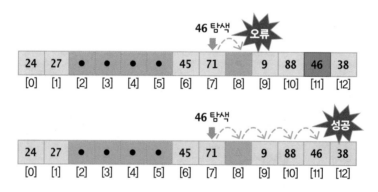

그림 12.7 | 선형조사로 구현된 해싱에서의 삭제 문제(빈 버킷을 두 가지로 분류해야 함)

●•• **코드 12.4: 선형 조사법의 삭제 알고리즘**   완성파일 ch12/LinearProb.py

```
01:  def lp_delete(key) :
02:      id = hashFn(key)
03:      count = M
04:      while count>0 :
05:          if table[id] == None : return      ←  삭제할 레코드가 테이블에 없음
06:          if table[id] != -1 and table[id] == key :
07:              table[id] = -1
08:              return
09:          id = (id + 1 + M) % M      ↖  삭제할 레코드를 찾음. 버킷에 None이 아니라 -1을
10:          count -= 1                      저장하여 사용되었다가 삭제된 것임을 표시함.
```

빈 버킷을 구분하면 앞의 삽입 연산은 다음과 같이 수정되어야 합니다.

[코드 12.2의 10행]   while count>0 and (table[id] != None and table[id] != -1) :

테스트 프로그램과 실행 결과는 다음과 같습니다.

●•• **코드 12.5: 선형 조사법의 테스트 프로그램**   완성파일 ch12/LinearProb.py

```
01:  print("    최초:", table )
02:  lp_insert(45);  print("45 삽입:", table )
03:  lp_insert(27);  print("27 삽입:", table )
04:  lp_insert(88);  print("88 삽입:", table )
05:  lp_insert(9);   print(" 9 삽입:", table )
06:  lp_insert(71);  print("71 삽입:", table )
07:  lp_insert(60);  print("60 삽입:", table )
08:  lp_insert(46);  print("46 삽입:", table )
09:  lp_insert(38);  print("38 삽입:", table )
10:  lp_insert(24);  print("24 삽입:", table )
11:  lp_delete(60);  print("60 삭제:", table )
12:  print("46 탐색:", lp_search(46) )
```

해싱은 공간을 이용해 시간 복잡도를 $O(1)$까지 낮출 수 있는 최강의 탐색 기법이지만, 실제의 해싱에서는 오버플로 문제가 빈번하게 발생합니다. 선형 조사법은 이를 처리하기 위한 전략이지만 군집화 문제가 발생하는데, 이를 완화할 방법들이 있습니다.

- 이차 조사법(quadratic probing)은 주소를 1씩 증가시키는 것이 아니라 $h(k)$, $h(k)+1$, $h(k)+4$, $h(k)+9$와 같이 제곱(j^2)의 순으로 움직이는 방법입니다. 물론 계산된 주소에 나머지 연산(%M)을 적용해야 합니다. 이 방법도 2차 집중 문제를 일으킬 수는 있지만 1차 집중처럼 심각하지는 않다고 합니다.
- 이중 해싱법(double hashing) 또는 재해싱(rehashing)은 충돌이 발생해 다음 위치를 정할 때, 원래 해시 함수와 다른 별개의 함수를 이용합니다. 탐색 키가 다르면 1차 해시 주소가 같아도 2차 함수에서 다른 주소가 나오고, 따라서 집중을 완화할 수 있다는 아이디어입니다.

💬 Quiz

1. 해시 테이블의 크기가 13이고, 해시 함수로 h(key)=key%13을 사용한다면 입력 자료 27과 130은 각각 어떤 주소로 대응될까요?
2. 해싱에서 오버플로는 언제 발생할까요?
3. 다음 중 선형 조사법에서 탐색이 종료(성공 또는 실패)되는 상황이 아닌 것은?
   ① 레코드를 찾았을 때　　　　　② 레코드가 없는 버킷을 만나는 경우
   ③ 모든 버킷을 다 조사한 경우　④ 테이블의 맨 마지막 버킷에 도달한 경우

12-3 백트래킹

생쥐가 미로를 탈출하는 문제를 생각해 봅시다. 생쥐가 미로를 탈출하기 위해 어떻게 할까요? 대부분은 아무런 전략 없이 미로 안을 우왕좌왕 허둥대겠지만, 똑똑한 생쥐라면 시행착오를 이용할 것입니다. 즉, 미로를 탐색하다가 길이 갈라지는 분기점을 만나면, 일단 하나를 선택해 탐색을 계속하고, 그 길이 막히면 다시 분기점으로 되돌아와 (backtracking) 시도하지 않았던 다른 길을 탐색하는 것입니다. 이것을 출구가 나타날 때까지 반복하다 보면 생쥐는 미로를 빠져나올 수 있을 것입니다. 이런 전략을 백트래킹(backtracking)이라고 합니다.

그림 12.8 | 미로탐색 문제

틱택토 게임과 상태 공간 트리

백트래킹을 설명하기 전에 먼저 상태공간트리가 무엇인지 알아봅시다. 틱택토(Tic-Tac-Toe) 게임을 아시죠? 두 명이 번갈아 가며 O와 X를 3×3판에 써서 같은 글자가 가로, 세로, 혹은 대각선상에 놓이면 이기는 게임입니다. 예를 들어, 다음은 먼저 놓는 O가 이기게 되는 하나의 게임 진행 과정의 모든 상태(state)를 보여줍니다.

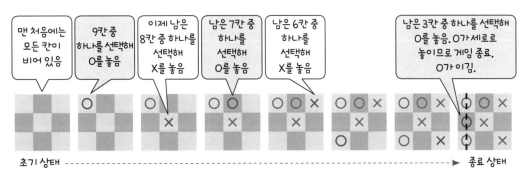

그림 12.9 | 틱택토 게임의 예

초기 상태에서 승부가 날 때까지 게임판의 모든 상태는 그림으로 그려보면 이해하기 쉽습니다. 그림 12.10은 틱택토 문제에 대한 <u>모든 상태를 트리 구조로</u> 나타내고 있는데, 이러한 트리를 상태공간트리(state space tree)라 부릅니다.

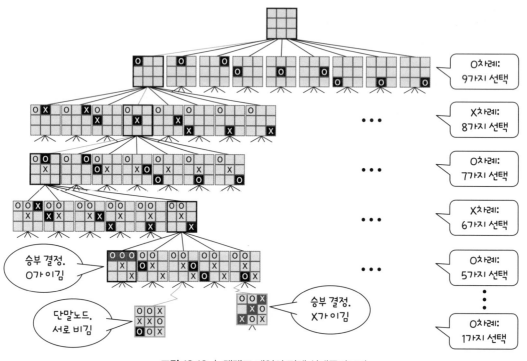

그림 12.10 | 틱택토 게임의 전체 상태공간트리

- 상태공간트리는 어떤 문제에 대한 모든 상태를 노드로 포함하고 있습니다.
- 단말노드는 승부가 결정된 노드로, O승, ×승, 비김 중에서 하나를 갖습니다.

이 트리의 전체 노드 수는 얼마나 될까요? 실제로는 조건이 되면 중간에 게임이 끝날 수도 있지만, 단순화를 위해 9개의 모든 칸을 채워야 게임이 끝난다고 가정하면 단말노드의 수는 9가지 × 8가지 × 7가지 × … × 1가지가 되어 총 9!=362,880입니다. 이것은 원소가 9개인 집합의 순열(permutation)의 수와 같습니다.

이러한 상태공간트리에서 해를 찾는 가장 직접적인 방법은 완전 탐색(exhaustive search)입니다. 시간은 많이 걸리겠지만 항상 정확한 답을 구해줍니다.

백트래킹이란?

백트래킹은 이러한 상태공간트리를 보다 효율적으로 탐색하는 방법을 제공합니다. 백트래킹은 다음과 같은 전략을 사용합니다.

- 백트래킹의 기본 골격은 깊이우선탐색(DFS)입니다. 이것은 트리의 모든 노드를 체계적으로 방문할 수 있는 전략입니다.
- 백트래킹은 상태공간트리를 루트에서부터 깊이우선으로 탐색해 내려오다가 단말 노드까지 가기 전에 방문한 노드(후보해)가 문제에서 요구하는 해가 아니라고 판단되면 더는 탐색하지 않고 이전 노드로 되돌아 나오는(backtracking) 전략을 사용합니다.

이를 통해, 백트래킹은 상태공간트리의 많은 노드들을 탐색하지 않고 미리 가지치기(pruning)할 수 있고, 따라서 탐색의 효율을 높일 수 있습니다.

N-Queen 문제

N-Queen 문제를 아시나요? 이 문제는 NxN의 체스보드에 N개의 퀸을 놓는 문제인데, 어떤 퀸도 다른 퀸을 공격할 수 없어야 합니다. 퀸은 그림의 12.11의 (b)와 같이 수평이나 수직, 또는 대각선 위치에 있는 적을 공격할 수 있습니다. 따라서 모든 퀸이 가로와 세로, 대각선 방향으로 다른 퀸과 중복되어 놓이지 않도록 배치하는 것이 이 문제의 핵심입니다.

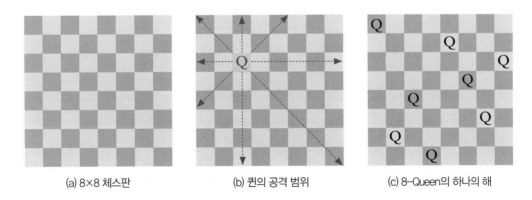

(a) 8×8 체스판   (b) 퀸의 공격 범위   (c) 8-Queen의 하나의 해

그림 12.11 | 8-Queen 문제를 위한 체스판과 하나의 해

4-Queen 문제는 2가지의 해가 있고, 5-Queen은 10가지, 6-Queen은 4가지, 7-Queen은 40가지의 해가 있는데, 다음은 4-Queen의 2가지의 해입니다.

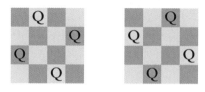

그림 12.12 | 4-Queen 문제의 모든 해

일반적인 경우인 N-Queen 문제를 어떻게 해결할 수 있을까요? 가장 단순한 방법은 N^2개의 모든 칸 중에서 임의로 N개를 골라 퀸을 배치하고 서로 공격하는 퀸이 있는지를 검사하는 방법입니다. 이러한 조합의 수는 당연히 N^2개에서 N개를 뽑는 가짓수인 $C(N^2, N)$입니다. 이것은 $P(N^2, N)/N! = N^2!/N!(N^2-N)!$로 계산되는데, 엄청난 수입니다. 이때, C는 조합(combination), P는 순열(permutation)을 의미합니다.

백트래킹 전략

백트래킹을 이용하면 좀 더 효율적으로 이 문제를 해결할 수 있습니다. 4-Queen 문제를 백트래킹으로 처리해 보겠습니다. 첫 행부터 순서대로 퀸을 배치하는데, 하나의 행에는 하나의 퀸만 놓여야 합니다. 그림 12.13과 같이 첫 행에는 네 칸에 각각 퀸을 놓을 수 있습니다.

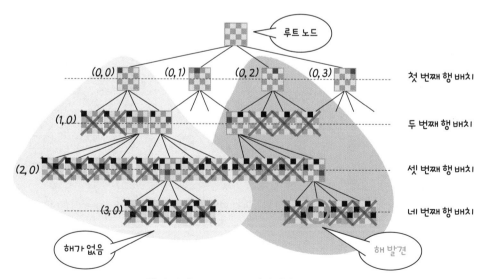

그림 12.13 | 4-Queen 문제의 상태공간트리의 일부

- (0,0)에 퀸을 두었다면 이제 2행으로 내려갑니다. 2행에서도 네 칸에 퀸을 놓을 수 있지만, (1,0)은 세로가 중복되고, (1,1)은 대각선으로 중복되므로 퀸을 놓을 수 없습니다. 따라서 불가능한 위치에 퀸을 놓고 더 탐색하는 것이 아니라 백트래킹합니다. (1,2)와 (1,3)은 중복되지 않으므로 퀸을 놓을 수 있습니다.
- 2행의 (1, 2)에 퀸을 놓았다면 다음으로 3행을 처리합니다. (0, 0), (1, 2)에 퀸이 있는 상태에서 3행에는 어느 칸에도 퀸을 넣을 수 없습니다. 따라서 모든 노드에서 백트래킹합니다.
- 다시 2행의 (1,3)에 퀸을 놓고, 다음 행을 처리하는데, 3행에서 (2,1)만 가능하고 다른 칸은 모두 백트래킹합니다.
- 3행의 (2,1)에 퀸을 놓고 4행으로 갑니다. 4행에서는 어느 칸에도 퀸이 들어갈 수 없고, 따라서 백트래킹을 거듭하여 루트까지 되돌아갑니다. 1행의 (0,0)으로는 답이 없습니다.
- 1행의 (0,1) 처리는 생략하겠습니다.
- 1행에서 (0,2)에 퀸을 두면, 2행에서는 (0,1)에서 새로운 퀸을 둘 수 있습니다. 다시 3행으로 가면, 3행에서는 (2,3)에 퀸이 들어갈 수 있고, 4행으로 가면 마지막으로 (3,2)에 퀸을 놓을 수 있습니다. 하나의 해를 찾았습니다.

같은 방법으로 1행의 (0,1)에 퀸을 두고 탐색하면 또 다른 해를 찾을 수 있습니다. (0,4)의 서브트리에는 해가 없습니다. 결국, 그림 12.12와 같이 두 가지의 가능한 배치를 찾을 수 있습니다.

4-Queen 문제의 가능한 조합, 즉 후보해의 수는 C(16,4)=1820가지입니다. 그러나 백트래킹을 이용하면 그림 12.13과 같이 탐색하는 노드 수가 수십 개 이내로 줄어듭니다. 이것이 백트래킹의 위력입니다.

N-Queen 알고리즘

이제 구체적인 알고리즘을 구성해 봅시다. 먼저, 현재의 보드 상태에서 (x,y)칸에 퀸을 놓을 수 있는지를 판단하는 함수가 필요합니다. 유효한 위치는 그림 12.14와 같이 (x,y)의 가로, 세로, 대각선 방향으로 퀸이 하나도 없어야 합니다. 퀸을 첫 행부터 순서대로(위에서 아래로) 처리하기 때문에, 현재까지 퀸은 0~y-1행에만 하나씩 놓여있을 것입니다. 즉, y행 아래쪽은 퀸이 없고, 따라서 검사할 필요도 없습니다.

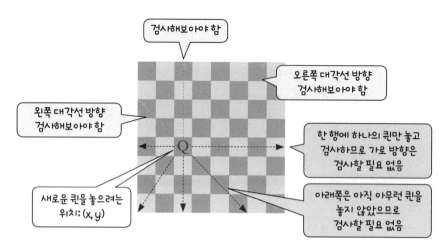

그림 12.14 | (x, y) 위치의 유효성 검사

다음은 이러한 유효성 검사 함수입니다. 대각선 좌표를 생성하기 위해 파이썬의 zip() 함수를 사용하였습니다. 세로와 대각선 방향의 검사는 모두 위쪽 행들에 대해서만 처리하면 됩니다. 가로 방향은 검사할 필요가 없습니다.

●●● 코드 12.6: N-Queen 문제의 유효성 검사

참고파일 ch12/NQueen.py

```
01:  def isSafe(board, x, y):   ← (x,y)에 퀸을 놓을 수 있는지 검사하는 함수
02:      N = len(board)
03:
                                    세로 방향은 (x,0)~(x,y-1)까지만 검사하면 됨
04:      for i in range(y):
05:          if board[i][x] == 1:   \ 방향 검사 위치는 (x-1,y-1), (x-2,y-2), …,
06:              return False        (0, y-k)의 순임. 즉, x와 y를 하나씩 줄이면서
07:      for i, j in zip(range(y-1, -1, -1), range(x-1, -1, -1)):   x가 0이 될 때까지 검사
08:          if board[i][j] == 1:
09:              return False    # \
10:      for i, j in zip(range(y-1, -1, -1), range(x+1, N)):
11:          if board[i][j] == 1:   / 방향 검사 위치는 (x+1,y-1), (x+2,y-2), …, (n-1, y-k)임.
12:              return False        x는 증가시키고 y를 줄이면서 x가 n-1이 될 때까지 검사
13:
14:      return True                # 모든 방향으로 OK이면 (x,y)는 safe한 위치
```

파이썬의 zip() 함수

zip()은 여러 개의 자료들을 쌍을 지어 묶어주는 함수입니다. 예를 들어 봅시다.
```
list( zip( [1, 2, 3], [4, 5, 6] ) )  # [(1,4), (2,5), (3,6)]
```

이때, 쌍을 지을 자료들의 개수가 달라도 문제는 없습니다.
```
list( zip( [1, 2], [3, 4, 5, 6] ) )  # [(1,3), (2,4)]
```

코드의 7, 10행에서는 다음과 같은 튜플들을 만들어줍니다.
```
zip(range(y-1, -1, -1), range(x-1, -1, -1))
# (y-1,x-1), (y-2,x-2), ..., (y-k, 0)

zip(range(y-1, -1, -1), range(x+1, N))
# (y-1,x+1), (y-2,x+2), ..., (y-k, N-1)
```

이제 순환을 이용해 N–Queen 알고리즘을 기술해 보겠습니다. 다음은 현재 보드 board에 0~y-1행까지는 퀸이 놓인 상태에서 y행부터 모든 행에 새로운 퀸을 놓는 알고리즘입니다.

●●● **코드 12.7: N–Queen**   참고파일 ch12/NQueen.py

```
01:  def solve_N_Queen(board, y):  ← 현재 보드와 처리할 행 번호를 받음
02:      N = len(board)
03:      if y == N:
04:          prinBoard(board)       ← 이미 모든 행을 채운 것임. 따라서 하나의 해를
05:          return                    완성했고, 이것을 화면에 출력함
06:
07:      for x in range(N):           ← 현재 행의 모든 열(x)에 대해, 유효한 열이면 다음은
08:          if isSafe(board, x, y):     처리하고, 유효하지 않으면 백트래킹함
09:              board[y][x] = 1
10:              solve_N_Queen(board, y+1)  ← (x,y)에 넣고 다음 행(y+1)을 처리한 다음,
11:              board[y][x] = 0             다음 칸 처리를 위해 퀸을 다시 꺼냄
```

테스트 프로그램과 실행 결과는 다음과 같습니다. 맨 처음에 보드는 모두 0으로 초기화되어야 하고, 순환 호출은 0번 행부터 시작합니다. 4–Queen 문제의 두 개의 해를 구하였습니다.

```
01:  def printBoard(board):
02:      for i in range(len(board)):
03:          for j in range(len(board)):
04:              if board[i][j] == 1:
05:                  print("Q", end=" ")
06:              else:
07:                  print(".", end=" ")
08:          print()
09:      print()
10:
11:  N = 4
12:  board = [[0 for i in range(N)] for j in range(N)]
13:  solve_N_Queen(board, 0)
```

🖥 실행 결과

```
. Q . .
. . . Q
Q . . .
. . Q .

. . Q .
Q . . .
. . . Q
. Q . .
```

4-Queen 문제의
두 개의 해

●●● **Quiz**

1. 3-Queen 문제에는 몇 가지 해가 있을까요?
2. N-Queen 문제에서 하나의 해로부터 보드의 대칭성을 이용해 몇 가지 다른 해를 찾을 수 있을까요?
   5-Queen 문제의 하나의 예를 이용해 설명해보세요.

연습 문제

01   테이블의 크기가 11이고, 해시 함수로 제산 함수 $h(k) = k \bmod 11$을 사용하는 해싱에서, 다음과 같은 순서로 데이터가 입력됩니다.

12, 44, 13, 88, 23, 94, 11, 39, 20, 16, 5

오버플로 처리를 위해 다음과 같은 방법을 사용하는 경우, 해시 테이블을 각각 그려보세요.

(1) 선형 조사법을 사용합니다.

(2) 이차 조사법을 사용합니다.

(3) 이중 해시법을 사용합니다. 단, 이차 해시 함수로 $h'(k) = 7 - (k \bmod 7)$를 사용합니다.

02   그래프 색칠 문제는 k개의 색을 이용해 그래프의 인접한 노드가 같은 색으로 칠해지지 않도록 그래프를 색칠할 수 있는지를 묻는 문제입니다. 이 문제도 백트래킹을 이용해 해결할 수 있습니다. 다음 그래프를 k=3으로 색칠할 수 있을까요? 가능하다면 색칠해 보세요.

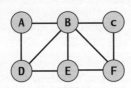 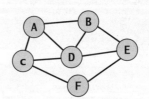

03   스도쿠는 9×9 칸에서 진행되는 숫자 퍼즐 게임입니다. 스도쿠에서 지켜야 할 규칙은 두 가지인데, 모든 가로와 세로 줄에 1~9가 중복 없이 하나씩 들어가야 하고, 3×3칸(box) 안에도 숫자 1~9가 중복 없이 들어가야 한다는 것입니다. 주어지는 문제에서는 보통 숫자가 일부분만 채워져 있기 때문에, 이 규칙을 바탕으로 나머지 칸들의 숫자를 유추해 채워 넣으면 됩니다. 예를 들어, 다음 그림에서 파란색 셀에는 어떤 숫자가 들어갈 수 있을까요? 같은 3×3 박스에 4, 6, 9가 이미 있으므로 이 숫자들은 안 됩니다. 가로줄에 7과 1이 있고, 세로줄에 8이 이미 있으므로 이 셀에 들어갈 수 있는 수는 2, 3, 5뿐입니다. 스도쿠는 이러한 규칙으로 비어 있는 모든 셀들을 숫자로 채우는 퍼즐 문제입니다.

1 ②③ 4̶ ⑤ 6̶ 7̶ 8̶ 9̶

4 6 9 : 3×3 셀 내부 중복
1 6 7 : 가로줄 중복
8 9 : 세로줄 중복

이 문제도 백트래킹을 이용할 수 있습니다. 다음과 같이 문제를 줬을 때, 답이 있으면 퍼즐을 풀어 결과를 출력하고, 답이 없으면 없다는 메시지를 출력하는 프로그램을 구현해 봅시다.

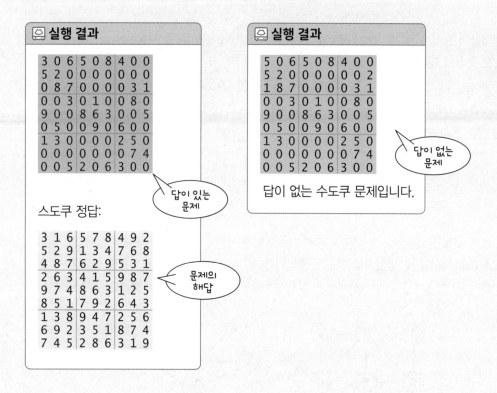

실행 결과

```
3 0 6 5 0 8 4 0 0
5 2 0 0 0 0 0 0 0
0 8 7 0 0 0 0 3 1
0 0 3 0 1 0 0 8 0
9 0 0 8 6 3 0 0 5
0 5 0 0 9 0 6 0 0
1 3 0 0 0 0 2 5 0
0 0 0 0 0 0 0 7 4
0 0 5 2 0 6 3 0 0
```

답이 있는 문제

스도쿠 정답:

```
3 1 6 5 7 8 4 9 2
5 2 9 1 3 4 7 6 8
4 8 7 6 2 9 5 3 1
2 6 3 4 1 5 9 8 7
9 7 4 8 6 3 1 2 5
8 5 1 7 9 2 6 4 3
1 3 8 9 4 7 2 5 6
6 9 2 3 5 1 8 7 4
7 4 5 2 8 6 3 1 9
```

문제의 해답

실행 결과

```
5 0 6 5 0 8 4 0 0
5 2 0 0 0 0 0 0 2
1 8 7 0 0 0 0 3 1
0 0 3 0 1 0 0 8 0
9 0 0 8 6 3 0 0 5
0 5 0 0 9 0 6 0 0
1 3 0 0 0 0 2 5 0
0 0 0 0 0 0 0 7 4
0 0 5 2 0 6 3 0 0
```

답이 없는 문제

답이 없는 수도쿠 문제입니다.

··· Quiz 정답

Chapter 01

01-1절 1. 10, 20 2. 4번 3. 3번 4. 언더플로 안 됨

01-2절 1. 7개 2. 스택 오버플로가 발생

01-3절 1. 열리는 괄호 2. 열리고 닫히는 괄호의 개수가 다름(닫히는 괄호가 적음)

01-4절 1. 삽입: insert(0,E), 삭제: pop(0) / 많은 요소의 이동이 필요하므로 비효율적임

01-5절 1. 문제의 크기가 줄지 않음(무한루프) 2. ④ 3. ②

Chapter 02

02-1절 1. 40, 50 2. C, D, E, B, A 3. 4번 4. 3번

02-2절 1. front == rear, front == (rear+1)%capacity
2. front: 0, rear:2
3. 13 ~ 20

02-3절 1. addRear/deleteFront, addFront/deleteRear
2. addFront/deleteFront, addRear/deleteRear

02-4절 1. ④, ⑥ 2. ③, ⑦ 3. isEmpty, isFull, size(), display()

02-5절 1. put(), get() 2. ③

Chapter 03

03-1절 1. 30, 10, 40, 20, 50
2. 30, 60, 40, 20, 50
3. insert(size(), e)
4. 집합은 원소의 순서가 없고, 중복을 허용하지 않으며, 선형 자료구조가 아님.

03-2절 1. 2400번지 2. 링크를 따라 100번 이동해야 함.

03-3절 1. 4번

03-4절 1. ③ 2. ×

03-5절 1. def replace(self, pos, elem) :
        node = self.getNode(pos)
        if node != None : node.data = elem
2. 생성자: count를 선언하고 0으로 초기화, insert(): 삽입 성공시 count 1 증가, delete(): 삭제 성
   공 시 count 1 감소
3. def size(self) : return self.count

03-6절 1. isEmpty, isFull, getEntry, size

Chapter 04

04-1절 1. (a) A (b) D (c) H, I (d) 3 (e) 4 (f) 3
2. (a)

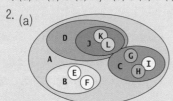

    (b) (A (B(E)(F)) (C(G)(H)(I)) (D(J(K)(L))))

04-2절 1. 9개 2. 31개 3. 5, 31
4.

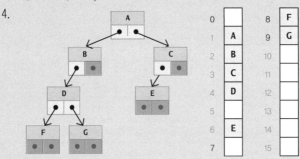

5. n+1

04-3절 1. 전위: 24, 19, 15, 11, 17, 23, 20, 42, 41, 28, 55
   중위: 11, 15, 17, 19, 20, 23, 24, 28, 41, 42, 55
   후위: 11, 17, 15, 20, 23, 19, 28, 41, 55, 42, 24
   레벨: 24, 19, 42, 15, 23, 41, 55, 11, 17, 20, 28
2. 2~3행 사이, 5행 다음

04-4절 1. - . . . - - . - 2. T R E E 3. T M G Z

04-5절　1.　　　　　　　　　　　　　2. 6

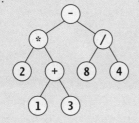

Chapter 05

05-1절 흐름도: 정확한 표현이 가능
유사코드: 체계적이고 간결한 표현 가능
파이썬: 유사코드와 유사하지만 바로 실행할 수 있음

05-2절 1. (a) $n(n-100)(n-2000)=50000n^3$
(b) $0.00001n^2 > 100000n$
(c) $1000^n < n!$

Chapter 06

06-2절 1. 3, 4, 7, 9, 8　2. [3, 3, 1] -〉 [1, 3, 3]

06-3절 1. 3, 4, 8, 9, 7
2. 뒤에서부터 끼워 넣으므로, 같은 값이면 뒤에 있는 요소가 여전히 뒤에 있음. 따라서 만족.

06-4절 1. ②　2. [28, 49, 53, 55, 38, 71, 72, 92]　3. [2, 3, 3, 1] --〉 [1, 2, 3, 3]

06-5절 1. ③　2. ④　3. 큐를 사용하므로 같은 크기의 요소들의 순서가 유지됨.

06-6절 1. def keyFunc(p):
      return math.sqrt(p[0]*p[0]+p[1]*p[1])
magni = sorted(data, key = keyfunc)

Chapter 07

07-2절 1. ①　2. 배열 구조: O(n), 연결된 구조: O(1)　3. 없음

07-3절 1. 최선 O(1), 최악 O(logn)　2. ③　3. ③

07-4절 1. 최대 15, 최소 4　2. ④　3. ④

08-1절   1. (a) BCDE (b) AC, ADEC, AEC (c) 1, 3, 2 (d) A:4, B:1 (e) ACEDA (f) 예 (g) 아니오 (h) 아니오

08-2절   1.

```
vtx = ['A','B','C','D']          vtx = ['A','B','C']

edge= [[0,  1,  1,  1],          edge= [[0,  1,  1],
       [1,  0,  1,  0],                 [0,  0,  1],
       [1,  1,  0,  1],                 [0,  1,  0]]
       [1,  0,  1,  0]]
```

2. A→ B ● → C ● → D ●   A→ B ● → C ●
       B→ A ● → C ●   B→ C ●
       C→ A ● → B ● → D ●   C→ B ●
       D→ A ● → C ●

08-3절   1. W U V X Y   2. W U V Y X

08-4절   1.

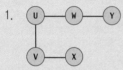

08-5절   1. B(A,B), F(B,F), E(B,E), D(D,E), C(B,C)
         2. 경로길이는 12

09-1절   1. • $\sqrt{2}$과 같이 정확한 해 자체를 구할 수 없을 때
            • 계산량이 너무 많아져서 현실적인 시간에 해결할 수 없을 때
            • 최적해를 구하기 위한 중간 단계로 사용할 때

09-2절   1. (1) 96 * 5번 (2) 96 * 1번 (3) 96 * 2번
         2. 2^{50}

09-3절   1. 동전 종류 = [500, 100, 50, 10, 5, 1], 동전 개수 = [1, 3, 1, 1, 1, 1] --〉 8개
         2. 예: A=(8kg, 10만 원), B=(9kg, 11만 원), C=(20kg, 30만 원), 배낭 용량이 20kg 경우 A + B가
            최적해가 아님

Chapter 10

10-2절   1. 2 (2×2행렬)

10-3절   1. n은 7, k=4
[~~3, 5, 6~~, 9, 18, 7, 8]
[3, 5, 6, 7, 8, ~~9, 18~~]
[~~3, 5, 6~~, 7, ~~8, 9, 18~~]
[축소정복] 중앙값: 7

10-4절   1. ④   2. [49, 71, 55, 92, 28, 38, 53, 72]

10-5절   1. $\left\lceil \dfrac{n+2}{3} \right\rceil$

Chapter 11

11-1절   1. 5번
2. u-v의 최장 경로는 u-x-v이지만, 이것이 u-x와 x-v의 최장 경로의 합이 아님. 따라서 최적 부분 구조 특성을 만족하지 않음.

11-2절   1. (a) LCS는 "ADH", 길이는 3
(b) LCS는 "GTAB", 길이는 4

11-3절   1. 항상 증가(non-decreasing)함   2. 테이블의 크기가 무한대가 되어 적용할 수 없음

Chapter 12

12-2절
1. 0   2. 충돌이 버킷의 슬롯 수보다 많이 발생한 경우   3. ④

1. 0가지(해가 없음)

2. 5-Queen의 10가지 해 중에서 다음 하나의 해는 회전과 대칭을 통해 7가지의 해를 구할 수 있음.

해	좌우	상하	\대각선	/대각선	−90회전	90회전	180회전

여기에 포함되지 않는 해는 다음과 같음.

다른 해	좌우

이 해는 좌우/상하/대각선이/회전이 모두 같은 경우이므로 두 가지 뿐임.